STAR WARS™ MODELING ARCHIVE II

スター・ウォーズ モデリング アーカイヴII

モデルグラフィックス編集部／編

大日本絵画

PERFECT GRADE
MILLENNIUM FALCON
BANDAI 1/72
Injection-plastic kit
Modeled by DorobouHige

STAR WARS MODELING ARCHIVE II

スター・ウォーズ モデリングアーカイヴII

目次 table of contents

はじめに……

本書は、「月刊モデルグラフィックス」誌に連載された、バンダイ『スター・ウォーズ』プラモデルシリーズの作例作品を再編集、再撮影などによって、より深く作品の魅力に迫る単行本シリーズの第二弾です。

2017年8月、バンダイはついにPERFECT GRADE 1/72 ミレニアム・ファルコンを発売します。これは『新たなる希望』版と銘うっており、まずは『スター・ウォーズ』第1作の撮影用にILMにて製作された170cmサイズの撮影用モデルを丹念に研究し、プロポーションのみならず、使用されている流用パーツのすべてを解析しました。そしてそれらを採寸してから設定スケールの1/72、実機の1/3.5サイズに縮小してインジェクション・プラスチック化したという、世界のプラモデル史に残る画期的な製品です。本書では、まずこの製品にスポットを当て、いかに製作すると実際の撮影用モデルに近づくかを、本書のために作品を作り起こし、その工程を紹介します。またモデルグラフィックス誌で紹介したミレニアム・ファルコンの作例も途中写真を紙面の許す限り掲載。これから1/72 ミレニアム・ファルコンを作ろうというモデラーへの大きなヒントとなるでしょう。

また旧三部作関連作品のみならず、本書ではエピソード1～3、そして『スター・ウォーズ／フォースの覚醒』、『ローグ・ワン／スター・ウォーズ・ストーリー』も作品を収録します。

PERFECT GRADE
MILLENNIUM FALCON
BANDAI 1/72
Injection-plastic kit
Modeled by DorobouHige

ALCON™

MILLENNIUM F

パーフェクトグレード
PG 1/72 MILLENNIUM FALCON™
ミレニアム・ファルコン

パーフェクトグレード　ミレニアム・ファルコン
バンダイ　1/72　インジェクションプラスチックキット
出典／『スター・ウォーズ／新たなる希望』
税込4万3200円
プレミアムバンダイ
製作・文／**どろぼうひげ**

バンダイの『スター・ウォーズ』プラモデルシリーズ開始以来、もっとも待たれていたビークルがついに1/72という大スケールでそのベールを脱いだ。PGの冠を掲げた本製品は、文字通り徹底したリサーチによる見事な造形で見るものを圧巻する。ここではそのパーフェクトなキットの実力を十二分に発揮するべく、電飾や細部ディテールに手を加えて、本物同様の塗装を施し、極上のミレニアム・ファルコンを仕上げてみた

最高のミレニアム・ファルコンを徹底的に作り込む

●今回はキット同梱のLEDセットを使用せず、3㎜砲弾型白色LEDをエンジン部で54個使用し、自作したスタンドから配電しエンジンを点灯させている。その効果はてきめんで、ご覧のように劇中のミレニアム・ファルコンのように目がくらむほどの光量でエンジンを点灯させることができる

●コクピットの奥壁や側壁、コンソールなどもLEDを配置して劇中同様に点灯させている。差し替えでタラップを装着するとスイッチが切り替わり室内灯が点灯する。細部の造形とともに、質感溢れる塗装にも注目してほしい

●足回りは穴の開口やケーブルの追加など、より質感溢れる追加工作を行いつつ、脚収納庫のライトをより明るく点灯できるような工夫をほどこしてある。『ANH』版では赤いポジションライトやスポットライトは付いていないので工作はしていない

PERFECT GRADE
MILLENNIUM FALCON
BANDAI 1/72
Injection plastic-kit
Modeled by DorobouHige
3
2
1
6
5
4
9
8
7
12
11
10

PERFECT GRADE

MILLENNIUM FALCON

1機体開口部は汚し塗装やスミ入れ、スス汚れなども入っているが、組み立て後は届かない箇所もあるので先に塗装する。23機体側面は鮮やかなサビ色が大胆に多数入る。4アンテナの裏も特徴的な塗り分けと傷があるのを再現。5撮影用モデルに入っている傷はプラパーツにも彫刻されているので、塗装を剥がすなどして質感を高める。6基本塗装の段階でシェードを残しつつ、きれい目のスミ入れによってディテールを際立たせている。各所デカールの位置にも注目。7機体中央上下にある銃座にはソロとルークを着座させ、銃座内をLEDと光ファイバーで電飾した。8銃座表面の様子。赤、グレーの塗り分けのほかに特徴的な剥がれ塗装や汚れも資料をもとに描きこんでいる。9コクピット周辺の様子。このキットではデカールに剥がれ模様もプリントされているので、そのデカールを参考に剥がれた様子を描き込んでいる。チッピングも明るい白に削れた中心がこげ茶になるようにひとつひとつ描き込んでいる。10すべての機体の開口部のフチは内側から薄く削り、よりシャープに見えるように。またここは唯一赤いマーキングが機体表面を這うパイプにかかる箇所で、塗装に注意したい。機体開口部内にサビがあるのにも注目。11機体左舷にある被弾痕は見栄えのするポイント。彫刻刀で削り込んでより被弾した痕らしく加工。塗装もメリハリが効くように焦げ痕やスス汚れを加えている。12撮影用モデルでは、裏面など機体各所にモデルメーカーの名前が刻まれている。キットには付属しないので自作デカールでそれらの名前を再現した。13コクピットにはルーク、ソロ、チューバッカ、オビワンを載せ、タトゥイーン出発直後を再現した。そのほかにキットにはC-3POとレイア姫の着座フィギュアが付属する。14ミレニアム・ファルコン号の見どころのひとつでもある後部エンジン上面の通称"マンダラ"と呼ばれる部分。資料写真を参考に繊細にスミ入れ、スス汚れなどをを施し、質感の高い仕上がりを目指した

170cm撮影用モデルの特徴を徹底的に再現する

●170㎝撮影用モデルの塗装を再現するべく、遮光用の黒を吹いたあと、機体の白を塗装している。天面は均一に塗りつぶすのではなく、ムラを残すように吹き付けたり、側面は下地の黒が機体各部のシェードとなるように影を残すように白を吹くなどして、単一の白ではなく、表面に色の変化を付けるよう基本塗装をしている。そこからさらにシェードや汚し塗装が加わっている

14

13

No.1電飾SW（スター・ウォーズ）モデラーどろぼうひげ

バンダイに"パーフェクト"と言わしめるこのキット。これをSWモデラー、どろぼうひげ氏が正面から大攻略。形状がパーフェクトならば、細微なポイントに注力し、より撮影用モデルに近づけるためのポイントを攻めてみました！

PERFECT GRADE 1/72 ミレニアム・ファルコンに挑む!!

製作・文／どろぼうひげ

コクピットの製作

見せ場のひとつであるコクピットはキットのままでも電飾されているが、より一層光らせるためにキットのものはつかわず別途専用のLEDを準備し電飾加工を施す。撮影用モデルではここは作られていないので、あくまで1/1ライブセットのコクピットを参考に色やディテールなどを再現する

▲後部パネルの照明部分には、白色チップLEDを内側から横向きに取り付けた。クリアー部分はアルミテープで遮光している

▲後部パネルは黒とグレー、入口枠をサンディブラウンで塗り分けた。エナメル系塗料の白でラインをスミ入れ。スイッチ類は筆塗りした

▲操縦桿は、上向きに接着し、中央にレバーを3本追加。シートの穴をパテ埋め、正面にコンソール用光ファイバーを隠すパネルを追加した

▲LEDと熱収縮チューブで、電球色・青・赤3色の光源回路を作る。常時点灯に加えランダムに点灯する3色をPICマイコンで制御している

▲正面コンソールも黒で塗装し、白のエナメル系塗料でスミ入れ。光ファイバーを植える。後部パネルも40本ほど光ファイバーを植えた

▲その照明を内壁へ取り付ける。その際にチップLEDを取り付けた側が前方にくるように配置。こうして棒状に光る室内灯を再現した

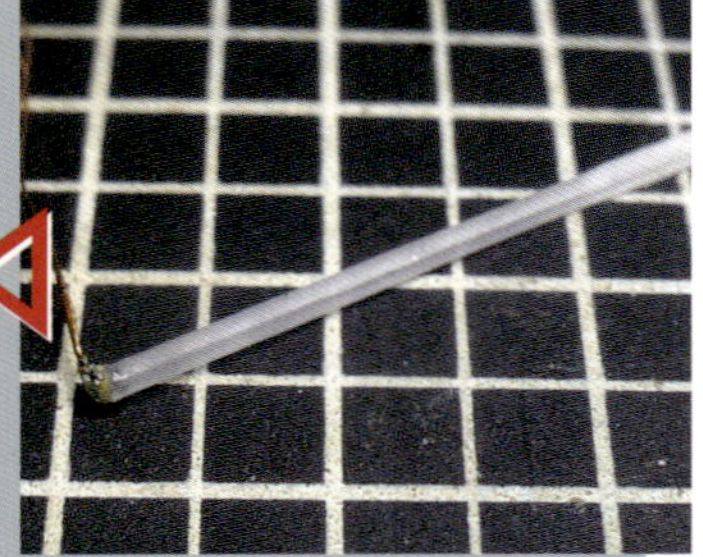

▲側面の照明用に幅2㎜高さ1㎜のクリアー角棒を切り出し、紙ヤスリでヤスって曇らせた後、先端に白色チップLEDを取り付けた

▲回路をパネルの裏に置き、光ファイバーの位置を確認しながら色分けして接続。内部は黒で塗装し二重の隔壁で遮光対策する

▲これだけでは内部が暗くて、ルークとオビ＝ワンが見えないため、天井に白色チップLEDを取り付けて、室内照明を追加した

機体の組み立て

基本工作は丁寧にゲート処理とパーティングラインの処理をすれば問題ないが、パーツが大量にあるので、どう効率化するかが工夫のしどころ。また、組み上げる前に塗装すべきポイントもある。スナップフィットキットだが、強度に不安がある場所や繊細なパーツは接着剤で固定してしまう

▲削ったフチや露出する内部ディテールは組み立てる前にブラックグレーで塗装しておく

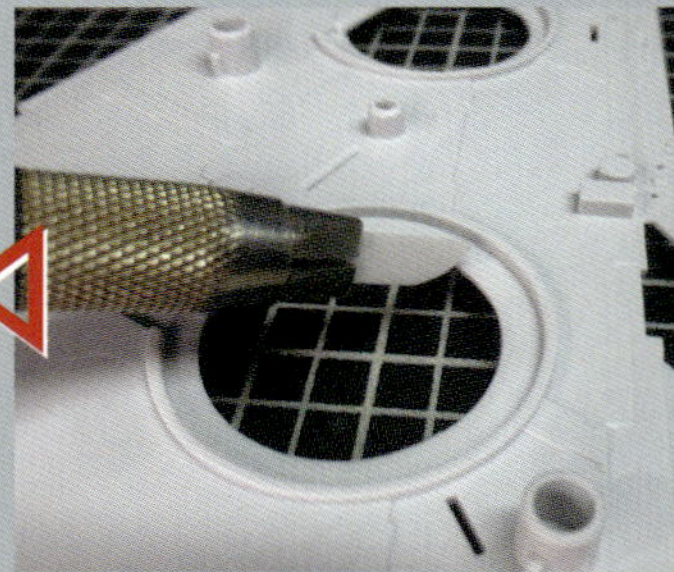

▲穴のフチは、セラミックナイフを使ってカンナがけの要領で削り薄くする。プラの厚みが減りスケール感も出るので、効果的だ

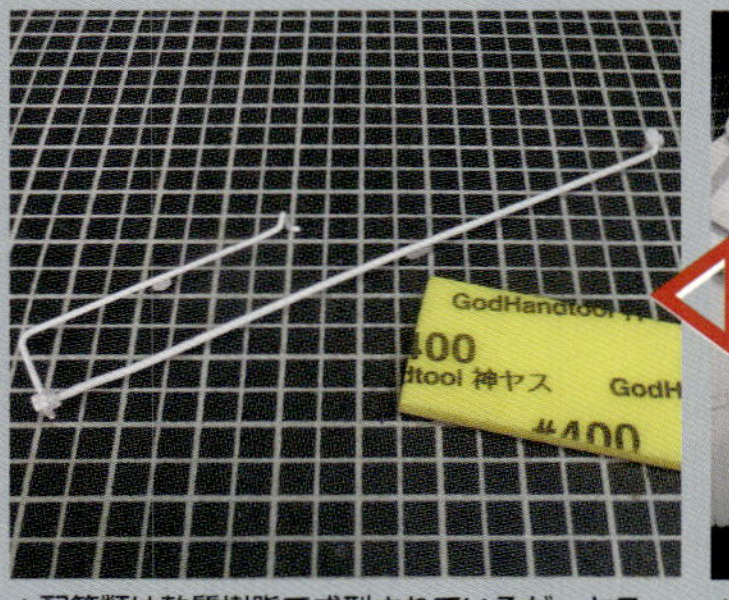

▲配管類は軟質樹脂で成型されているが、ヤスリで成型することが可能。流し込み接着剤を使うと脆くなるので、粘度の高い接着剤を使う

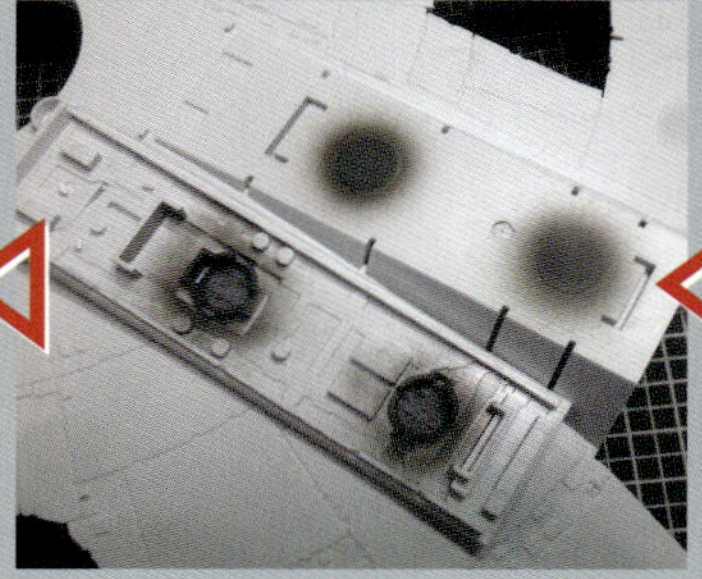

▲エッチングパーツを張り込む部分の下にもブラックグレーを先に吹いておく

▲底面部の露出部はとくに組み立ててからでは塗装できない部分が多いので先に塗装を済ませてから接着する

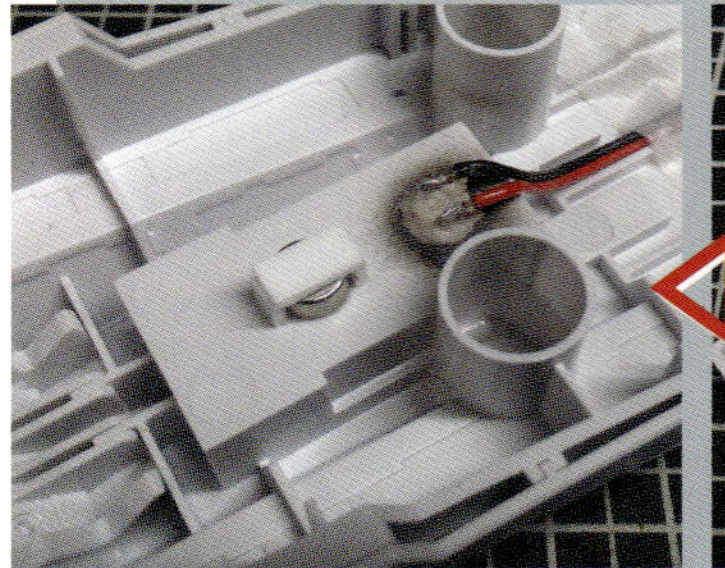
▲船体の内側に磁石を取り付けると、ランディングギアを付けた状態を保持できる。飛行状態再現カバーにも磁石を取り付ける

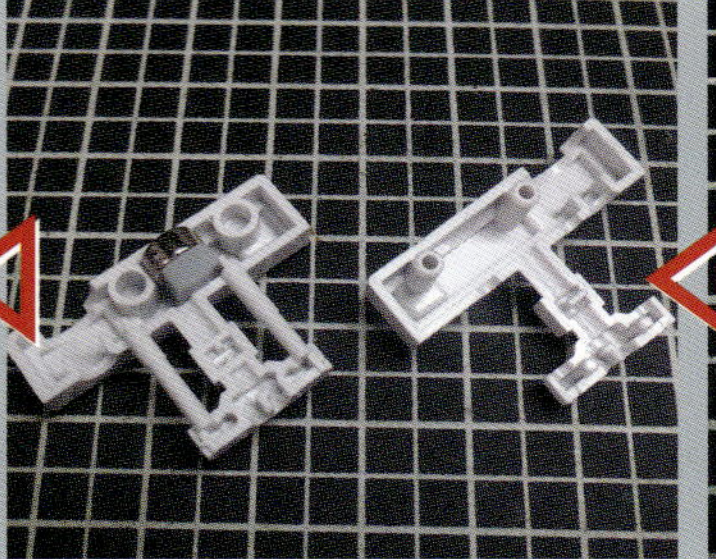
▲ランディングギアのパーツには、あらかじめネオジム磁石を仕込んでおく。プラの厚みで遮られていても磁力は充分

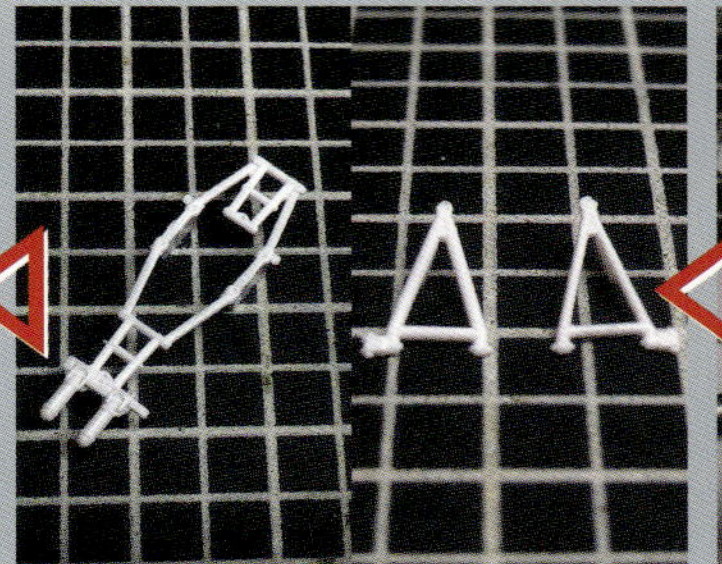
▲これらのパーツは撮影用モデルのものと比べて若干太いので、細く整形してから接着する

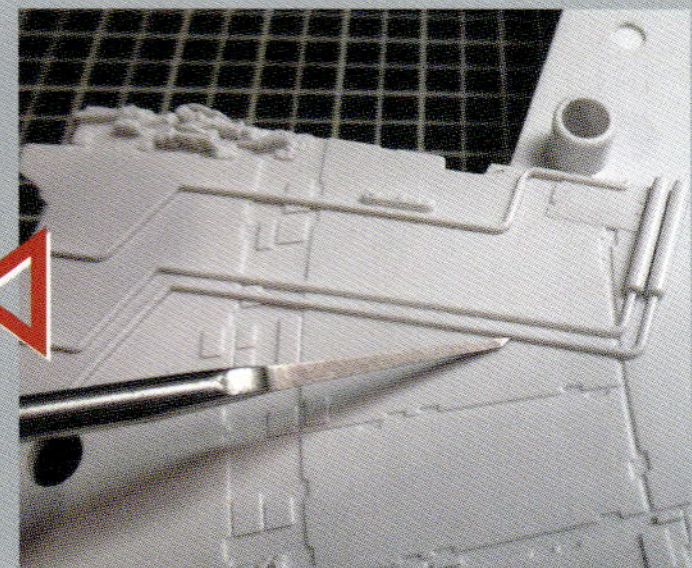
▲表面にモールドされている配管はカマボコ型なので、下側を少し削り込んでパイプらしく見えるように成型する

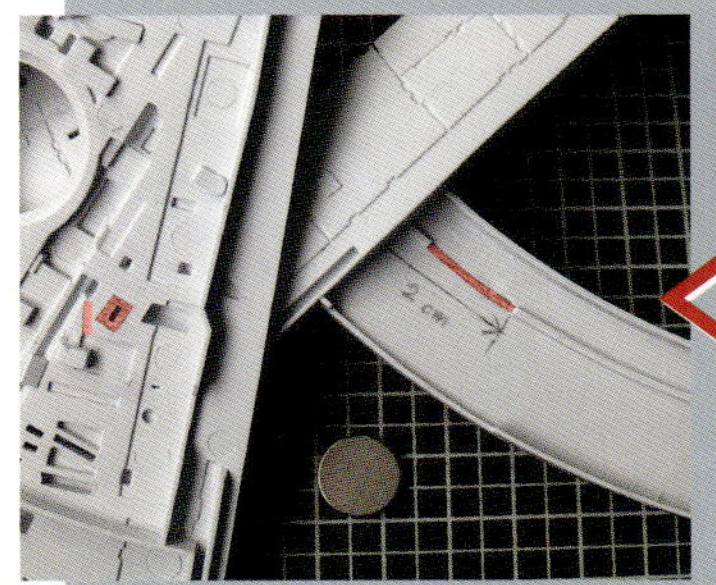
▲後部エンジンパネルも、ネオジム磁石を仕込み固定できるようにする。磁石を取り付ける位置のモールドを削り取る

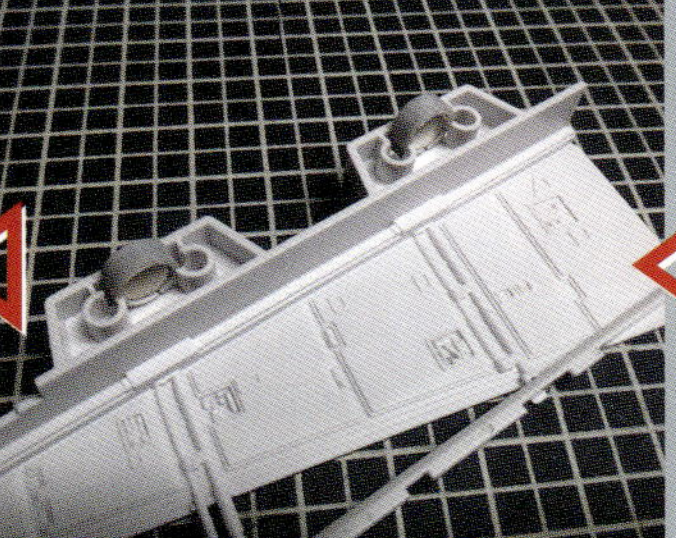
▲タラップもダボの一部を切り取り、ネオジム磁石を仕込んでおく。タラップは接着する前に内側を塗装してしまう

▲ランディングギアの傘はメッシュ部分がモールドされているだけで抜けていないので、ピンバイスで穴を開け、ヤスリで整形する

▲脚収納庫内にビニール線で油圧チューブを追加した。これだけで途端に雰囲気がよくなる

▲塗装はパーツを分割したまま行なう。ボディとクチバシパーツの接合部分は軟質パーツなのであとで組み立てることが可能だ

▲右側面にあるパーツD30は、表面に多数の穴があるが、塞がっているのでドリルですべて開口してから取り付ける

▲穴が浅いところや、実際には貫通しているところはドリルで開口してやると効果的。かなりの数の箇所となるが0.6㎜のドリルで対応可能

▲パネル、ボディ両方にネオジム磁石を仕込むことで、確実に隙間なく固定できるようになる

▲コクピット横に取り付けるエッチングパーツは、あらかじめ曲げクセを付けて置くと接着が楽になる

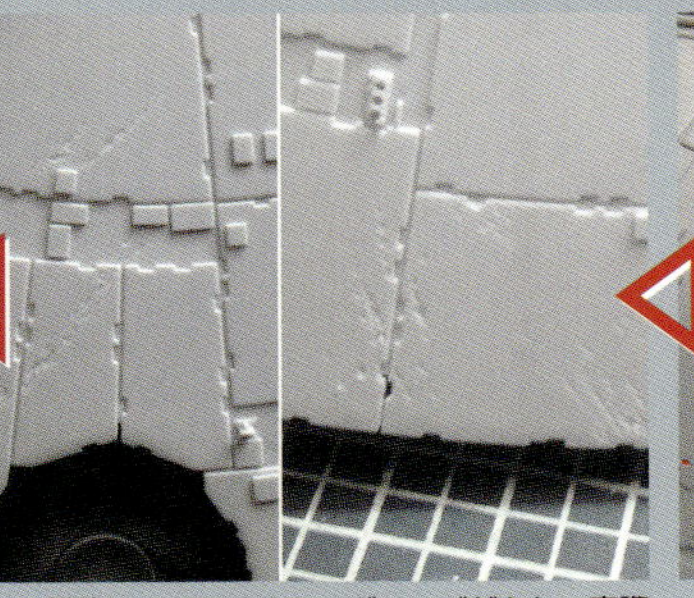
▲船体には、たくさんのダメージがあり、実際に削れている部分も多い。塗装の前にリューター＋丸ビットでキズを再現しておく

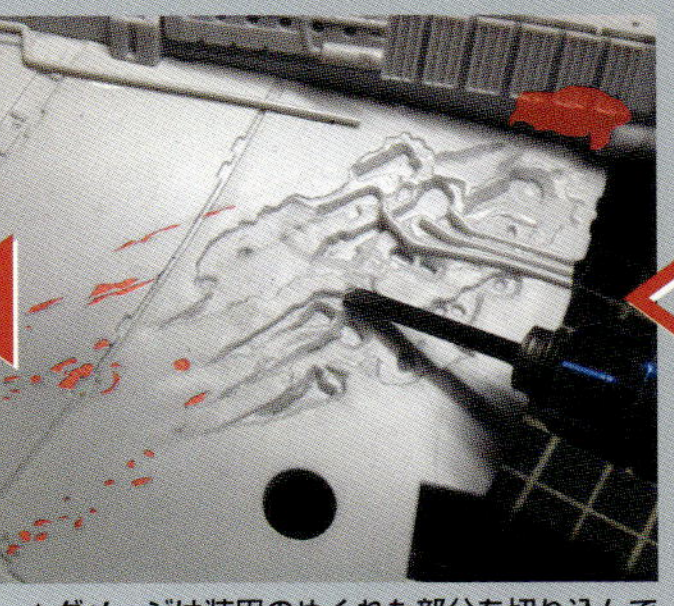
▲ダメージは装甲のめくれた部分を切り込んでやる。省略されているダメージ（赤部分）は、鉛筆でアタリを付けてからリューターで削る

▲エンジン周辺のたくさんの偏向板パーツも塗装後に接着したほうがよい。パーツQ8は、破損を防ぐため最後に取り付ける

パーフェクトなミレニアム・ファルコンが来た！

ミレニアム・ファルコンといえば、多くの『スター・ウォーズ』ファンがもっとも憧れる宇宙船といえます。そして今回、バンダイから発売されたキットは、まさにパーフェクト！ しかも、複数ある撮影用モデルのなかでも、170㎝モデルの立体化とくれば、是が非でも作らなくてはいられません。

このキットは、これまでにない入念なリサーチと再現度によって本当にパーフェクト。プロポーションについて、手を入れるところがありません。ですので成型の関係で再現し切れなかった僅かな部分の改修や、標準で付いてくる電飾を更に強力にする加工、そして撮影用モデルを忠実に再現する塗装に注力しました。

◆コクピットは煌びやかに

キットの電飾ユニットでは、コクピット内の後部パネルの照明だけが点灯しますが、横の蛍光灯やコンソールのランプ類を点滅させて、豪華なコクピットに仕上げました。3色のランプが、PICマイコンにより、ランダムに点滅します。

ハン・ソロとチューバッカは、操縦桿を握っているポーズに変更しています。後部シートには、ルークとオビ＝ワンを乗せ、デス・スターに拿捕されるシーンとしました。また、ターレットの砲座内部も電飾することで、劇中の戦闘シーンを再現しています。

◆製作は分割したままがベスト

機体表面に多数設けられている内部機械が覗く開口部のフチは、裏から薄く削ってあげると精密感が増します。また、組み立てる前に、機械部や甲板の裏側をブラックで塗装しておくと、あとからエアブラシ塗装の際に、塗料が届かない！ なんてことが回避できます。ランディングギアに付属してる傘は、横方向のメッシュが塞がっていますので開口しました。特徴でもある三本のランディングギアは、カバーも含めて

▲現在撮影用模型は、180度回転した状態で取り付けられており今回はその状態とした。架台はこのような向きとなる

▲アンテナには上下がある。矢印部分のモールドが、わずかに開いているかで判別できる

▲薄くしたフチに流し込み接着剤を塗布して柔らかくしたら、精密ドライバーの先などで、表面から割れるぐらい押し込んでくぼみを作る

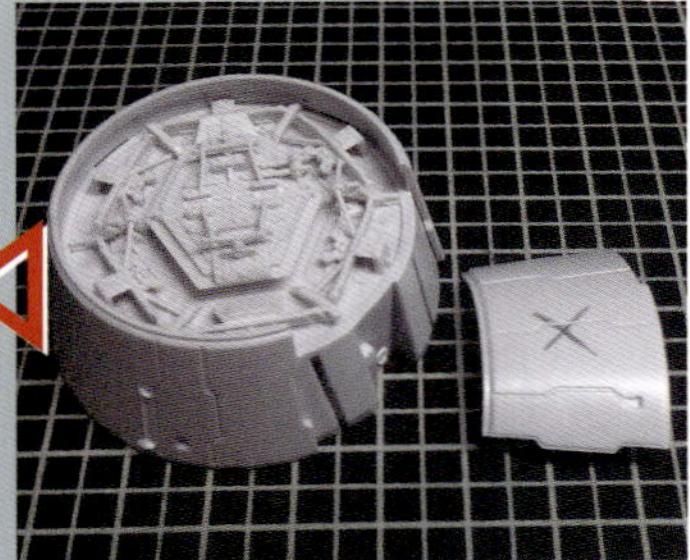

▲コクピット側のドッキングベイには、下側に大きな被弾痕があるので再現。まず3㎜の穴をあけてフチを内側から薄く削る

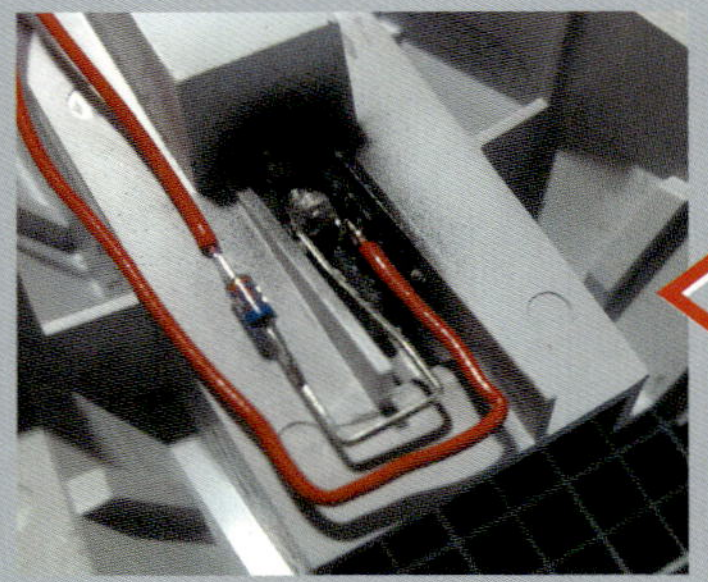

▲タラップや脚収納庫照明は、LEDの最大光度で光らせたいので、12Vの電源にＣＲＤを組み合わせて使用した

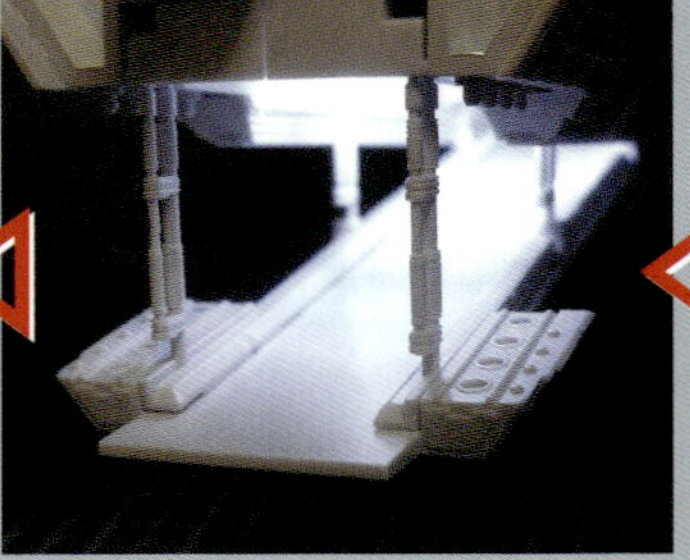

▲斜めにカットしたLEDを使うことで、写真のようにタラップ全体を照らすことが可能になる

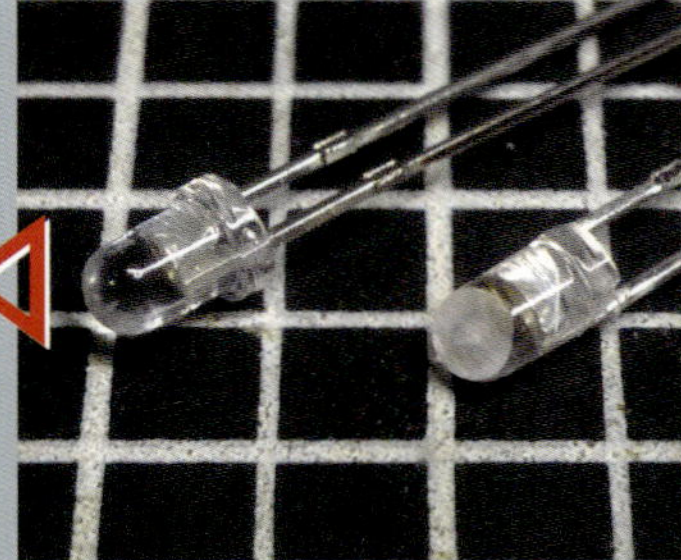

▲タラップに設置する照明用ＬＥＤは、先端を斜めにカット（写真右）することで照射範囲を拡大する加工を施す

最大の見せ場であるエンジンの発光は、同梱される電飾ユニットでも可能だが、今回は独自にLEDを搭載し、できるかぎり光量を稼ぐ工作を施す。

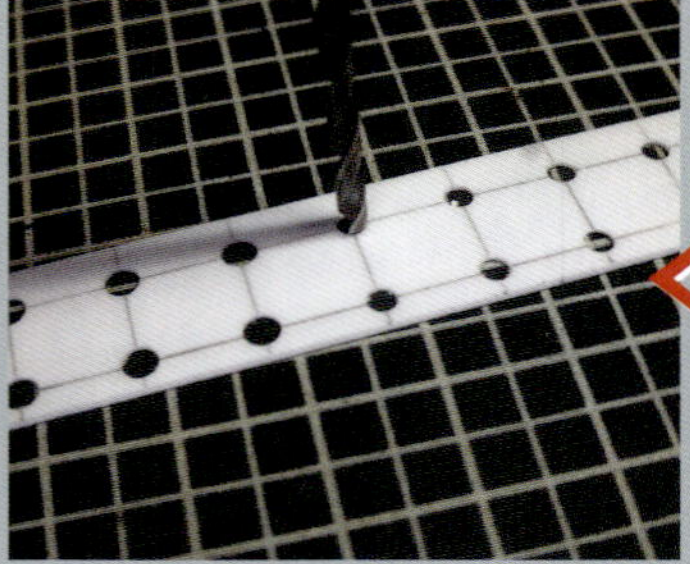

▲エンジンパーツの内側に寸法を合わせた底板を準備し、LEDを納める穴を均等に開ける。配置はエンジンパーツのスリットに合わせる

▲スイッチの機体内部側。配線はそれぞれに取りまとめてホットボンドで機体に固定していく。

▲機体内部、タラップパーツを差し込む位置にスイッチを設置。横に設置したのはタラップパーツが外れる方向に力が向かない様にするため

▲タラップを装着したときにはエンジンが消灯して、タラップなどの照明が発光する仕組みを作る。マイクロスイッチを使用

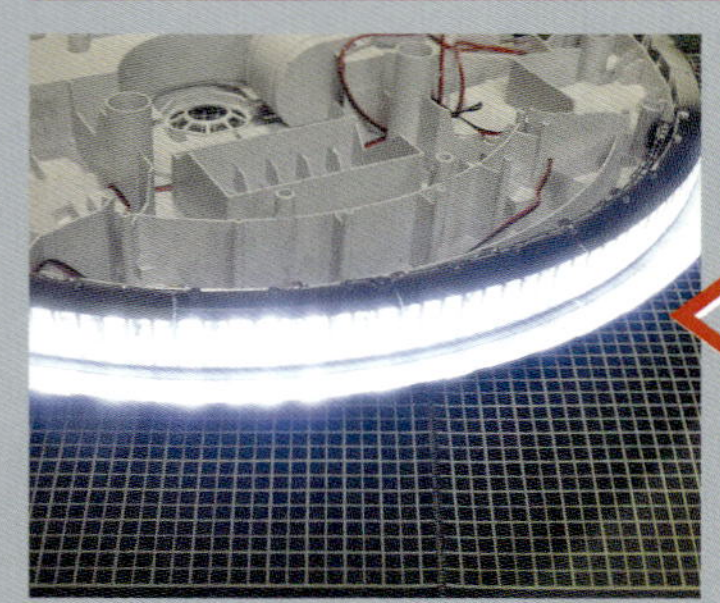

▲白色LED54個、CRD18個の配線が完了。直視するとかなりの光量で、スポッティングが起きず、面で光っているように見える

▲LEDの足を曲げて配線しCRDをハンダ付けする。ハンダ付けする部分だけ塗装を落とすが、ショートしない様に充分に注意する必要がある

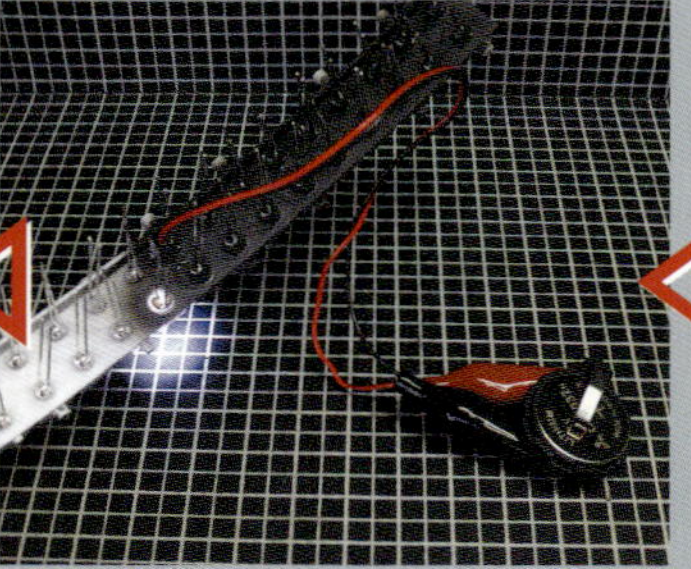

▲ボタン電池で光らせながら、光漏れが無くなるまで黒を吹き付ける。LEDの足まで塗装するのはショート防止のコーティングも兼ねている

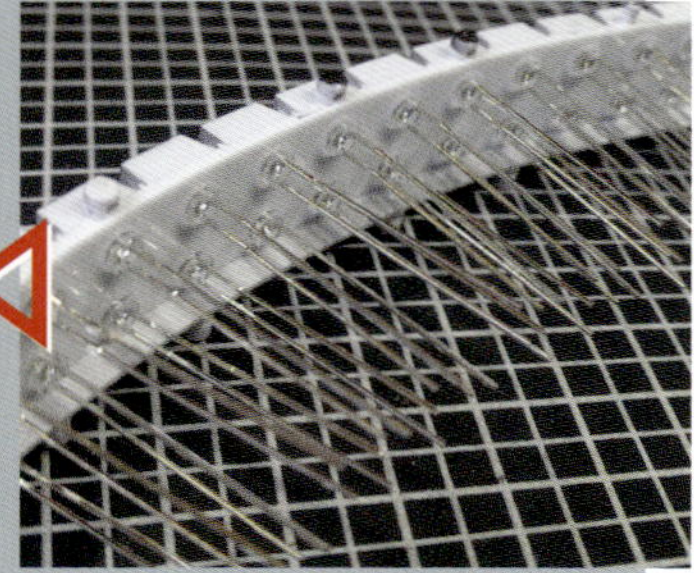

▲底板を噴射口パーツに貼り付け、LEDを取付ける。3個直列+CRDの回路を並列で繋いでいくので、LEDの向きに注意する

磁石で固定し、取り外しを容易、かつ確実に装着できるようにしました。

船体に付いている、こまかいダメージ痕はモールドされていないので、リューターで実際にキズを付けて再現しています。コクピット側のドッキングリングには、下側に大きな被弾痕があるのですが、キットではこれも省略されていたので追加しています。穴をあけ、そのフチ裏側からリューターで薄く削ったのちに同じく裏側から接着剤で溶かして、それを精密ドライバーで押し割るのですが、実際の撮影用モデルに近い被弾痕が作れますので、是非挑戦してみて下さい。

また、塗装を考慮して、組み立てないでおいた方が良いところが随所にあります。コクピット、レーダー、くちばし、左右のドッキングリング、そして船体上下は、塗装が仕上がってから接着するのがベストです。大型キットですので、取り回しも大変ですから、分割しておいて最後に合体させる方が作りやすいでしょう。

◆強力なエンジンに換装

キットは標準で電飾ユニットが同梱されており、ＬＥＤを仕込む方法に悩まずに済むのは大変ありがたいです。しかし付属の電飾ユニットの発光では少々物足りなく感じましたので、白色ＬＥＤを54個、ＣＲＤ18本を投入して強力に発光させてみました。ＬＥＤ3本とＣＲＤを直列に繋いだものを並列に追加していく回路を作りました。詳しい方法は自著『電飾しましょっ！』（大日本絵画／刊）を参照して下さい。点灯させると、部屋の照明に使える程の明るさです（笑）

キットではタラップの照明や、脚収納庫内照明も再現されていますので、開状態のタラップパーツへ差し替えた時にはエンジンの発光が消え、足元照明が点灯する、切替スイッチを付けました。

◆塗装がメッチャ楽しいキット

通常ではブラックで塗装してからグレーを重ねるのですが、その方法では青が強く発色してしまいますので、ブラックグレー

▲白色チップLEDを室内照明として設置。砲座は常時点灯とするが明る過ぎると不自然なので、抵抗値を調節して光度を落とす

▲外にLEDを設置し、光ファイバーはパーツの突起を利用してまとめた。奥面には通路の画像を印刷したラベルを貼り付けた

▲銃座室内も完全に再現されているので塗り分ける。壁面には、0.25㎜の光ファイバーを植えておき、赤と電球色のランプを点灯させる

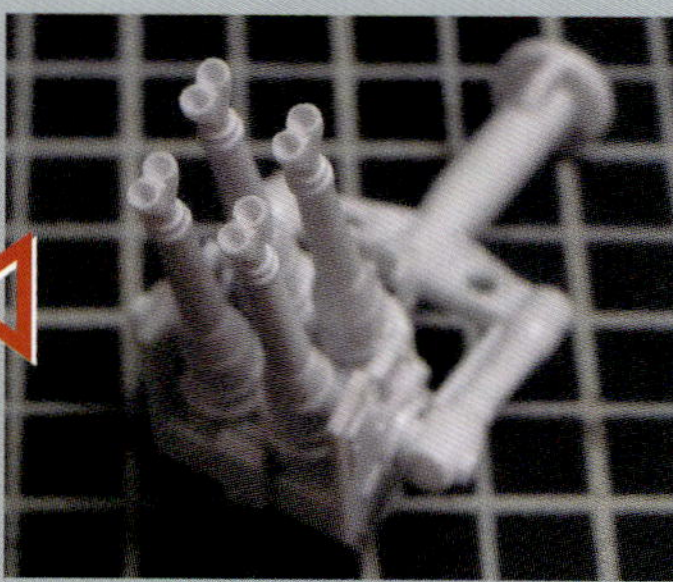

▲こまかいディテールアップポイントとして4連機銃の銃身に0.8㎜ドリルで穴を深く掘り直す

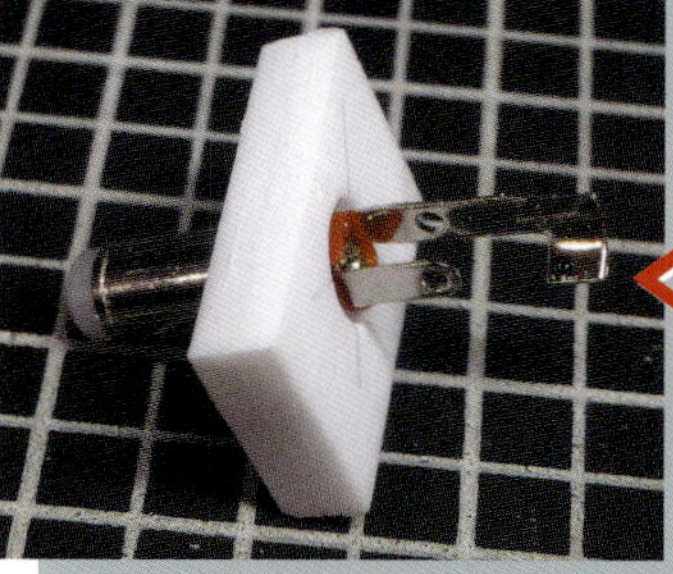

▲船体内部へはコネクタを取り付けて、電源を供給する支柱を中心に回転しても安定して電源が供給される仕組みとした

▲船体の重量をしっかりと支えるために、ベースにセットする際の内部の支柱には、金属パイプを使い、キットのダボも利用して補強する

▲レーザー砲台は塗装後に取り付けるので、船体内部でコネクタを経由して接続できるようにする。コクピットの電源も同様の処理をする

▲コクピットと機銃座は、5Vの電源が必要。そこで車のシガーライターからUSB電源（5V）を取り出す装置を使って5Vの電圧を作る

▲排気口内部は、空冷ファンまで再現されているので、明度を調整し見えるように。このあと排気口はマスキングする

▲コクピットは、クリアーのパーツを使ってマスキングした。合わせ目から塗料が入り込まない様に、内側にマスキングテープを貼っておく

基本塗装作業

カラーレシピ

基本色………	Mr.カラー GX GX1 クールホワイト
濃グレー………	Mr.カラー C305 グレー FS36118
薄グレー………	ガイアカラー 071ニュートラルグレーI 50%
………+	Mr.カラー C331 ダークシーグレー 50%
レッド…………	Mr.カラー C81 あずき色
イエロー………	Mr.カラー C21 ミドルストーン

●下地が黒だと白を重ねたときに青が発色してしまうため、下地はブラックグレーを使用。グレーは、黄ばんだグレー・青が強いグレー、それらが薄い所と濃い所など、多種多様である。今回は2種類のグレーを使い、吹きつけ具合で濃淡を表現してみた。薄いグレーは黄ばんだグレーを目指してチューニングし、濃いグレーは5倍に希釈し、ベタ塗りにならないように注意している。どちらともとれない色味のグレー部分はウェザリングで表現した

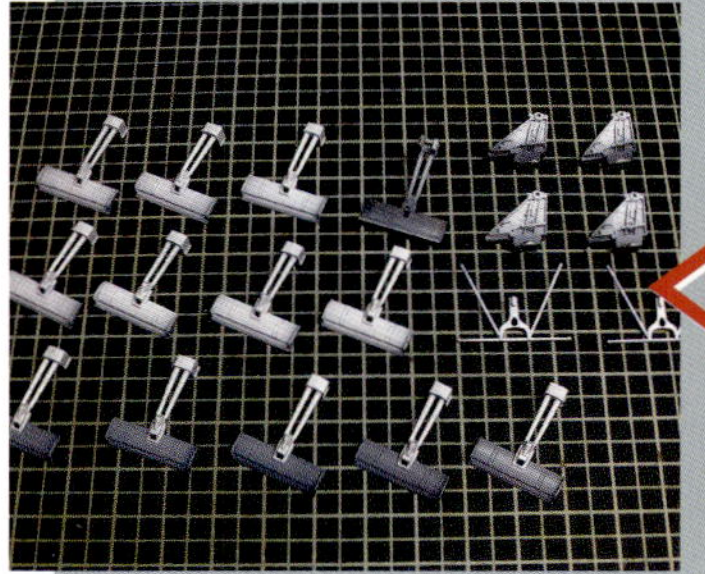

▲ブラックグレーの上からホワイトを薄く吹くことで、濃いグレーに仕上げたところもある

▲ホワイトはパネル毎に分けて塗装し、色調に変化を持たせる。また、均一に塗りつぶすのではなく、ランダムな濃淡をつけるようにする

▲次にクールホワイトで基本色を吹き付ける。側面のメカ部分は、上方向からホワイトを多く吹き付けて影を作り、立体感を出す

▲下地のブラックグレーは塗りつぶすのではなく、フチやエッジに多く色が乗るようにムラを残しながらエアブラシで塗装する

を下地に使いました。メカが密集した部分は、ホワイトを上方向から多く吹き付け、影を作って立体的に仕上げています。赤やグレーの塗りわけはデカールを使わず、全て塗装で行ないました。塗装が剥がれた部分は、手書きで塗装しています。デカールに印刷された剥がれ模様も参考にするといいでしょう。撮影用モデルでは同じ色のグレーでも、濃さが違っている部分があり、吹き付ける量を細かくコントロールすることで本物に近い仕上がりになります。

さて『スター・ウォーズ』といえば汚しが重要ですが、『新たなる希望』版のファルコンは後の32インチファルコンよりも黄ばみが少なく、白いけど汚れている印象です。汚れはほとんどタミヤのウェザリングマスターのBセットで再現しました。三種類の筆を使い分けて、様々な汚れを再現可能なばかりか、わずかに色味が違うパネルの微調整にも使いました。とくに、被弾痕はリアルなスス汚れを再現できますので、お勧めのアイテムです。

無数にある長方形のマーキングは、シャープペンシルで書き込みました。手書きなので精度は落ちますけど、これがあると無いとでは密度感がだいぶ違ってきます。

サビはGSIクレオスのMr.ウェザリングカラー ラストオレンジを使用。撮影用モデルではかなり大雑把に描かれていますが、サビは派生した場所を決めて、ワンポイント濃くするとリアリティが出せます。

最後に、大量にあるデカールを貼ります。あらかじめデカールの上にホワイトを薄く吹いて発色を抑えてから貼ると、周りから浮いてしまう事態を防げます。貼ってからデザインナイフではがしたりするので、余白はできるだけ切り取ってから貼りました。

◆絶対買っておくべきキット

買って作って、本当に損のない優良キットです。この本を手に入れた今なら、製作に不安は無いはず！ キットをお持ちでない方は、何としても入手して、最高のファルコンを作ってみませんか？■

▲赤部分もマスキングして塗装。ここではあずき色を使用した。こうして上面の基本的な塗り分けが終了した

▲黄色部分もマスキングして塗装する。撮影用モデルでもくすんだ黄色が使われているので、今回はミドルストーンを使用した

▲次に濃いグレー部分をマスキングして塗装する。やはりムラを付けて吹き付けパネル毎に変化を持たせている。塗装するパネル位置に注意

▲マスキングし薄いグレーを塗装。濃淡の表情を付けつつ塗装するが、下地が白いので、少々吹き付けただけで効果が表れる

▲エナメル系塗料のジャーマングレー＋フラットアースで全体を、フラットブラック＋フラットアースでメカ部分にスミ入れを行なう

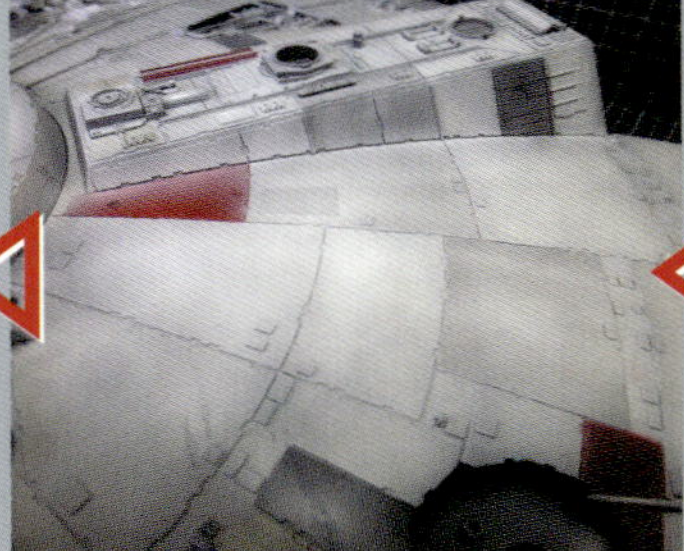

▲塗り分けたパネルなどに基本色の白を薄く吹きつけ退色を表現する。やり過ぎると基本塗装からやり直しなので、様子を見ながら加える

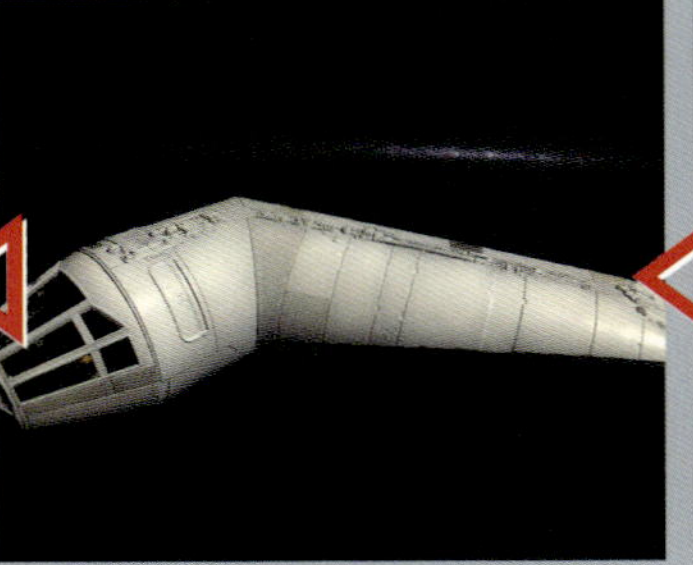

▲写真のグレーの部分はマスキングで塗りわける。それ以外にも淡い色の違いがあるパネルがあるが、それはのちの汚し塗装で変化を加える

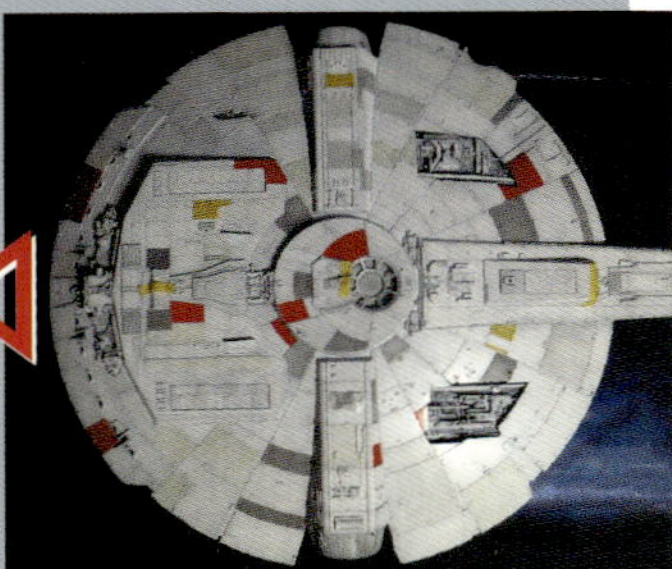

▲下面の塗り分けの様子。このあたりはキットに同梱されている塗装指示書に従い、塗装するパネルを確認して作業する

▲機体の各所に一部、黄色に塗装されている部分もあるので、Mr.カラーのミドルストーンで筆塗りする

▲開口部内部の機械類や、エンジン上面のディテールにはジャーマングレーで雑にスミ入れされているところもあるので資料画像を参照する

ウェザリング

汚しやパネル色の微調整は、タミヤのウェザリングマスターBセットでほぼ表現できる。肝心なのは専用の筆を複数準備すること

▲筆は、ふわりと面に乗せるボカシ用、エッジにしっかり乗せるボカシ用、線として強く書き込む用の3種類を用意する

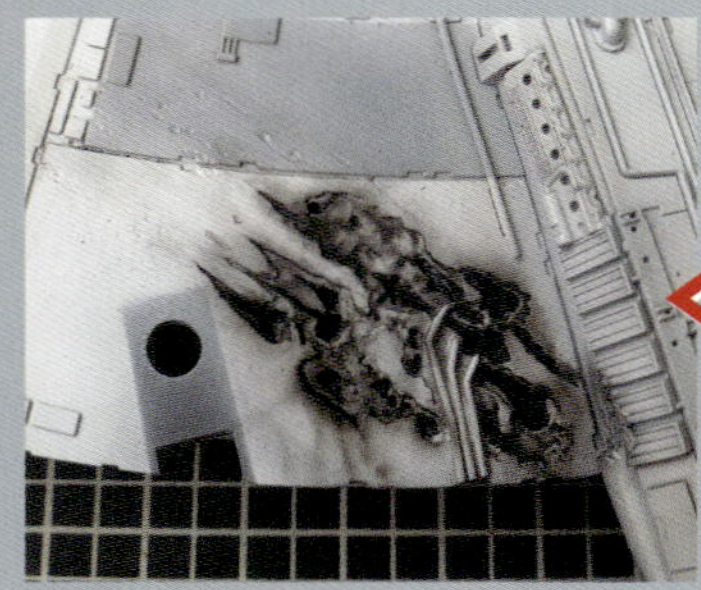

▲装甲との境目に、ウェザリングマスターBの「スス」でボカシを加えて仕上げる。これが基本的なスタイルとなる

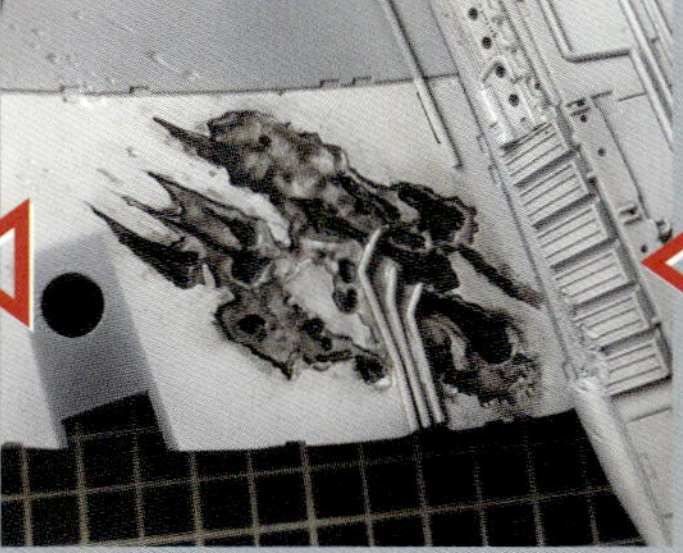

▲ウェザリングマスターによる汚しの手順。まず、エナメル系塗料のつや消し黒を塗装し、焦げた装甲を表現する

▲くすみは、主に面が立ち上がる部分にある。ターレットの側面もそのひとつ。周辺にブラックグレーを吹き付ける

▲染み込んだような、くすんだ汚れは、エアブラシでブラックグレーを吹き付けて再現した。吹き過ぎに注意する

レーダー横被弾痕の汚し

▲飛散したスス汚れを加える。こちらも「スス」を塗布するが、使う筆は線として強く書き込む用の筆を使おう

▲ウェザリングマスターの「スス」を使って、装甲との境界をボカす。筆はエッジに色をしっかり載せるぼかし用の筆を使う

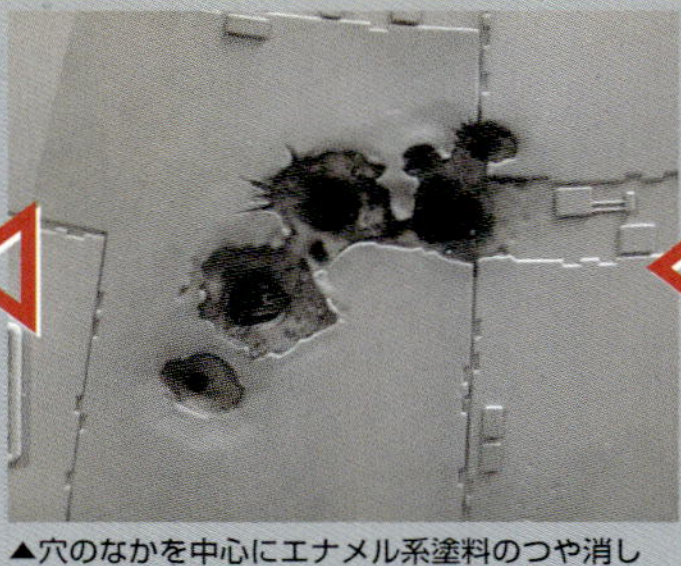

▲穴のなかを中心にエナメル系塗料のつや消し黒を塗装して焦げた状態を再現する

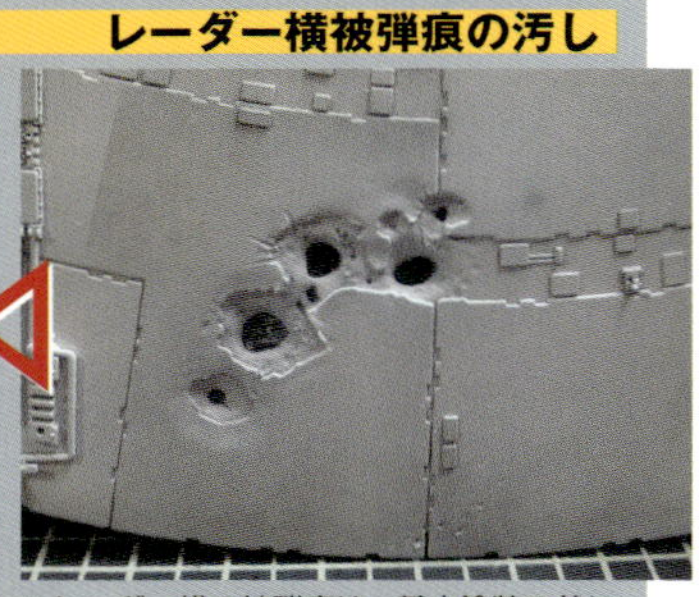

▲レーダー横の被弾痕は、基本塗装の前に傷をえぐるなどして、装甲板の表面が剥がれているような工作をしておいた

ターレット横の汚し

▲ウェザリングマスターの「スス」と「サビ」でパネルごとの色調を調整したところ

▲ホワイト、レッド、グレーで塗り分けた状態。その上から再度基本のホワイトを薄く吹いて、退色表現までほどこした状態

レーダー横被弾痕の汚し

▲エナメル系塗料のジャーマングレイでチッピング。傷を描きこんでいく。傷の入り方は資料写真などを参考にする

▲エナメル系塗料のつや消し黒で周辺の雨だれを描く。線として強く書き込む用の筆を使って、今度は力を入れず、細い線で雨だれを書き込む

ターレット横の汚し

▲エッジ部分にウェザリングマスターの「スス」を乗せメリハリをつけつつ、全体のバランスも調整する

▲乾燥したら基本色のクールホワイトやエナメル系塗料ののジャーマングレーで飛散痕を描き込む。

▲今度はおなじところに更に、エナメル系塗料の黒を筆で加えて馴染ませる。色味の変化が自然になるようにこころがける

▲エナメル系塗料ののサンディブラウンを薄くのばす。写真のように綿棒を使ってもいいだろう

▲表面の塗装が剥げた様なクリーム色の模様は、面相筆で手書き。これは随所にあるので、資料写真をよく見て描きこんでいく

▲キットに指示はないが、機体表面には黒い帯状のマークが無数にある。これを0.3㎜、2Bのシャープペンシルで手書きする

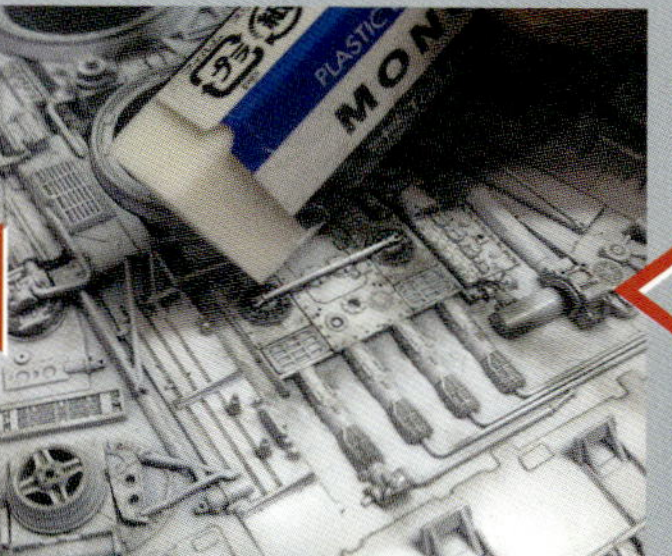

▲ウェザリングマスターを濃く塗りすぎた場合は、消しゴムで消してやり直すことができる。気にいるまで何度でもトライする

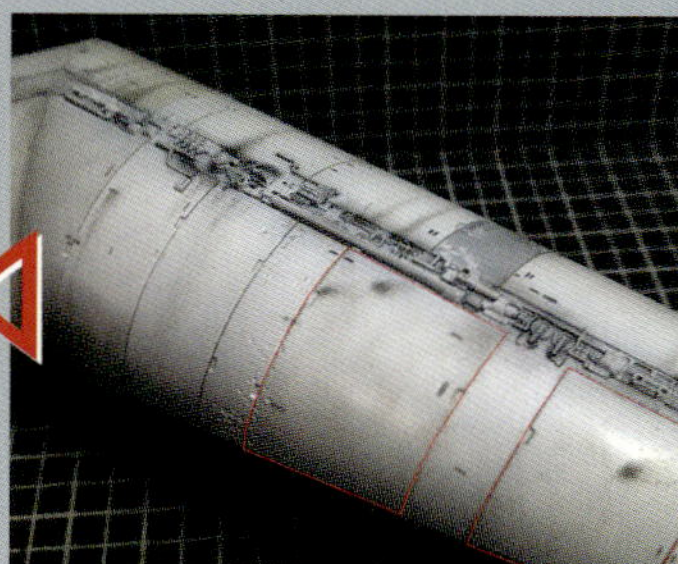

▲パネル一枚が、ほかより微妙に色が濃い部分などは、筆を使って「スス」や「サビ」を力を入れず均一に伸ばす感じで着色させる

コクピット横被弾痕の汚し

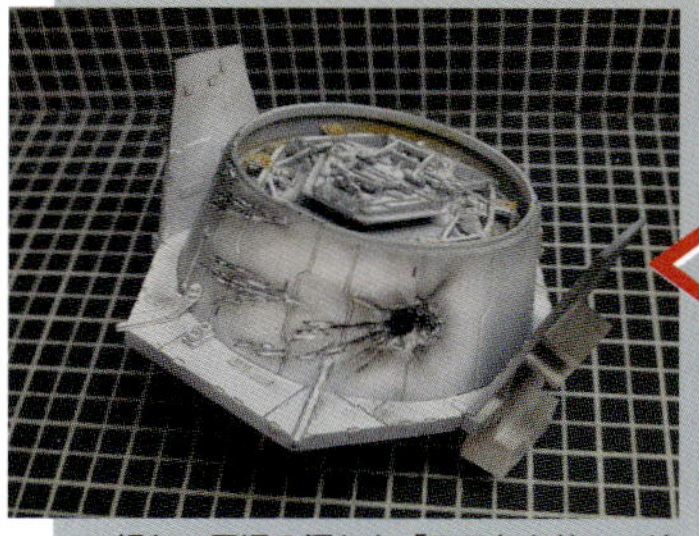

▲細かい周辺の汚れを「スス」を使って追加する。ひと筆ごとに効果を確認しながら追加していく

▲エナメル系塗料のツヤ消し白で、塗膜の下の地が出ている部分を面相筆で描き再現する。黒焦げの内側を塗るイメージで

▲ウェザリングマスターの「スス」を使って、装甲と焦げ部分の境界線をぼかす

▲エナメル系塗料のツヤ消し黒で被弾傷の中身部分に焦げを筆塗りで描く

◀機体開口部の内部や、最後尾のディテールが密集した場所は、撮影用モデルと同じ程度のスミ入れをすると、どうしても立体感が乏しくなる。濃いグレーでスミ入れを行い、模型的な見映えを優先した

▲サビの表現は、薄くのばすだけでなく、発生場所を決めて、そこを濃くするなど、ポイントを作るとリアルになる

▲GSIクレオスのMr.ウェザリングカラー ラストオレンジで錆を描く。エナメル溶剤で溶いて、毛先が長く腰の弱い筆で描き込んでいく

排気口の汚し

▲排気口はブラックグレーで塗装する。今回は先に塗装し、マスクして機体色を塗装した

▲次にエナメル系塗料の白をランダムに筆塗り。これは、サビ色の下地も兼ねているので、このあとサビを描く部分にも塗装する

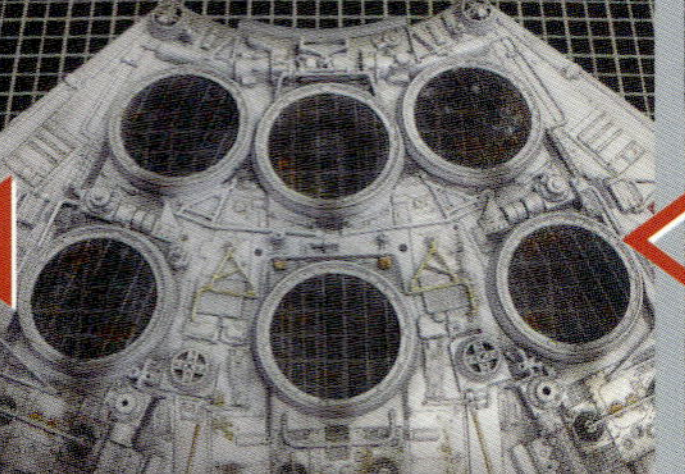
▲GSIクレオス ウェザリングカラー「ラストオレンジ」の底に沈殿している濃い部分を使って描き込む

▲ウェザリングで明るくなりすぎた部分を黒く戻したいのでタミヤ　ウェザリングマスターBセット「スス」を塗布して調整する

▲ここから一連の汚し塗装の手順を追っていく。まずは各部の基本塗装の塗り分けが終わった状態

▲ウェザリングマスターBの「スス」でパネルに汚しを加える。微妙な色の違いがあるパネルは、全体に薄く加える

▲Mr.カラーのクールホワイトで、赤や黄色などの塗装が剥がれた部分を書き加える。剥がれの上にスス汚れが乗っている場合もある

▲深いダメージがある場合は、まず最初にエナメル系塗料のツヤ消し黒でダメージ内部を塗り潰す

▲次にウェザリングマスターBの「スス」を使って、ダメージの黒く塗った部分と装甲の白い部分の境目をぼかす

▲境界をぼかしてグラデーションをつけてみたところ。ボケ足の長さが自然にみえるように調整する

▲次にウェザリングマスターBの「スス」「サビ」で雨だれを書く。細い筆を使って徐々に薄れていく線に仕上げる。失敗したら消しゴムで消す

▲Mr.ウェザリングカラーの「ラストオレンジ」を、エナメル溶剤に溶いて書き込む。ここは裏面なので、雨だれは外から中央に向かって描く

完成!!

●それぞれのパーツを仕上げたら、各部を組み立て、電源が正しく通電しているかをチェック。さらに各部のウェザリングの調整を行なって完成

最後の仕上げ

塗装時の取り回しを考えて、仕上げの直前まで組み立てず、上面、下面、コクピットにクチバシとそれぞれで塗装とウェザリングを施した。ここでは最後の仕上げをしてからそれらを組み立てることにする

▲次にこまかいコーション類のデカールを貼り付ける。塗装面となじませるために先にデカールにはクールホワイトを軽く吹いておく

▲乾燥後、撮影用モデル同様にデカールの剥がれを表現するために、実際にナイフの先端でデカールを削る

▲剥がれ方は撮影用モデルの写真を見ながら同じ形にはがす。貼る前に切り取って貼るよりも、貼ってからはがした方がリアリティが出る

完全保存版 PGミレニアム・ファルコン製作用

解説／高橋清二

170cm プロップモデル資料写真

ここではバンダイがキット化した170㎝サイズのミレニアム・ファルコンの詳細写真を、アップ写真のみにてお届けします。塗装様子や傷の入り方、デカールの処理の仕方など、全景写真ではわからないポイントに絞ってみました

キズ、剥がれの表現部位

左舷後方上面

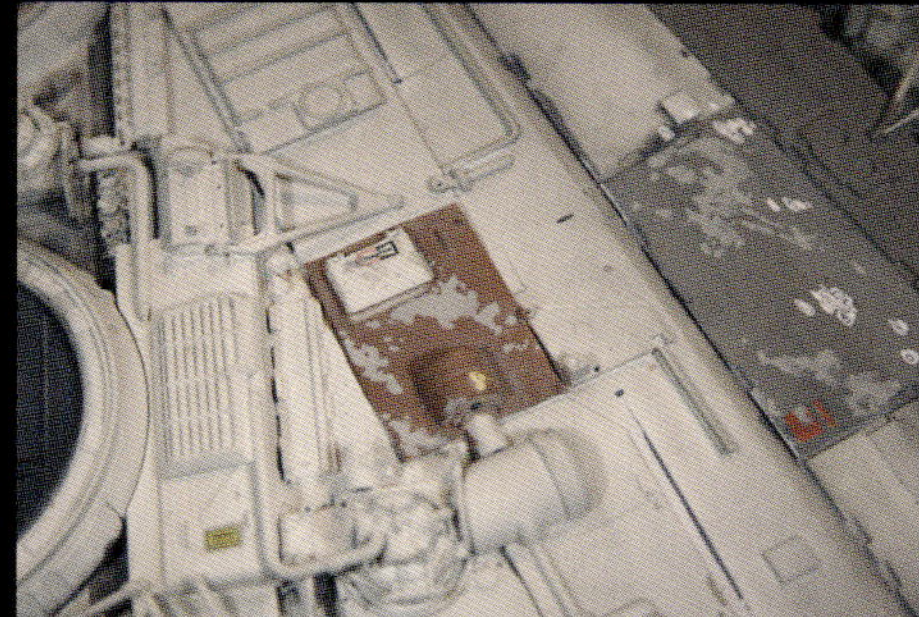
右舷後方上面

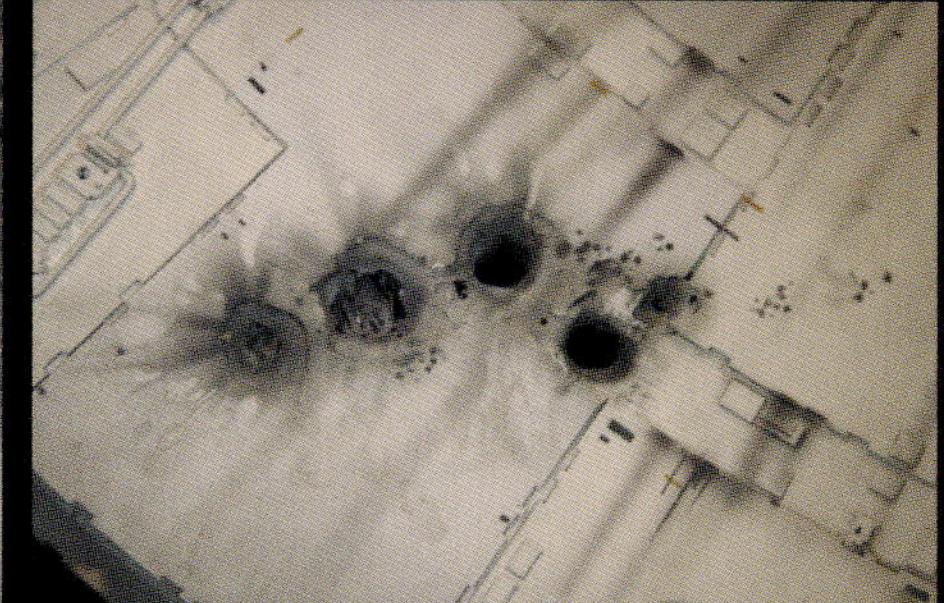
レーダー裏の5個の被弾痕

右舷前方上面

左舷中央下面

右舷後方下面

左舷前方レーダー後方

コクピット下面

左舷中央下面

レーダー後部

キズは下地の塗装にも注意

撮影用モデルのミレニアム・ファルコンには無数のキズや雨だれが書き込まれており、ぜひともこれはキットでも再現したい部分だ。雨だれは船体の上面は中心から外側に向かって、下面は逆に外側から内側に向かって流れている。各パネルの雨だれにはグレー、ダークグレー、ブラウンの3色がランダムに使われており、機械類から流れている雨だれはブラウン、流れ出しの部分には液体が滲み出たような大きな溜りが表現されるなど、雨だれひとつ取ってもとても繊細に表現されている。船体のキズや塗装の剥がれ表現は、筆を使って塗装で加えられたものと手作業で塗装を部分的に剥がしたもの、最後の仕上げ直前にモーターツールを使って削られたものがあり、よほどのアップ写真で見ない限り、その手法判断がつき難い。モーターツールなどで削った場合、機体色が削れたさらにその下には下地の黒が現れる。遮光も兼ねてこういった下地塗装をしておくのも手だろう。

撮影用モデルの全長は1・7mと大きなため船体にスミ入れ等はいっさい施されていないが、模型製作時には完成後の見栄えを考えるとセピア（グレー+ブラウン）やグレー等でうっすらとスミ入れを行なったほうがよいだろう。「ブラック」は汚くなるので単品で使わないように注意したい。■

左舷機首先頭正面

左舷機首先頭側面

左舷機首側面前方1

左舷機首側面前方2

左舷機首側面前方3

左舷機首側面前方4

左舷ドッキングリング

左舷機体側面後方1

左舷機体側面後方2

右舷機体側面後方1

右舷機体側面後方2

右舷ドッキングリング

右舷コクピット後方

右舷コクピット側面

右舷コクピット下面前方

右舷機体側面前方1

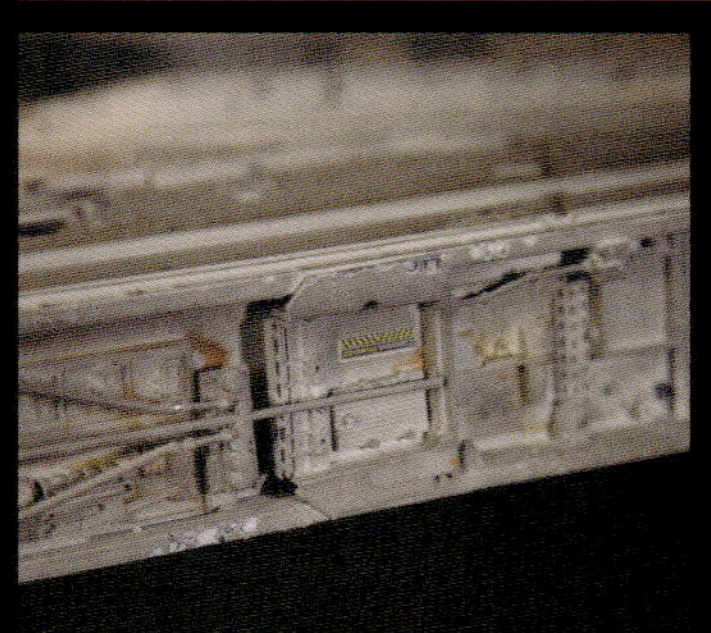
右舷機体側面前方2

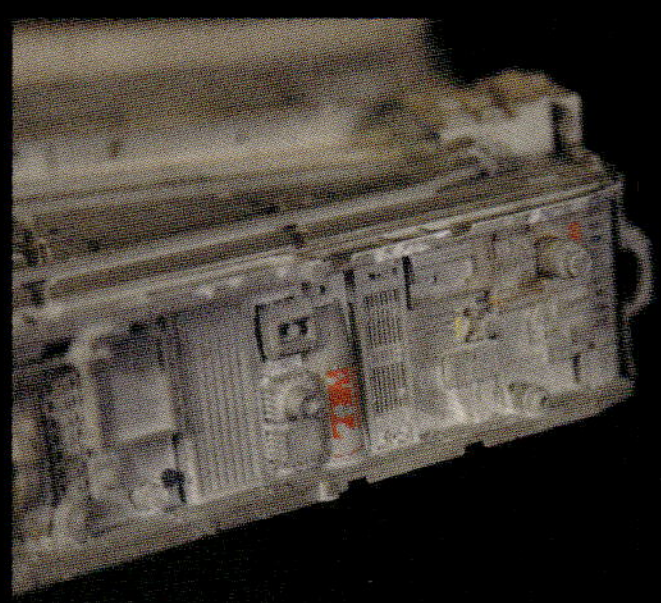
右舷機首先頭正面

意外と側面奥はサビている

現存している撮影用モデルの側面ディテールは、残念ながらこまかい部品の欠損や破損が多く見られる。しかし再塗装された部分はないようでこれらの写真はキット製作時には非常に参考になるだろう。ご覧のとおり意外なほどオレンジ色でのサビ表現が激しく加えられているし、こまかい塗り分けも散見されるのでこだわって再現するのもおもしろい。

ディテールをよく見ていくと所々に黒く塗られたような部分（左くちばしマンディブル側面の上部など）があるが、コレは撮影後にパーツが欠落して下地塗装の黒が露出している部分なのでオリジナルの状態と間違わないように。さいわいバンダイの1／72キットの側面ディテールは、パーツ解析を担当した鷺見氏が失われたパーツまで探し当てて再現したものなので、100％信頼できるモールドとなっている。

デカール10、171

デカール257、168

デカール233、234、240

デカール125

デカール217

デカール272

デカール256

デカール145

デカール130、140

デカール131、132

デカール152、155

デカール153、154、247

デカール237、239、186、54

デカール249

デカール252

デカール186

デカールは最初から剥がされている

撮影用モデルの細部には驚くほど小さなデカールが貼られており、その全容はバンダイの1／72ミレニアム・ファルコンのキットを買って確認した人なら間違いなく驚いていることだろう（私も初めてデカールを見たとき、そのあまりの多さに驚いた）。主に使われているのはパーツが流用されたAMT社のトラックや自動車であったが、現在では剥がれて失われてしまったデカールも多く、なんとか貼ってあった位置だけは写真等で確認できる状態である。

ここではアーカイヴの掲載可能な写真のうち、デカール部分のアップのものだけをすべて掲載している。その多くが、ただ貼られているのではなく、ナイフで一部を削るなどして削れ表現を加えて使われている。これは模型でも表現が可能なので、それらしさを表現するための必須テクニックだ。■

デカール3、166、167、280、150

デカール173、179、174、175、227

PERFECT GRADE
MILLENNIUM FALCON
BANDAI 1/72 Injection-plastic kit
Modeled by Masahiro FUKUI

●撮影用モデルの資料写真を丹念に研究し、傷や汚れの入り方ひとつも資料にのっとって再現することを目指した本作品、ハードウェザリングで輪郭やディテールがボケ気味になるのを抑え、シャープで彩度の高い仕上がりを目指した。

●電飾はキット同梱のLEDユニットを使用。ていねいな遮光作業などを積み重ねることによって、無改造でもエンジンは充分発光する。コクピットのみ、LEDユニットに光ファイバーを追加して劇中のイメージに近づけた

その全体に渡る彫刻の細密さ、完成度の高さ、そして圧倒的な物量から、挑むものに尻込みをさせてしまう迫力をもつ本キット。しかしながらポイントをしぼって作業をすれば、どのモデラーにとっても170cm撮影用モデル同様の至上のミレニアム・ファルコンが手に入るキットでもある。ここでは電飾はキットのものを活用しながら、独特の塗装や仕上がりをどう本キットで再現するかに腐心し仕上げた

ミレニアム・ファルコンをキットを活かしながら、"ちょい"ディテールアップで仕上げる!!

パーフェクトグレード
ミレニアム・ファルコン
バンダイ　1/72
インジェクションプラスチックキット
出典／
『スター・ウォーズ／新たなる希望』
税込4万3200円
プレミアムバンダイ
製作・文／**福井政弘**

MILLENNIUM FALCON™

塗装法を吟味し、撮影用モデルに肉薄する仕上がりを目指す!!

●本キットは1.7m撮影用モデルに忠実に作られたものだけに中途半端な塗装で仕上げると〝ミレニアム・ファルコンらしく見えない〟という現象が起きる。1.7m撮影用モデルをよく観察すると、塗り分けが少なく単調に見えそうな箇所には汚し塗装がなされていたり、もしくはデカールが配置されている。「パネルの塗り分け＆色ハゲ、スス汚れ、雨だれ、ダメージ痕、サビ汚れ、デカールの貼り分け」といったすべての要素が計算され、巧みなバランスで配置されて仕上げられているのが1.7m撮影用モデルの魅力なのだ。そうなると、このキットの魅力を最大限に引き出すには、塗装、塗装剥げ、デカールだけでなく、スス汚れ、サビ汚れなどのウェザリング類もていねいにバランスよく撮影用モデルに忠実に再現してやるのが最良の方法といえる。造形に関してはほとんどといっていいほど手を加え、修正する必要のない本キット。塗装での表現に全力で集中するのが、製作をより楽しむコツとなる。本作例では、170㎝撮影用モデルの詳細な写真を精査し、傷の入り方やサビの入る位置や形もできるだけ再現するように努めた

PERFECT GRADE
MILLENNIUM FALCON
BANDAI 1/72 Injection plastics kit
Modeled by Masahiro FUKUI

君にもできるっ！

製作・文／
福井政弘

ここでは1/72ミレニアム・ファルコンのキットの素性を活かした仕上げを披露する。改造箇所も的を絞って行なうので参考にしやすい。また塗装方法もいかに撮影用モデルの雰囲気を再現するかにポイントを絞って解説しよう

PERFECT GRADE 1/72 ミレニアム・ファルコン チョイ足し製作法

コクピットの製作法

●このキットの大きな特徴は、だれもが電飾を楽しめるようにLEDユニットが同梱されており、エンジンのほかコクピットも点灯するところ。ここではその構造を活かして、より劇中の様子に似せて光るようにコクピットを改造する。

▲コクピットはコンソールに細い真ちゅう線を刺してレバーとしてディテールアップ。その後塗り分けてスミ入れして仕上げる

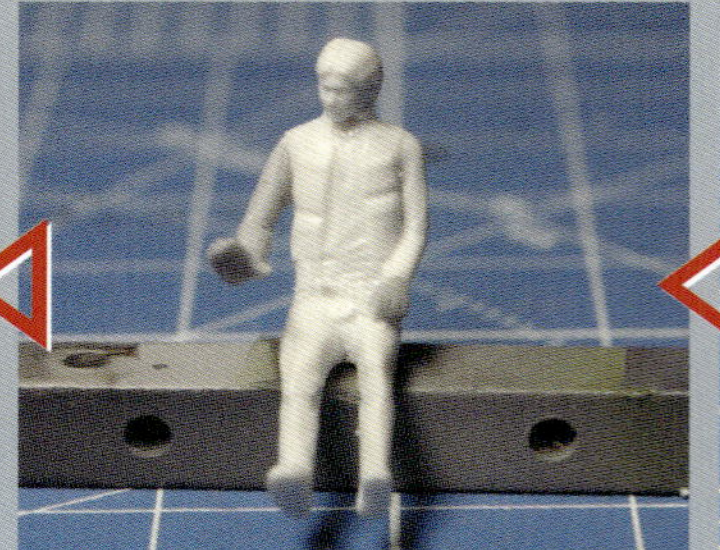

▲ソロのフィギュアはポーズが硬いので、右手を切り離し、首を曲げてレバーを操作しているようなポーズに変更

▲ほかのフィギュアも塗り分けて仕上げる。塗り分けのあと、茶系のカラーでスミ入れをするとそれらしく際立つ

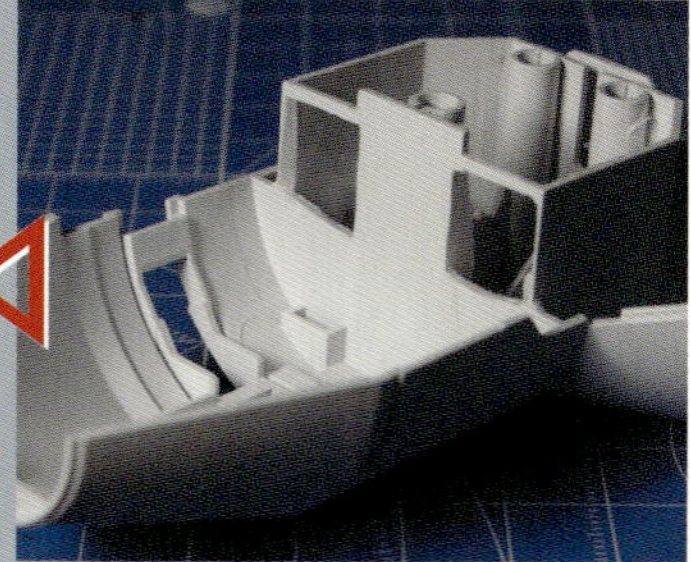

▲コクピットの背壁面は照明以外にも光ファイバーを追加してランプ類を光らせるために、このように左右で四角に開口する

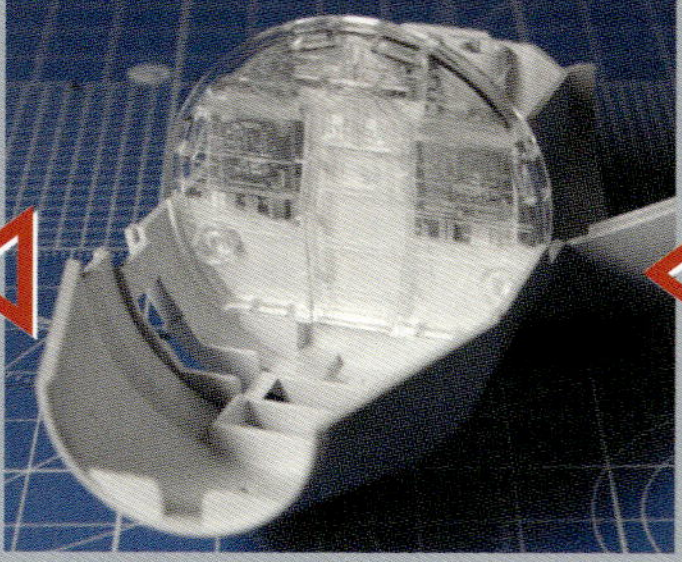

▲背壁面の透明パーツを重ねたときに、ランプ類の位置にあたる部分を開口、切り取っている

▲室内点灯用のLEDを支えるプラパーツに内径3㎜のプラパイプを接着する。これが光ファイバーを差し込むサポートパーツとなる

▲背壁面パーツを塗装後、0.25㎜の光ファイバーを植え、もう一方をLED前に設置したプラパイプに差し込んで採光する

▲裏壁面を発光させた様子。LEDはキットの白色を使用しているので、赤や青に光る部分は光ファイバーの先端を彩色している

▲さらに純正のLEDを2本、電飾ユニットの空いたソケットに追加し収縮チューブを被せ、光ファイバーを追加して壁面に植える

▲背面同様に植えた光ファイバーの先端をトリミングしたあと、それぞれクリアーの青や赤に塗装して色数を増やす

▲純正のLEDユニットを使うだけでも、側壁面、背壁面のランプ類、横長の室内灯が同時に光ることでだいぶ劇中の雰囲気に近ずく

撮影用モデルの塗装を、いかに再現するかがキモ！

これまでのバンダイ製『スター・ウォーズ』シリーズの集大成、パーフェクトグレード1／72ミレニアム・ファルコンがついに発売されました。『新たなる希望』に登場する170㎝の撮影用モデルを徹底的にリサーチしたキットは「設定サイズの1／72」と言うより「撮影用モデルの1／3・5」と呼んだ方が適切ではないかと思える驚異の再現度です（コクピット内とランディングギアは1／1セット、エンジンの噴出口はCGをベースにしているようです）。撮影用モデルの再現を優先するために成形色はほぼ1色で多色のパネル類にはデカールが用意されています。エンジンとコクピット後方パネル、ランディングギア、昇降口にはLEDユニットが用意され誰でも手軽に電飾が楽しめるのも嬉しいですね。我々が40年間待ち望んでいたファルコンの模型がついに発売されたのです！　今回はこのキットの解像度に相応しい塗装～汚し表現を中心に、僅かながら省略された部分のディテールアップとコクピット内電飾の改造を行ないました。

フィギュアはいずれもよくできています。ハン・ソロの手に動きがあるように改造、首を右に曲げ表情をつけ、足首の形状を修正しました。あとは丁寧に塗ってあげればよい雰囲気となります。

コクピット内は後方パネルA3が透明パーツとなっておりLED2個で白いスリット部分が発光します。ただファルコンのコクピットといえば無数に光るパイロットランプの印象が強いので、内蔵されているLEDを利用して光ファイバーを仕込むことにしました。まずT116のLED受けパーツの穴が小さいので3㎜径に拡大し光を強めます。この先に内径3㎜のプラパイプを接着して光ファイバーを刺す空間を作りました。あらかじめ後方パネルを黒色で塗装して遮光しグレーで本塗装したあと、光らせたい箇所に0・3㎜の穴を開け、本体側のパーツも後方パネルと接する壁面を大き

ディスプレイ用の工作

●完成後は50㎝を超えながら繊細なディテールを持つ本キットは、取り回しの方法も考える必要がある。とくに持ち手をつけると、製作時の作業効率は非常に上がると同時に破損防止になるので各自工夫したいところ。ここではのちの展示なども考えた持ち手の工作を提案する

▲今回は飛行状態での展示時には、このようにカメラや双眼鏡の設置に使う雲台を使って固定する方法を採用した

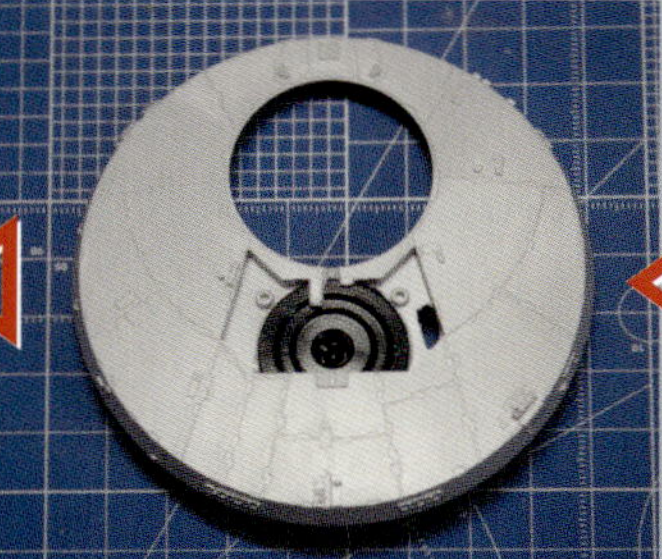
▲底面側の銃座のカバーをはずすと雲台の受けネジが収まっている、とするため、この位置を切り欠いて雲台のメス受けネジを固定する

▲右には電源供給用のソケットを準備しておく。飛行状態での展示時にはここからも電源を供給できるような工夫だ

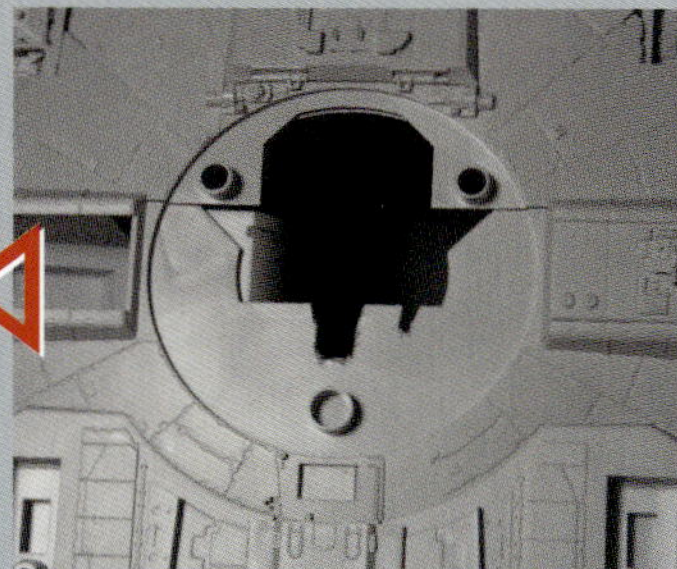
▲銃座を取り付ける側のボディ下部にも切り欠きを作り、メス受けネジの逃げを作っておく。すり合わせをして干渉しないか確認

▲銃座内部が完成したら下面ボディに固定する。ここは機体の負荷がかかる部分なので強力に固定する。電源ソケットのケーブルも横に逃す

下面から見た様子。銃座内部とキャノピー枠は塗装してしまっている。全体の塗装時にはマスキングする

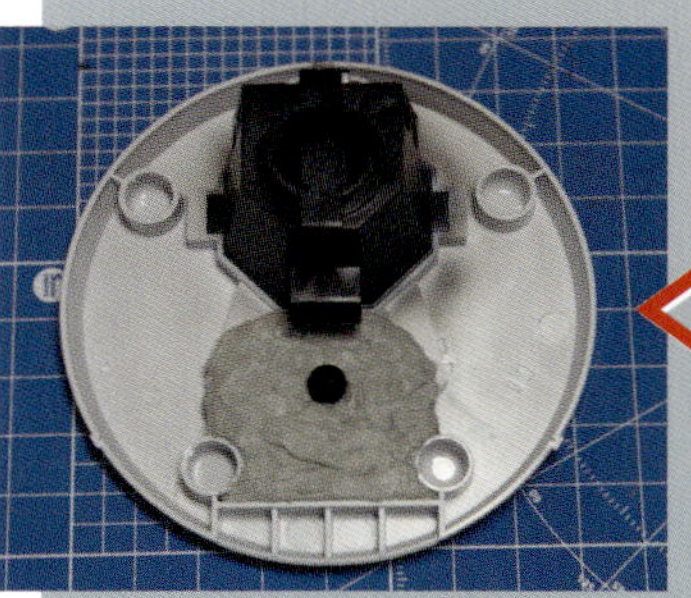
▲同じ工作を上面の銃座にもほどこすと、背面状態でも雲台に固定してディスプレイすることが可能になる

組み立て前の準備工作

●ストレートに組み上げても充分満足できる密度とシャープさを誇る本キットだが、若干ながら手を加えると、より密度のあがるポイントがいくつかある。また工作時に気をつけたい箇所などをレクチャーする

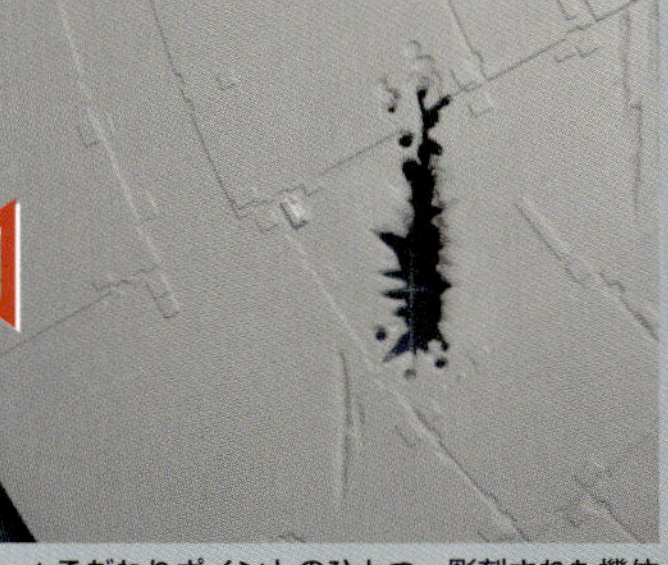
▲こだわりポイントのひとつ、彫刻された機体下面の裂けた装甲は、ナイフでさらに裂け目らしくエッジを立ててやるとそれらしくなる

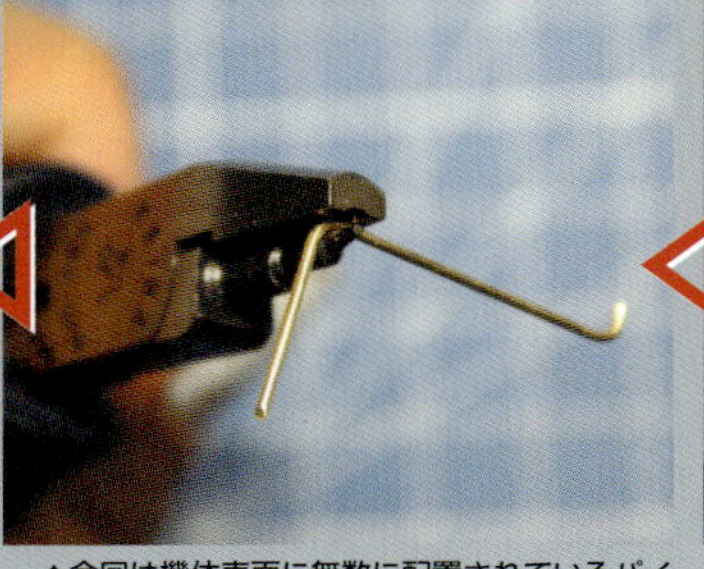
▲今回は機体表面に無数に配置されているパイプ類の一部を真ちゅう線に置き換えた。専用プライヤーを使うときれいに曲げることができる

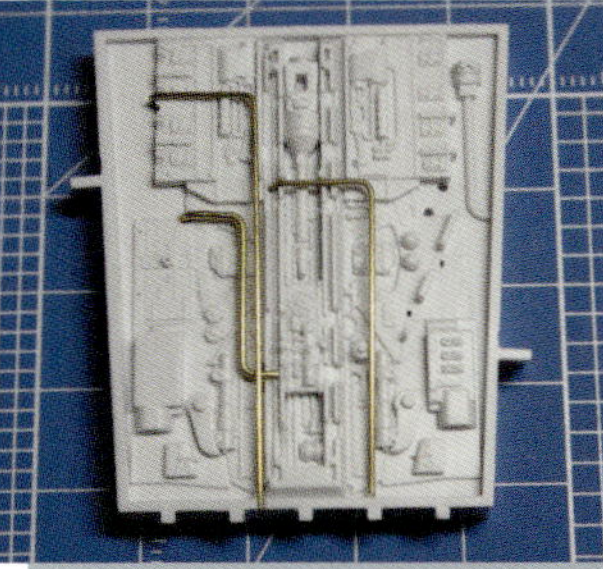
▲現物あわせで真ちゅう線を曲げ、サイズも調整する。こうやって置き換えると密度感が増す部分だ

▲パイプパーツは非常に折れやすいパーツでもあるので、折ってしまったら真ちゅう線におきかえるとよい

▲ドッキングリングの被弾痕は、まずは鉛筆で位置を確かめながらアタリをつける。ここで穴の大きさやまわりの傷のサイズも確認する

▲大きな穴はモーターツールで開けておいて、周りをナイフやヒートペンで傷らしく加工していく

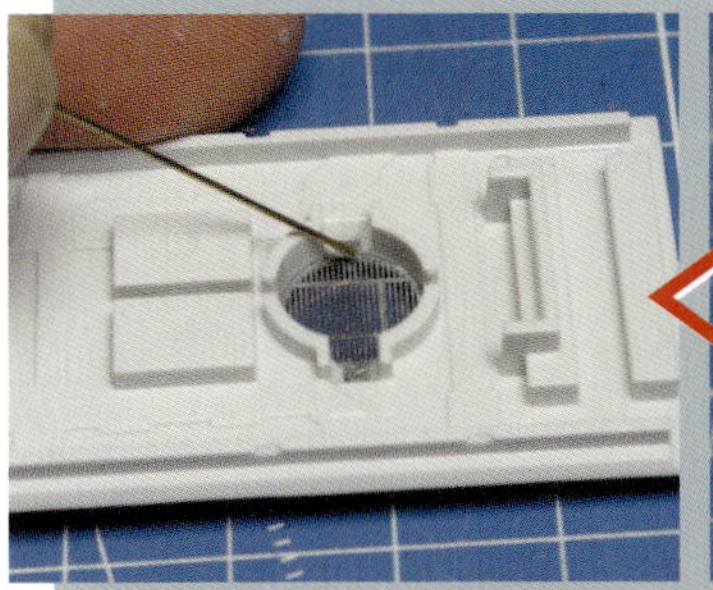
▲瞬間接着剤によるエッチングパーツの貼り付けは裏面から少量を流し込んで不要に汚さないように注意する

めに開口して黒く遮光塗装してから接着します。LEDを内蔵したT1-16も接着し0・25㎜の光ファイバーを挿していき、裏側から少量の瞬間接着剤で固定。クリアーレッドとクリアーブルーで光ファイバーの先端に色をつけます。コクピット本体は光ファイバー接着後に後ハメできるよう、組み合わせのダボを削っておきましょう。作例では更にLED2個を増設してコクピットの内壁も光らせましたがキャノピーをはめるとほとんど見えなくなります。背壁面パネルへの光ファイバー増設は効果絶大な上にLEDは元々設置されており、手軽な改造ですので初心者にもオススメです。

プロポーション、ディテールは言うことのなしの再現度の高さです。しかし繊細なパーツが多く作業後半は手で持つ部分がなくなるので、本体を固定する為のベースをセットできるよう雲台の受けネジを設置します。機体中心の機銃ターレットのカバーを接着せず、内部に穴を開けて受けネジをエポキシボンドとエポキシパテでガッチリ接着しました。ここにベースをつけた雲台をねじ込むことで塗装作業時に本体を触らずに作業を進められるようにしました。完成後はディスプレイベースを差し込めます。また、機銃のカバーパーツ（X15、X29）は取り外し可能としています。また、使用したのがテストショットのため、一部合いの悪い部分がありました（商品では修正されているようです）。左右のドッキングリンク上のパーツS1-7、10、11、S2-29、30、32が若干浮いてしまいます。パーツの裏側を削って微調整するとよいでしょう。

今回のキットはレーダー横の5つの弾痕など傷が再現されているのも大きなポイントです。いずれの傷も丁寧に塗装するだけでバッチリです。機体下面とコクピット側いますので再現しました。ドッキングリング下面の弾痕が省略されていますので再現しました。ドッキングリングは右下に大きな穴と傷がありますのでモーターツールで傷を再現、機体下面の小さめの弾痕もモーターツールやヒートペンで加工します。多少ラフでも弾痕があると仕上げ時に効いてきます。

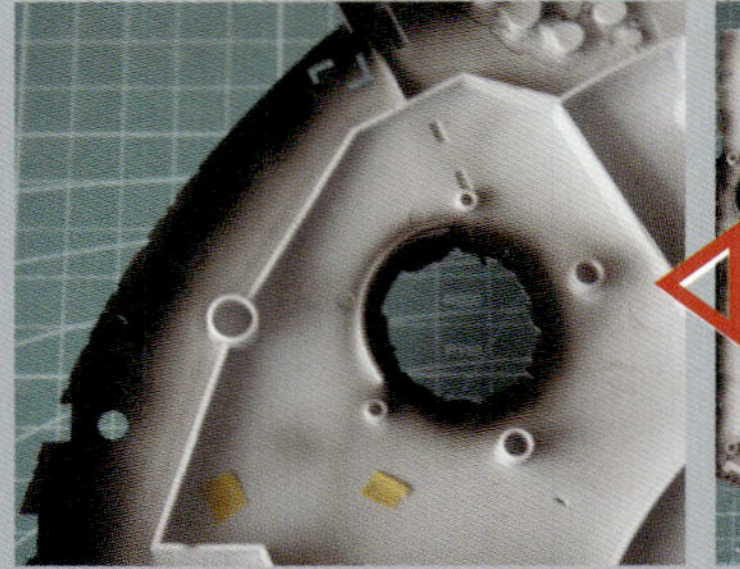

▲機体表面の各部の開口部分も透け防止に内側から黒色で塗装する

▲機首分に丸く開口された部分は薄く成型されているが、そこも透けると質感を失うので、裏側から黒色を塗装しておく

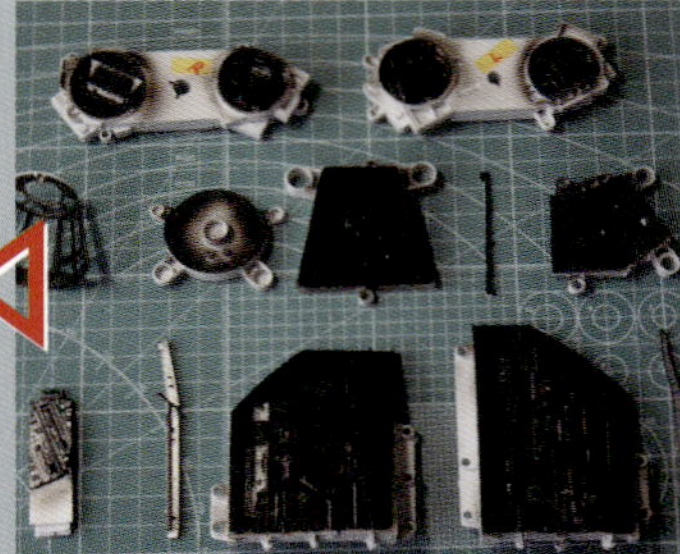

▲内側から貼り付けるディテールパーツは先に塗装をする。プラパーツ特有の透け感を防ぐために下塗りとしてまずは黒色を塗装する

下準備と基本塗装

非常に入り組んだ構造をしているので、組み立てたあとでは塗料が届かない箇所がある。そういった場所は先に塗装を済ませてから機体に取りつける。そういった箇所をマスキングしてから機体の基本塗装をおこなう

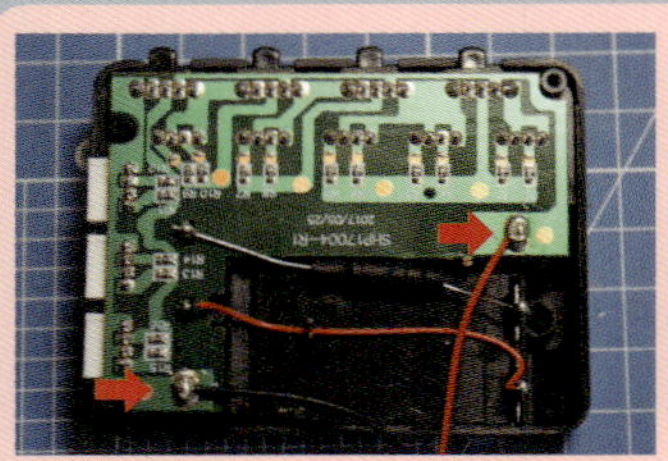

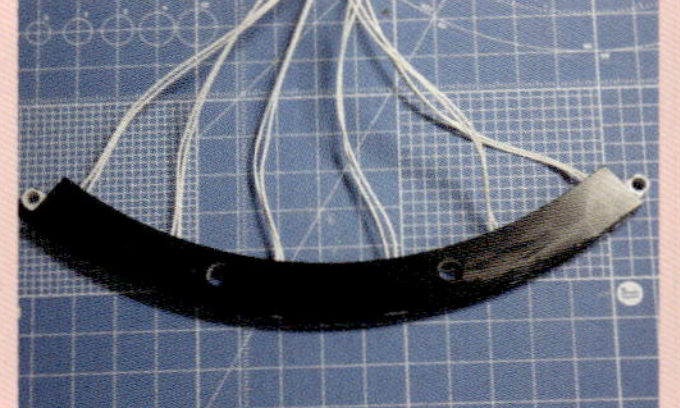

電飾ユニットにひと工夫

●今回はキット付属のLEDユニットを使用したが、(付属の電池ボックスが4.5Vなので) 外部からAC電源で5Vの電源を供給できるように改造した。写真のポイントから配線を引いている。エンジンのLED発光体はキットのままだが、遮光のため上下を黒色で塗装してから内臓した

▲脚部は脚パーツ、蓋パーツともにネオジム磁石を仕込んで保持力をあげておく。こちらもこのあと基本塗装をほどこす

▲内側から貼り付けるディテールパーツは基本塗装とスミ入れを済ませておく。

▲サーフェイサーを吹き、荒れている部分を紙ヤスリなどで表面処理したあとは、基本色のウォームホワイトを塗装する

▲遮光のブラックが乾燥したらサーフェイサーを全体に塗装する。塗装済みの機体の開口部から見えるディテール部分はマスキングする

▲全体をブラックで下地塗装する。遮光の効果を狙ったものなので厚吹きする必要はない

▲塗装済みの内部ディテールパーツを貼り付け、機体を組み立てる。コクピットは未使用の透明パーツを使ってマスキングする

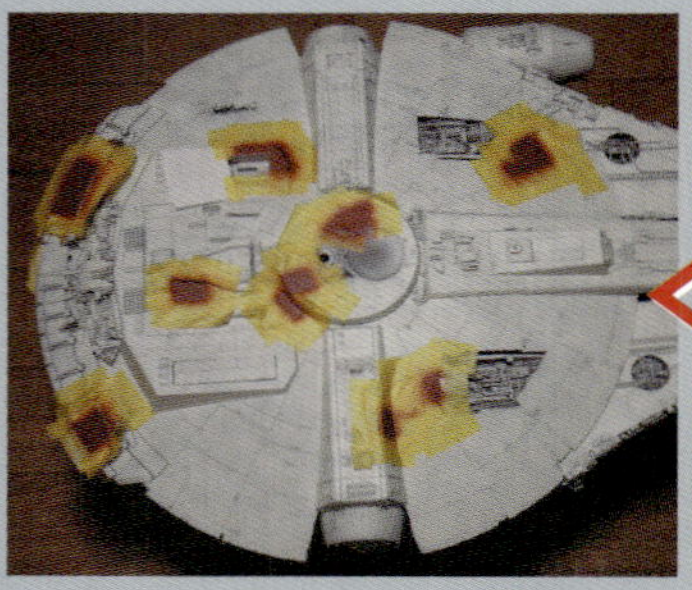

▲マスキングインクで剥がれ模様を描いたらエアブラシで赤部分を塗装する。まずは裏面で練習して様子をみる

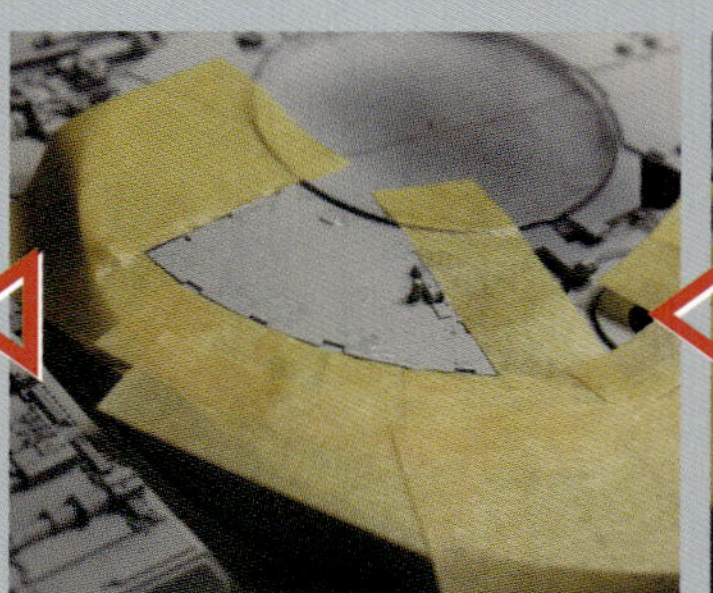

▲マスキングインクで描いた模様が、のちに赤塗装部分への剥がれとなる。付属のデカールの剥がれ模様を参考に丁寧に描く

▲まずは赤く塗られる部分をマスキングしたら、マスキングインクで、剥がれ模様を描く。比較的短い時間で乾燥する

剥がれ塗装の表現方法

ミレニアム・ファルコンの塗装のキモはなんといっても機体の剥がれ塗装だ。これの表現に今回はマスキング・ゾルよりさらに粘度の低いホルベイン製マスキングインクを使用した。こちらは筆で塗布するがその筆用に専用のクリーナーが必要だ

機体上面後部の曼荼羅部分が電飾ユニットの操作の為に取り外し式になっています。ここにネオジム磁石を2個ずつ固定して不用意にパーツが外れないようにしました。ランディングギア部分の外装にも磁石を内蔵して差し替え可能にしています。ランディングギア自体には1／1セットを参考に黒いリード線をぶら下がってるように追加しました。

無数のパイプパーツは軟質の折れにくいプラスチックで成型されています。ゴッドハンド製の神ヤスリや調色スティックに貼った耐水ペーパーで地道にパーティングラインを処理します。接着に流し込み系接着剤を使用すると折れることがあるようです。そうした場合は真ちゅう線で作り直しました。作業中に折れてしまったパイプも再接着するよりも作り直した方が強度が出ます。

今回エッチングパーツも同梱されており、機体後部の6個のダクトなどは内部のフィンが透けて見えるので効果絶大です。瞬間接着剤を0・3㎜真ちゅう線を使ってていねいに流し込むとキレイに接着できます。コクピット側面のスリットも付属のエッチングパーツを使用しましたが、ここはプラパーツの方が立体感がある上に細かい補機類も再現できていてよかったようです。

塗装ですが船体開口部のメカやエンジン部分、機銃座内部などは先に塗装を済ませてから組み込んだ方が奥の方に塗り残しができず安心です。機体開口部の周辺の装甲板は成形が薄い分透けやすいので、先に裏側を黒く塗っておきます。組み立て終了後、まずエッチングパーツや真ちゅう線部分にガイアマルチプライマーを吹き、乾燥後すぐに全体を黒く塗ってLEDの遮光処理とプラスチックの透け防止とし、その後サーフェイサーを塗って下地処理してから本塗装に入ります。今回撮影用モデルの写真を改めて見直したのですが、思っていたよりも淡くて繊細な塗り分けがされている印象を受けました。そこで塗り分けにデカールは使用せず、塗装でイメージに近い色合いを再現します。ミレニアム・ファルコンは結構複雑な塗り分けがされており基本色だ

▲裏面で練習が終わったら表面にトライ。同じくマスキングインクで剥がれ模様を描きこんだらマスキングして赤塗装を施す

▲マスキングを取り除くと、赤部分に剥がれが刻まれる。ほかの剥がし塗装法と異なり、傷の模様がコントロールしやすいのが利点だ

▲次に濃いグレー部分をマスキングし、同じく剥がれ模様をマスキングインクで描いていく

▲エアブラシを使って濃いグレー部分を塗装する。厚塗りしすぎないほうがキレイに仕上がる

▲マスキングインクを取り除く際は、指の腹で擦ってもいいし、消しゴムを使ってとりのぞいてもよい

▲一度の塗装で剥がれ模様がおもうようにならない時も多い。そういう場合は面相筆を使い基本色または赤、グレーで模様をレタッチする

▲次に薄いクールグレーで塗る必要のある部分をマスキングし、エアブラシで塗装する

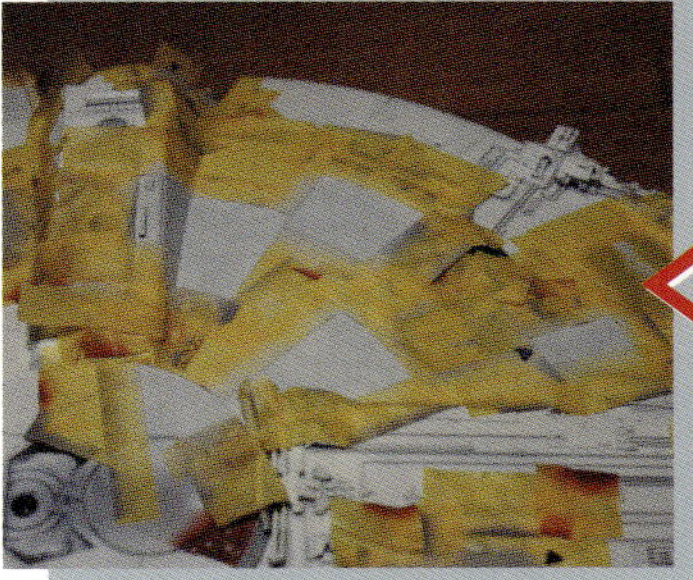
▲薄いクールグレーも塗りつぶすのではなく、下地の透け具合の様子をみながら色を乗せていく

▲最後に中程度の濃さのウォームグレーをマスキングして塗装する。塗る箇所は少ないが、確認して確実に塗装する

▲薄いクールグレーと中程度の濃さのウォームグレーの箇所にも一部剥がれ箇所があるのでそれぞれマスキングインクを使って傷を表現する

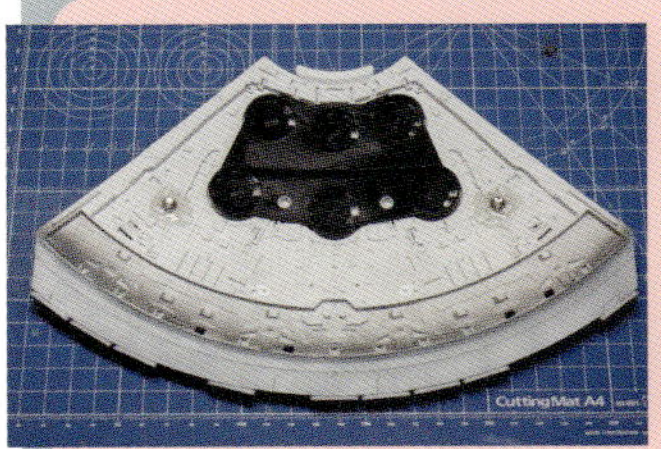

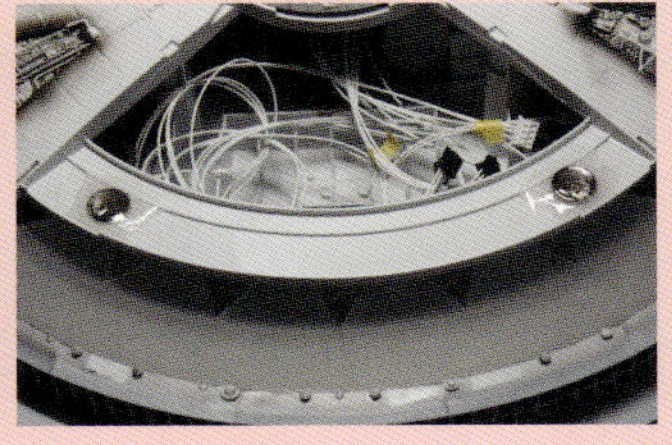

後部パネルは取り外し式に

●見せ場のひとつであるディテールの集中する上面後部パネルは、撮影用模型同様にキットでも取り外しが可能だが、不意に外れて破損する恐れがある。ここはネオジム磁石を本体とパネル両方に設置し、確実に固定できるようにする。これで光漏れの心配もない

ウェザリングの仕上げ方

基本塗装が済んだら、ミレニアム・ファルコン特有の傷や汚れ、サビ、雨だれなどの汚れ塗装を加えていく。想像で色を加えるのではなく、撮影用モデルの写真資料を実際にそろえて、その塗装面をしっかりと観察して模倣するのがいちばんの成功の秘訣だ

▲後部パネルの排気口は黒ではなくジャーマングレーで塗装する

▲後部パネルのほか、機体のパネルの溝にも若干ながらスミ入れをする。均一にならないように注意する

▲全体にデカールを貼る。これも的確な張り位置がわかりずらいので、資料写真をみながら位置を決める。乾燥後スモークグレーを吹く

けで7色必要となります。（記述なしはすべてGSIクレオスのMr.カラー）

①基本色の明るいグレー（バーチャロンカラー ウォームホワイト）

②濃い赤（ヤマトカラーガミラスレッド2＋RLM23レッド1：1＋白少々）

③濃いグレー（ガイアカラー ニュートラルグレー3）

④中間のウォームグレー（ガイアカラー ライトガルグレー＋白少々）

⑤薄いクールグレー（グレーFS36375＋白1：1）

⑥黄色（ダークイエロー＋ガイアカラーのフレッシュセットのシャドー用フレッシュオレンジ1：2、その上からクリアブラウンで微調整）

⑦ダクト部分の黒（ジャーマングレー）

色数が多いので、基本色の明るいグレーを全面に塗装後、濃いグレーや赤のような強い色を塗り、それから中間のグレーを塗っていった方がバランスが取りやすいと思います。全体のバランスが重要ですので、塗装後に再度上塗りして調整した部分も少なくありません。

赤やグレーの白い剥がれはホルベイン社の水彩用マスキングインクで先に筆で剥がれを描き、その上から赤やグレーを塗装、乾燥後に剥がし筆でレタッチしました。塗り分けたあと、Mr.ウェザリングカラーのグランドブラウンを専用溶剤でかなり薄めたものでスミイレします。撮影用モデルはスミイレされていないのですが1/3・5の模型として考えると影部分の強調として薄いスミ入れは効果的です。全面満遍なくやるのではなく、色の強弱をつけたりスミイレしない部分を作るとよいでしょう。

乾燥後デカールを貼りますが細かいマーキング類だけで200枚以上あり大変に根気のいる作業となります。しかし確実にスケール感を出してくれるので数日かけて丁寧に貼りましょう。細かいデカールの位置は作例の写真を参考にしてください。デカールになっていない細かい黒いマーキング類（撮影用モデルではマスキングして黒スプレーを吹いているように見えます）は0・

▲後部パネルの排気口からはスス汚れが出ている。これをエアブラシを使って描いてやる。やりすぎないように慎重に吹き付ける

▲長さには数パターンあるようだが、今回は長、短の二種類を切り出して、ピンセットを使って各所に貼り付けていった

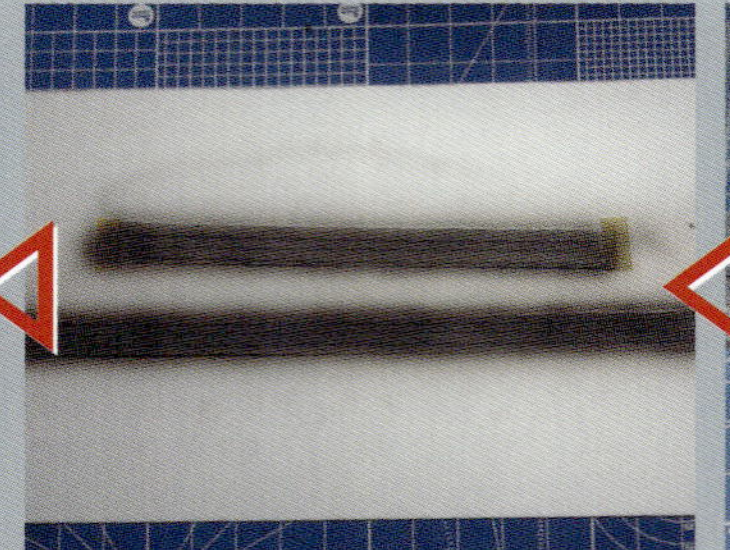

▲任意に切り出した黒テープにグレーを吹いて、色を落ち着かせ、機体に貼ったときに黒すぎて浮かないようにした

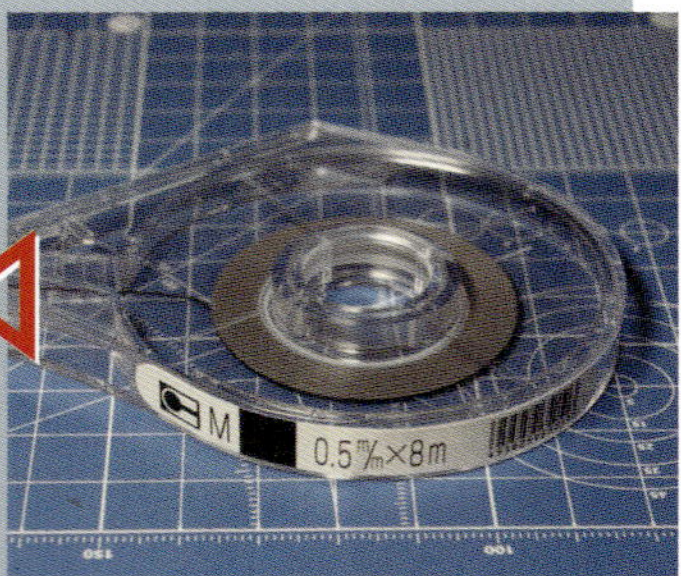

▲各所に入る黒帯はデカールもなく塗装指示もない。今回はアイシー製0.5㎜フリーテープを使用したがスケール的には太め

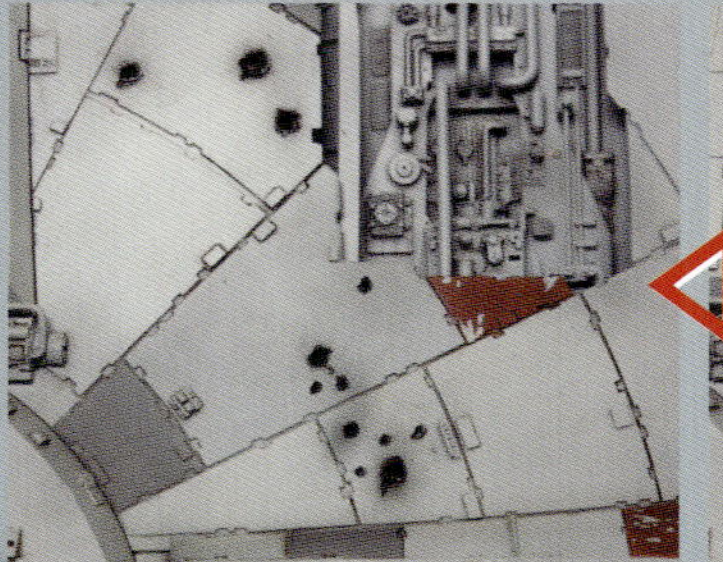

▲こちらもエナメル系ツヤ消し黒で塗装後、パステルを粉にしたものを筆で塗りつけてなじませる

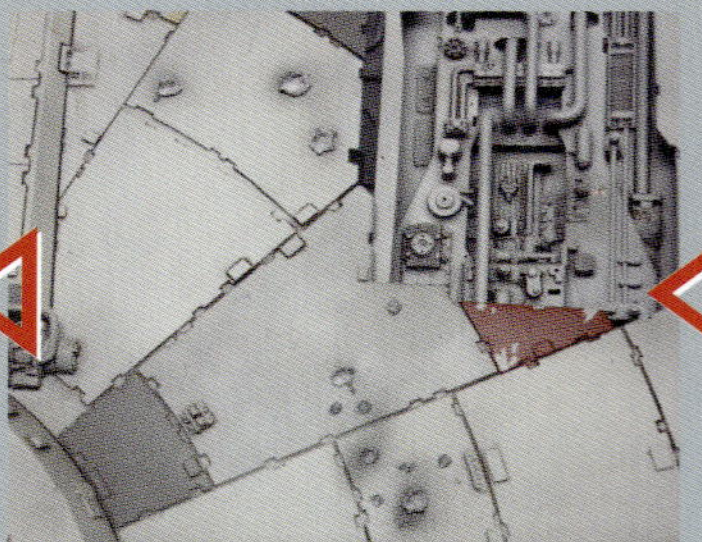

▲機体下面にも被弾あとが必要なのでホットナイフで溶けたプラを盛り上げるように溶かして再現する

▲彫った被弾痕にはエナメル系塗料のツヤ消し黒で塗りつぶし、周りをウェザリングカラーやパステルを粉にしたものでぼかす

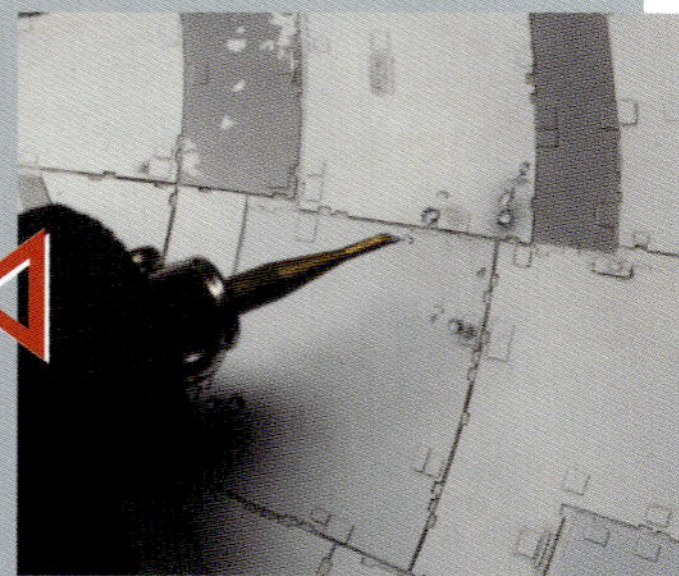

▲彫刻されていない被弾痕は、ホットペンを使ってへこますように痕をつけていく。これもやりすぎに注意

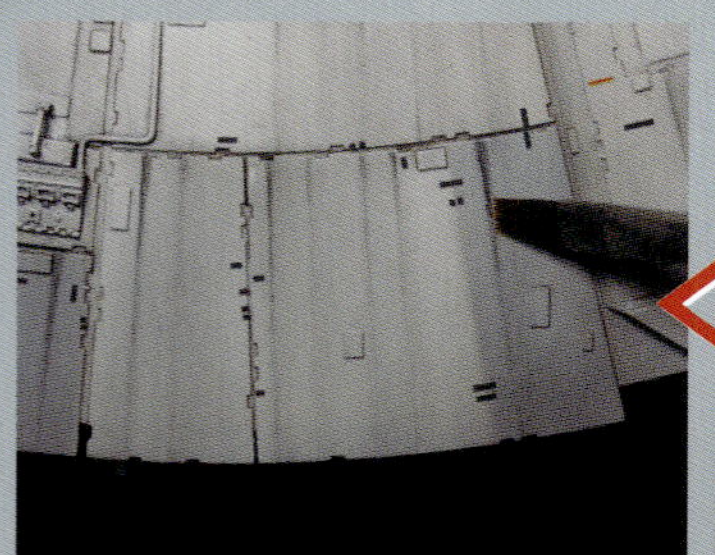

▲次にスジの両フチから平筆を縦にあて寄せスジをトリミングする。ウェス使って平筆に含ませる溶剤の量を調整しながら作業する

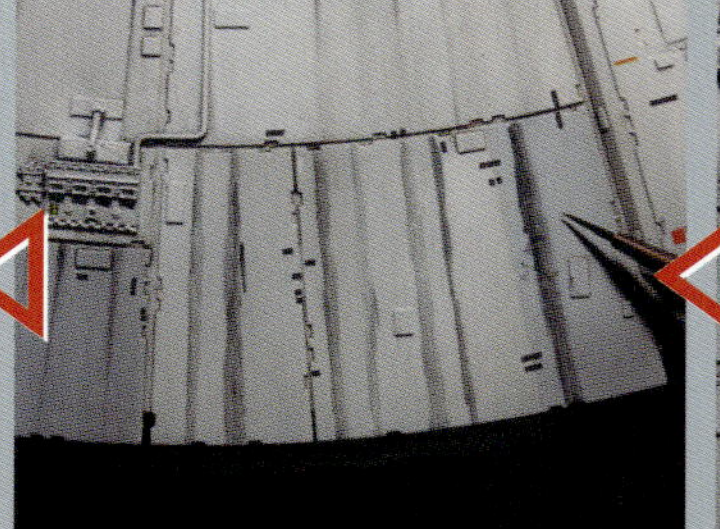

▲ほそくてシャープな雨だれは、同じくマルチブラックで数本描いてから、溶剤に浸した平筆で上からこする

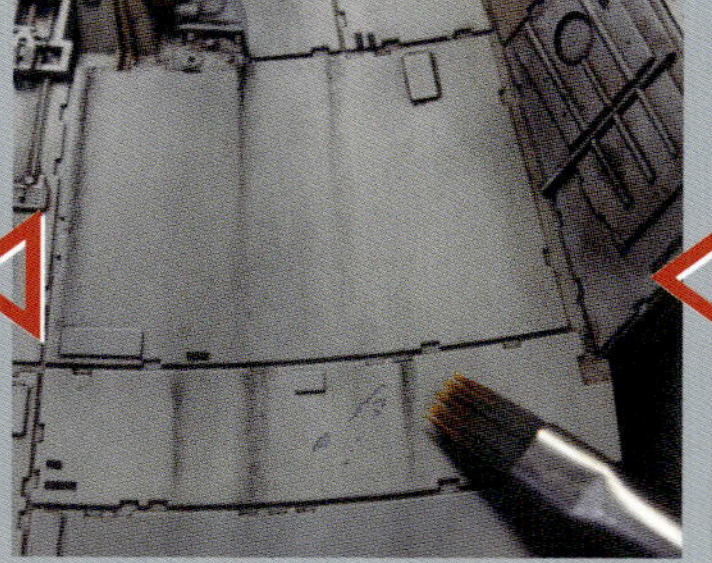

▲汚れていない平筆に専用の溶剤を浸し、流れにそって筆を動かしてかすれさせる。色を残すところ、消えていくところを意識する

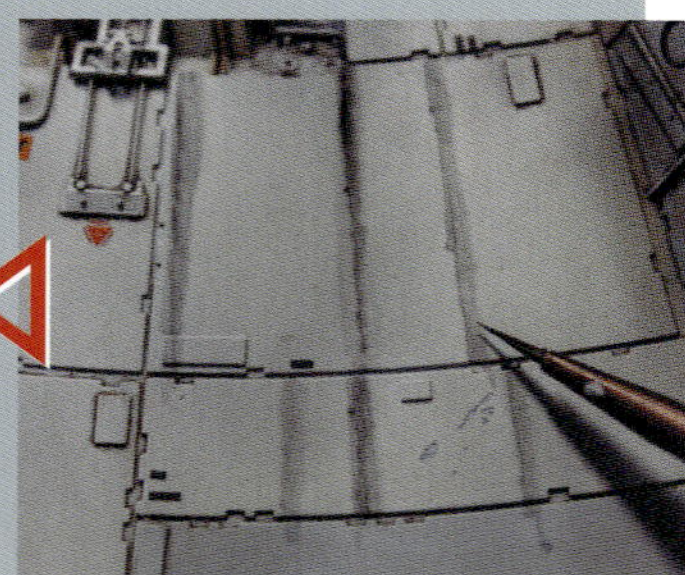

▲雨だれの描き方。まずウェザリングカラーのマルチブラックで面相筆を使って数本雨だれを描く

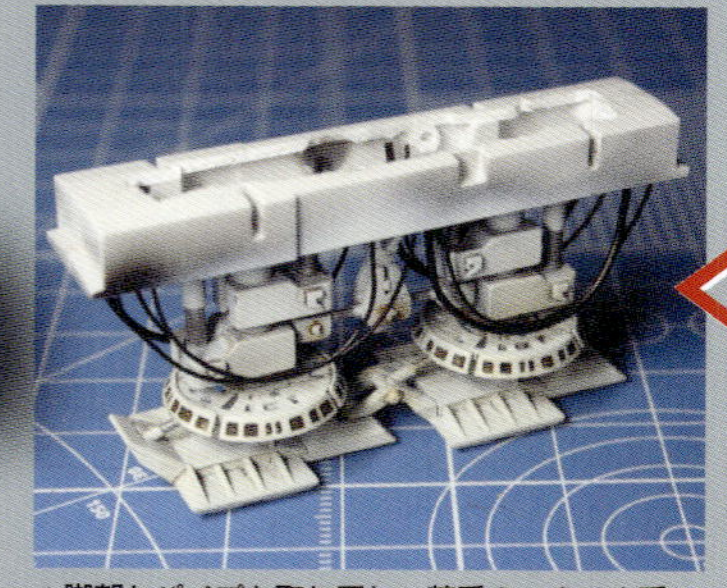

▲脚部もパイプを取り回し、茶系のエナメル系塗料でスミいれをし、サビ色を入れてやることで自然な仕上がりになる

▲機体前方の被弾痕は、装甲部分とサビ、焦げた部分をうまく塗り分けることでよりリアルな仕上がりになる

▲大きな被弾痕もなかをツヤ消し黒で塗装したあと、フチをヤスリで粉にした黒系のパステルを擦り付けて焦げを表現する

▲シャープな黒スジはコツを掴めば短時間でこのように描くことができる。気にいるまでなんどでもやり直しができる

5㎜幅の極細ラインテープの黒をグレーに上塗りしたものを貼りました。デカールが乾燥したらデカール保護と汚れの表現としてMr.カラーのスモークグレーをつや消しにしたものを全面に塗装します。資料写真を見つつ、機首先端やターレット周辺、円盤部分と回廊との繋ぎ目部分、弾痕や傷周辺などどくすんだ箇所には何回かスモークグレーを重ね塗りします。これで雰囲気が出てくるはずです。撮影用モデルでは側面のディテール部分や機体下面のランディングギア収納部周辺はかなり錆びっぽい表現がされていますのでMr.ウエザリングカラーのステインブラウン、ラストオレンジを使って汚します。円盤部分とコクピットやドッキングリンクからの回廊との繋ぎ目部分にはMr.ウエザリングカラーのサンディウォッシュを薄めたものをザッと流して溶剤を含めた平筆で馴染ませると埃が溜まったようになります。そのあと傷表現を濃いグレーによるチッピング塗装と、モーターツールによる削痕を使い分けつつ施します。モーターツールの傷はやりすぎないよう注意深く行ないましょう。

最後の難関は円盤部分全面に施された雨だれ、流れた錆び風のスジ状の汚れです。無数の汚れを描き込むので質感、失敗した際に修正しやすいことも考慮し、Mr.ウエザリングカラーのマルチブラックとラストオレンジを使用しました。まず質のいい面相筆で雨だれを描き込みます。そのあと溶剤を含ませた平筆を縦向きにしてタレの両側から修正し、かすれさせたい場合は上から下向きに軽く撫でてやります。失敗したら気にいるまで何回もやり直します。コントロールしやすいよう5~6本ずつ描いては修正を繰り返します。機体上面と下面ではタレの方向が違うのも注意しましょう。

気に入った仕上がりになったら水性プレミアムトップコートのつや消しを全面に吹きツヤを一定にします。弾痕をパステルで描き込んで完成です。

キットの造形に見合った塗装や仕上げにはそれなりの労力が必要となりますが、仕上がった時の満足感は素晴らしいものです。

●油彩系でのウェザリングはフォーカスが甘くなる傾向があるが、サビ色や薄いスミ入れを効果的に入れてシャープな印象に仕上げる

PERFECT GRADE ミレニアム・ファルコンの完成!

●注目したいのが機体側面のディテールの集中した部分。ここはおもいのほかサビ色が多いので緩急付けながら仕上げたい

●裏面は雨だれが中央に向かって流れていることに注意。若干平面的なのでスミ入れを多様してモールドを際立たせると雰囲気よく仕上がる

Battle of Hoth
All Terrain Armored Transport
AT-AT™

●『スター・ウォーズ　エピソード５／帝国の逆襲』撮影時に大中小多数のAT-ATのプロップが製作されたが、バンダイがキット化の対象としたのは中型モデル。劇中にそろって登場する中型モデル３機は一部のディテールと塗装、ウェザリング異なることが知られている。そこで作例では、それぞれを「被弾ダメージモデル」、「装甲板強化モデル」、「冬季迷彩モデル」と仮称し、３人のモデラーによって作り分けてもらった。これら３つのプロップの違いなどは、スター・ウォーズプロップモデル研究家、鷲見博氏による考察を紹介する

●キットは撮影用モデル同様、脚関節足首や膝だけでなく脚の根元にも可動関節を設けている。そのため、キットをストレートに組むだけで、このように劇中で一瞬見せる前足を広げて踏ん張るようなAT-ATらしいポーズをとることができる

AT-AT™

All Terrain Armored Transport

バンダイから発売された1/144 AT-ATもまた撮影用モデルを徹底的に解析し、プロポーションはおろか細部のディテールに至るまで見事に再現した製品だ。ここでは『スター・ウォーズ／帝国の逆襲』冒頭のエコー基地侵攻シーンでの3両のAT-ATをそれぞれに特徴をとらえ、3人のモデラーに作り分けてもらった

AT-AT
バンダイ　1/144
インジェクションプラスチックキット
税込4536円
出典／『スター・ウォーズ／帝国の逆襲』
製作・文／どろぼうひげ、福井政弘、ROKUGEN

●三機の行軍で一番手前に位置しているのが、被弾ダメージモデルだ。冬季迷彩モデル同様、この機体は尾部の装甲板がついていない。この機体はのちの『スター・ウォーズ／ジェダイの帰還』でルークをダース・ベイダーに引き渡すシーンで再利用された。その際、残念ながら再塗装されてしまっている。作例では頭部左右のレーザー砲の装甲板を薄く削ったり、ボディ後方下に取りつけられる装甲板もフチを薄く削ることでより巨大感を演出いる。

ボディの「レ」被弾跡が目印 “被弾ダメージモデル”

劇中もっとも汚れるモデル

製作・文／どろぼうひげ

◆被弾ダメージモデル

今回は劇中で行軍する3機のAT-ATのうち、いちばん手前にいる、被弾ダメージモデルを製作します。

キット素組みとの違いとしては、

・装甲上面のモールドの一部がない
・後部下の装甲の一部がない
・雨だれや激しい汚し塗装
・特徴的な被弾痕やダメージ

があります。被弾痕は撮影が進むにつれてどんどん描き加えられているのですが今回は中盤のスッキリした状態を再現しました。

◆電飾は超シンプル

電飾は頭部コクピットが赤く光るのみという、とってもシンプルなつくりです。窓全体が均一な光になるように、頭部内にプラ板でボックスを作り、LEDを開口部に向けない間接照明にしています。電源は9Vの角型電池を強引にねじ込み、長時間の連続点灯を可能に。磁石を用いて装甲の上部分を取り外せるようにし、電池交換やスイッチの操作ができるようにしています。

◆汚しと雪の表現がキモ

まず、ブラックとグレーで、ムラのある塗面を作りました。エナメル系塗料のコゲ茶色を綿棒に含ませ、表面をコロコロと転がすことで、汚れが滲んだ様子を再現しました。装甲表面、裏側のメカ部分、そして足まわりなど、部分によって色調を変えています。雨だれやサビが流れた様子は、色鉛筆を使って描き込みました。失敗しても消しゴムで消せるので納得の行くまで描き込むことができます。雪の表現はタイルの目地補修材を使って表現。表面に付着したこまかい雪も再現できますのでお勧めです。

◆塗装で楽しむ

このキットは撮影用モデルの考証が完璧なため、形状は一切いじる必要がなく、塗装に集中できるのがありがたいです。比較的簡単な改造で済みますから、ぜひとも3機を作り分けて、反乱軍を撃破しちゃいましょう。■

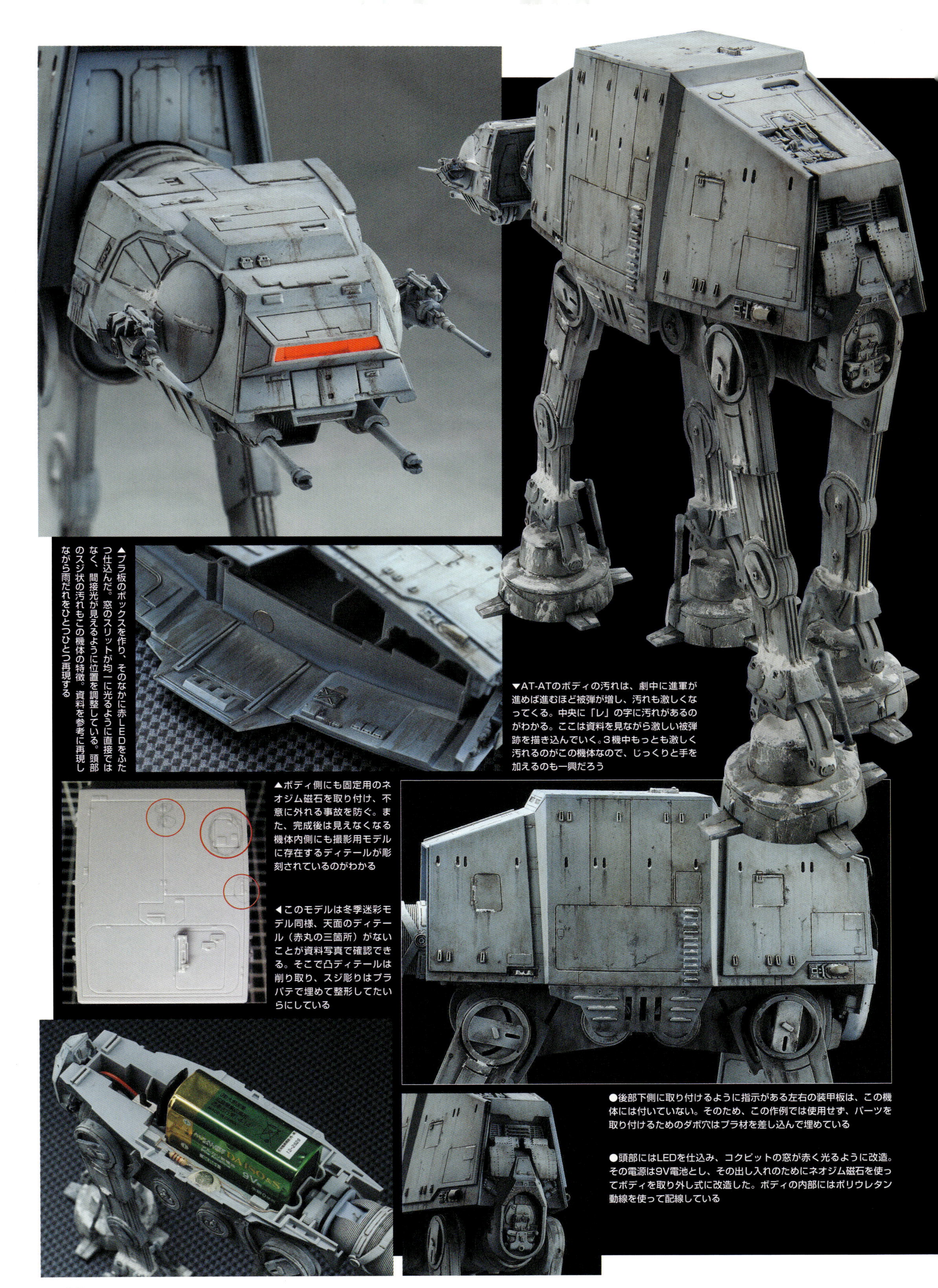

▲プラ板のボックスを作り、そのなかに赤LEDをふたつ仕込んだ。窓のスリットが均一に光るように直接ではなく、間接光が見えるように位置を調整している。頭部のスジ状の汚れもこの機体の特徴。資料を参考に再現しながら雨だれをひとつひとつ再現する

▼AT-ATのボディの汚れは、劇中に進軍が進めば進むほど被弾が増し、汚れも激しくなってくる。中央に「レ」の字に汚れがあるのがわかる。ここは資料を見ながら激しい被弾跡を描き込んでいく。3機中もっとも激しく汚れるのがこの機体なので、じっくりと手を加えるのも一興だろう

▲ボディ側にも固定用のネオジム磁石を取り付け、不意に外れる事故を防ぐ。また、完成後は見えなくなる機体内側にも撮影用モデルに存在するディテールが彫刻されているのがわかる

◀このモデルは冬季迷彩モデル同様、天面のディテール（赤丸の三箇所）がないことが資料写真で確認できる。そこで凸ディテールは削り取り、スジ彫りはプラパテで埋めて整形してたいらにしている

●後部下側に取り付けるように指示がある左右の装甲板は、この機体には付いていない。そのため、この作例では使用せず、パーツを取り付けるためのダボ穴はプラ材を差し込んで埋めている

●頭部にはLEDを仕込み、コクピットの窓が赤く光るように改造。その電源は9V電池とし、その出し入れのためにネオジム磁石を使ってボディを取り外し式に改造した。ボディの内部にはポリウレタン銅線を使って配線している

●3機の行軍で中央に位置しているのが、装甲版強化モデル。尾部左右にキット付属の装甲板が取り付けられている。コクピット内はキットの構造を活かして、パイロットをふたり乗せ、その後ろからLEDで点灯することで正面から見たときに撮影用モデル同様の陰が出るように調整している。機体天面はキットのまま無改造で使用。スミ入れとスス汚れを加えることでより雰囲気よく仕上がる

後部に追加の装甲が加えられた“装甲板強化モデル”

ストレート組みで見栄えよく仕上がります

製作・文／福井政弘

待望のAT-ATがついにキットになりました。プロポーションや可動のギミックなど細部までリサーチが行き届いたすばらしいもので塗装～仕上げに専念できます。キットをストレートに組むとこの装甲強化モデルになります。デザイナーであるジョー・ジョンストンによる繊細な汚しが特徴です。

まず頭部の電飾ですが、パイロット後方に3㎜の赤LEDを2個内蔵し光量を確保、首にリード線を通して胴体にボタン電池CR2032を内蔵しました。首は左右分割で目立つ部分に繋ぎ目が出るので、接着後目立てヤスリでていねいに整形します。

脚部は可動機構の関係で一気に組んでしまうと塗装できない場所や繋ぎ目が出る部分が出てきます。組み立て説明書を熟読し、組み立て手順をさきに検証するのがいいでしょう。私は足首と太腿を先に塗装してしまい、その後脚部全体を組んでから再度塗装しました。頭部は砲身も細くていいカンジです。顎の砲身は撮影用モデルではドイツ戦車の模型のものが使われていますので、マズルブレーキ部はピンバイスなどを使って開口するとよいでしょう。

塗装ですが、この装甲強化モデルは茶系とグレー系によるキレイめの汚しが特徴です。ガイアノーツのバーチャロンカラー・マーズライトグレーをベースに、胴体上部は明るめ、脚部は暗めにカラーモジュレーションをかけると立体感が強調できます。その後スモークグレーで陰影を強調、濃いグレーでスミ入れしました。その後Mr.ウェザリングカラーのグランドブラウンで脚部を中心に汚します。ポイントとして少量Mr.ウェザリングカラーのラストオレンジを使います。チッピング後、特徴的な上下方向の雨だれを描き込みます。私はグレーのパステル粉をアクリル溶剤で溶いたものを筆で描き込み、半分乾いたところで綿棒で下方向に向けて延ばしました。

ここまでリサーチが行き届き、細かい部分まで再現されたキットですので、今回の作例のように3種類の機体を作り分けたり、クラッシュ状態でダイオラマにしたりいろいろ楽しみたいですね ■

◀機体後部の下辺左右には、組み立て説明書どおりに2枚の装甲板を接着する。汚れは流れるものはMr.ウェザリングカラー（油彩系）、埃やススのように留まるものは紙ヤスリ上で擦って粉末状にしたパステルを擦り付けて表現している

▼ボディ左側面劇中でも確認できるが、雨だれを中心に汚し塗装が入る。ススだけでなく、若干のサビ色も入ることでトーンに変化を生んでいるのが特徴だ。モールドへのスミ入れの際には周辺を汚しすぎないこと

◀コクピットを光らせる電源となるボタン電池の交換が手軽におこなえるように、左側面の装甲パネルはネオジム磁石を仕込むことで着脱を容易にしている

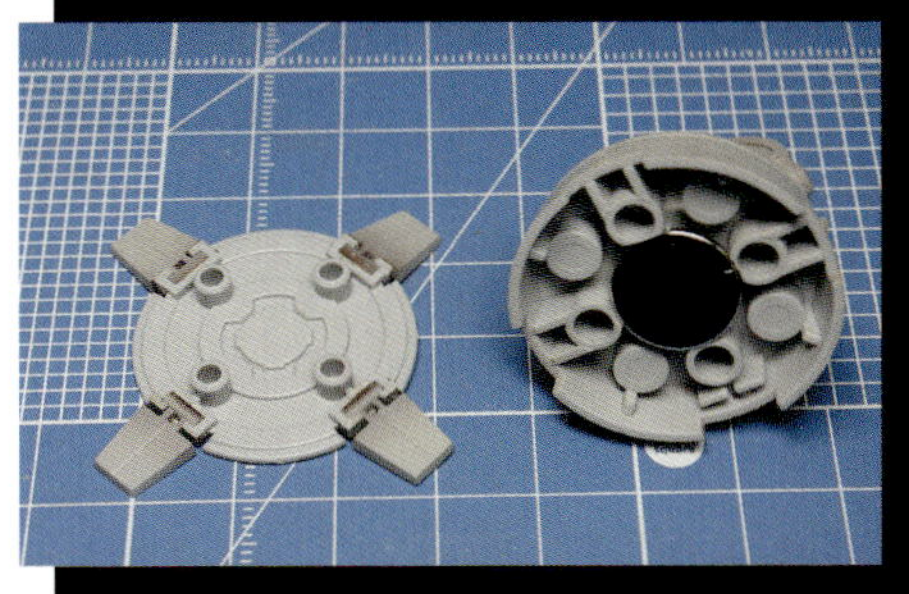

▲4本の足首の内部にもネオジム磁石を入れておく。ベースに鉄板などを仕込むことで確実に接地する

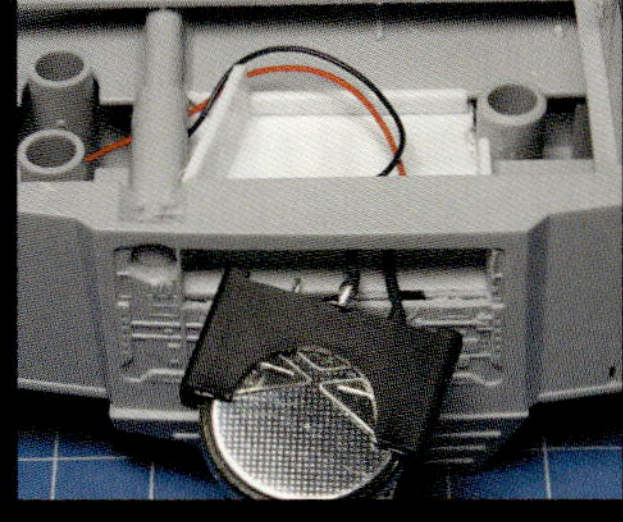

▲ボディ内部にプラ板を組み合わせて受けを作り、ディテールパーツをミゾ状に開口して電池の入れ場を作る

▲コクピットにドライバーを搭載し、後ろに2本のLEDをセット。これで正面の窓にドライバーの影が映る

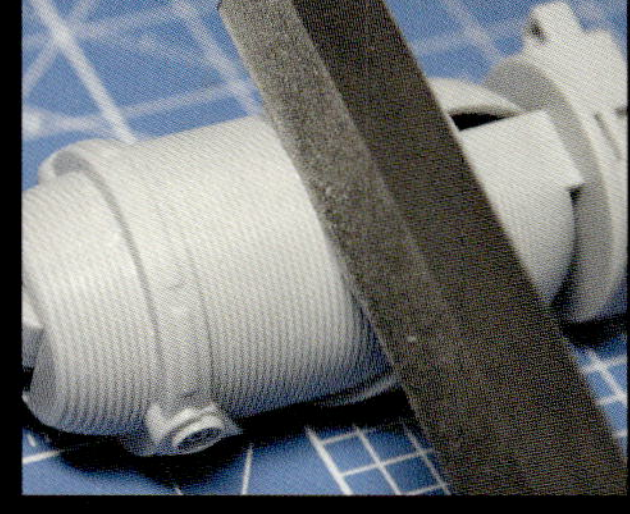

▲唯一接着線を消す必要がある首部分はヤスリがけのあと、目立てヤスリでミゾを彫り直してる

●『帝国の逆襲』冒頭の3機の行軍で一番奥に位置しているのが、このモデル。ボディの塗装が白で幾重にも意図的にオーバーコートされた跡が目立つため、冬季迷彩モデルと呼ぶ。機体上面のディテールはP34の被弾ダメージモデル同様に一部のミゾと彫刻がないので、こちらも伸ばしランナーなどを使って埋めている

白色のオーバーペイントが多数加えられた“冬季迷彩モデル”

単純な色味にならない工夫を

製作・文／ROKUGEN

バンダイ1／144 AT－ATを〝冬季迷彩モデル〟で製作します。〝装甲強化モデル〟との形状の違いは、機体後部下の装甲板がないことと、ボディ天面の一部パネルがないことの2点。さらにスジ彫りを深くしたり、各所のエッジを立てて仕上げました。

電飾は赤く光る窓のみ。キットはコクピット内が再現されていますが電飾を優先させるため、これらを搭載せず、直径10㎜のボタン電池CR・1025（3V）1個に直接角形赤色LEDを繋いで配置、LEDの先端レンズ部分に光を拡散させるため0・3㎜のプラ板を付けて発光させました。

時間をかけたのが塗装です。参考資料としては『スカルプティング・ア・ギャラクシー』（ローン・ピーターソン／著）に〝冬季迷彩モデル〟が掲載されています。

まずはガイアノーツ エヴォブラックで陰になる部分のみ塗装、ボディーの広い面は黒で塗装すると上に重ねる色のコントロールが難しくなるのでグレーのサーフェイサーで下地を作りました。Mr．カラーのグランプリホワイトをベースに、茶、緑、艦底色、ガルグレーを混ぜて数色のグレーを調合します。これらを基本色の上からエアブラシで塗装するのですが、換気扇のフィルターを押し当てた上から吹くことでランダムに色が乗るように工夫し情報量の多い塗装面を目指してグレーを数回重ねています。

汚し塗装はタミヤのエナメル系塗料を使用しています。使用した色はフラットアース、ハルレッド、ライトグレー、ジャーマングレー、オレンジなど色味を多く使って冬季迷彩を意識して自然に溶け込むよう色を加えました。雨だれはエナメル系塗料を筆や綿棒などで下に引っ張るように描きました。スケール感を損なわないように1／144のスケールに合うようにAT－ATドライバーを机に置いてサイズを意識しながら作業しました。ボディ右面のオレンジ色の大型パネルはAT－ACTカーゴ・ウオーカーに似ています。急きょ塗装もしていないパネルをはめて出撃した風でサビや凍結等をイメージして単調にならないように色を重ねて仕上げています。■

●頭部下面に接地されたふたつの主砲は差し込み位置を後ろにずらしてハメることで劇中同様に射撃後のブローバックを再現することができる

▼機体側面には、不自然なほど後から塗り重ねた白色が各所に目立つ。先に基本塗装と各所のウェザリングをすませたあと、ところどころに缶スプレーで塗り潰したような感じで塗装している。また、頭部の左上の黒帯状のよごれや、脚部間接の汚れなど特徴的な塗装も多いので再現する

◀資料写真のなかに、劇中では映らないこの撮影用モデルの右側の写真をみつけたところ、大型パネルがオレンジ、サビ色だったのでそれを再現

▲パーツの抜き方向の関係からスジ彫りになっていなかった脚部のモールドをスジ彫りする

▲足首天面にあるモールドもシャープさに欠けるので、上写真のような丸十字パーツを自作し差し替えた

▲コクピットの点灯はシンプルに電池にLEDを直付けしたものを内部に搭載した

劇中モデルを3機作り分けたい！

解説／鷲見 博

AT-AT™ 撮影用プロップモデル資料写真館

ここでは『帝国の逆襲』冒頭クライマックスで行軍していたAT-ATの主要な3機のプロップを特定し、それぞれの特徴を確認していく

『被弾ダメージモデル』

●劇中で足にワイヤーを巻かれるのがこの機体。その際にほかモデルと比べ、機体天面のディテールも少ないことが確認できる。進軍が進むにつれて被弾ウェザリングも増えていくので注意が必要だ

『冬期迷彩モデル』

●劇中ではいちばん奥を進軍する機体。冬季迷彩タイプは大きなチッピングが入ったり、白のオーバーペイントが入ったりと凝った塗装だ。顔のグレーの帯状の汚れも確認しておきたいところ

『装甲板強化モデル』

●いちばん典型的なディテールを持つタイプ。バンダイのキットをストレートに組み立てるとこのモデルのディテールになる

AT・ATは撮影用モデルとして多種多数のモデルが製作された。クローズアップや転倒シーンに使用された大型モデル、コマ撮りアニメーション撮影用に作られた中型モデル。そして遠景配置用の小型モデルだ。

バンダイが製品化したのは、撮影のメインで使用された中型モデルだ。劇中エコー基地の攻略のために3機のAT・ATが雪原を進軍してくるシーンで使われた。当時のオフィシャルファンクラブの会報によるとこのサイズのモデルは9機のプロップが製作されたとされている。

この劇中に登場する3機の中型モデルはそれぞれに塗装やディテールが異なる。ここではそれらを「装甲板強化モデル」「被弾ダメージモデル」「冬季迷彩モデル」と名付けて解説したい。

3機並んだシーンで中央に位置するのが装甲強化モデルで、3機で唯一、機体尾部下面に装甲板を追加配備している。目立つシーンではルーク・スカイウォーカーが搭乗するスノースピーダーが胴体の下をくぐり抜ける場面や、エコー基地攻略のラストでパワー・ジェネレーターを攻撃する際に脚を広げて機体の体勢を整える名シーンで使われた。メイキング写真でも、AT・ATのデザイナー、ジョー・ジョンストン氏がAT・ATを塗装しているものがあるが、それがこのモデルだ。

写真いちばん手前に位置するのは胴体左横に被弾跡がある「被弾ダメージモデル」。劇中では撮影が進行するのに従い被弾塗装が増えていくというニクイ演出がなされている。次作『エピソード6／ジェダイの帰還』でもAT・ATが登場するが、そこではこのモデルが再塗装されて撮影に使われた。

そしていちばん奥に位置するのが冬季迷彩モデルで、ボディ側面には冬季迷彩といえるほどの複雑なペイントがなされている。惑星ホスの戦闘シーン冒頭、スノースピーダーがボディ横スレスレをすり抜けて反転するシーンで大写しになる。

3機それぞれに大きく特徴が異なる。これらを作り分けるのも模型のおもしろさといえる。■

AT-ST™

All Terrain Scout Transport

ビークルモデル008
AT-ST & スノースピーダー
バンダイ　ノンスケール
インジェクションプラスチックキット
税込648円
出典／『スター・ウォーズ／帝国の逆襲』
製作・文／**福井政弘**

発売時に、一部のファンから熱狂的に受け入れられたのが『エピソード5／帝国の逆襲』に登場した、足が長くコクピットが横長のAT-STだ。これまでこの形状の機体がプラモデルになることはなかっただけに、ここではさらに手を加えて劇中の様子を再現してみる

◀劇中に登場する撮影モデルのプロポーションやディテールを見事に再現した造形だが、脚部の多くが一体成型となっているので、それらを切り離し、ポーズをつけてやることで途端に雰囲気がよくなる

劇中登場わずか2カット!?
幻の『帝国の逆襲』AT-STが立体化

ついに「『帝国の逆襲』版の脚の長いAT-ST」がキット化となりました! これは『エピソード5／帝国の逆襲』冒頭の惑星ホスでの戦いのシーンに登場したビークルで、わずか2カットしか登場しなかったのに当時から人気沸騰! 次作の『エピソード6／ジェダイの帰還』では多くのシーンで登場しました。……が、演出の都合上プロポーションやデザインが大きく変更されてしまいました。それ以降、立体化されるAT-STはすべて『ジェダイの帰還』版でしたので、今回の『帝国の逆襲』版での立体化はまるで奇蹟のような出来事です。キットは極小サイズながら脚長でスマートなプロポーションを正確に再現しています。今回は脚にポーズを付け直してみました。

脚パーツ15、23はプロップ模型どおり4つにバラします。刃の薄いハイパーカットソー0・1㎜を使用して慎重に切断、関節の凹になる部分は極薄の金ヤスリで凹に加工します。腰パーツ26、28にも脚の付け根の関節がありポーズ付けには重要なのでカット、この付け根に真ちゅう線を入れてガ二股に再接着すると膝部分が内側に入ってきてAT・STらしいポーズになるのでオススメです。バラした脚は0・3㎜の真ちゅう線でつなぎポーズを瞬間接着剤で固定します。胴体上面の手すりは0・3㎜真ちゅう線で作り直しました。顎の砲身は1・1㎜真ちゅうパイプと0・8㎜真ちゅう線の組み合わせに置き換えシャープに仕上げます。胴体と腰のあいだにはこまかい配線があるので腰と胴体を接着後0・2㎜のポリウレタン銅線で再現します。

塗装はガイアノーツ、バーチャロンカラーのマーズライトグレーとウォームホワイトの混色、スミ入れ後にGSIクレオスMr.ウェザリングカラーのグランドブラウンとラストオレンジで汚します。胴体左側面の特徴的な弾痕はパステルをアクリル溶剤で溶いたもので書き込みました。

やはり『帝国の逆襲』版AT・STは半端なくかっこいいです! ポーズ付けは効果的なのでぜひ自分なりの躍動感溢れるAT・STを作ってください。■

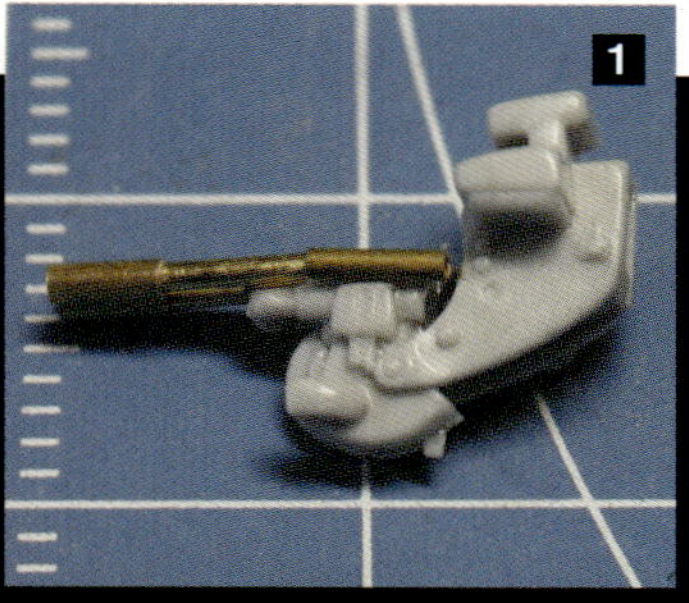

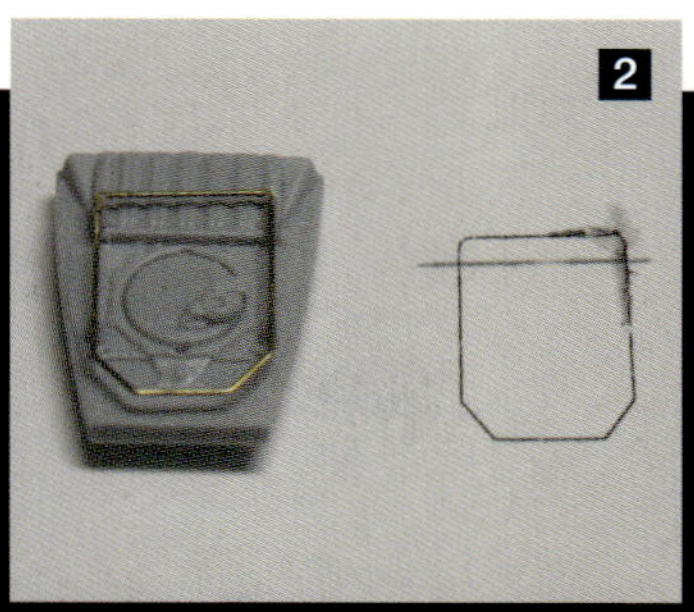

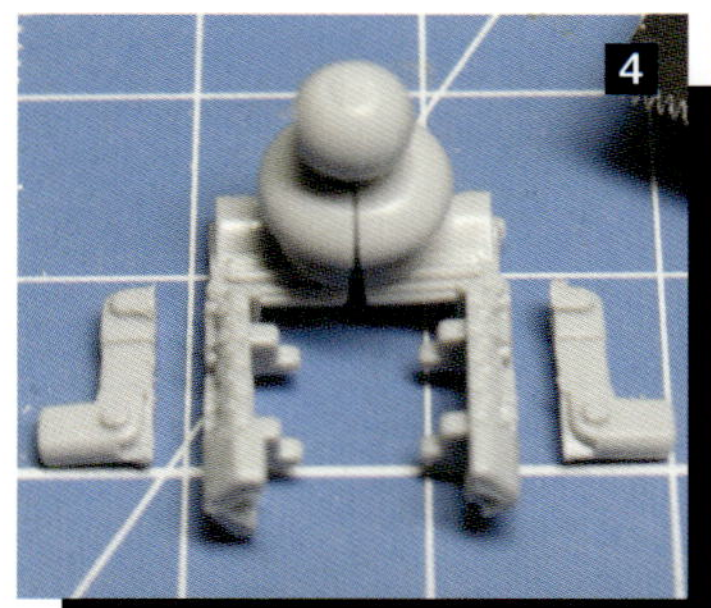

❶真ちゅうパイプを組み合わせて砲身を作る。❷機体上面の手すりは省略されているので、まずは図面を描き、それに合わせて0.2㎜の真ちゅう線で製作。❸正面機銃の裏側にはニクロム線やリード線を使ってディテールアップ❹腰部の最初の関節は一体成型になっている。ここが広がらないと自然なポーズにならない。❺足首もポーズをつけるため、一度関節部を残して切りはなし、真ちゅう線を通してから固定する。❻各部にポーズをつけて固定した様子。片足で立つとそれらしいポーズになる。❼両脚の裏にあるバネ板は省略されているので、薄い真ちゅう板を切り出して貼り付けて再現した

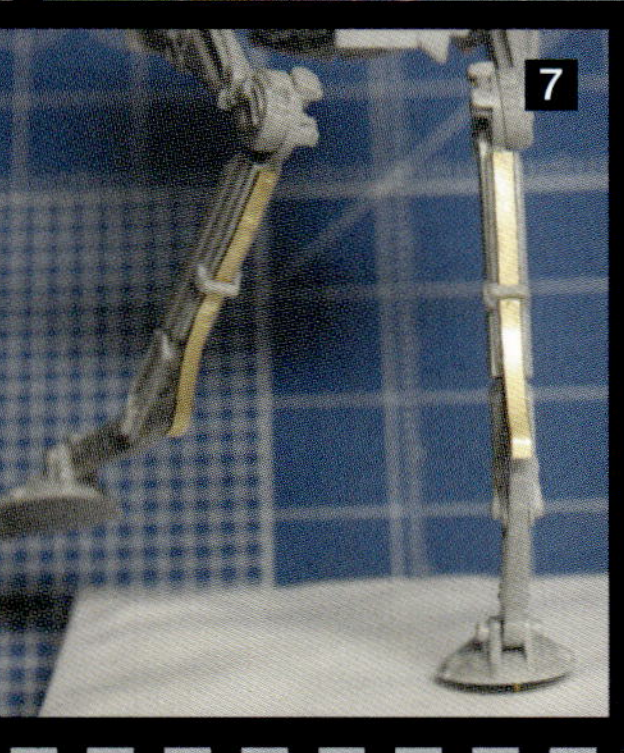

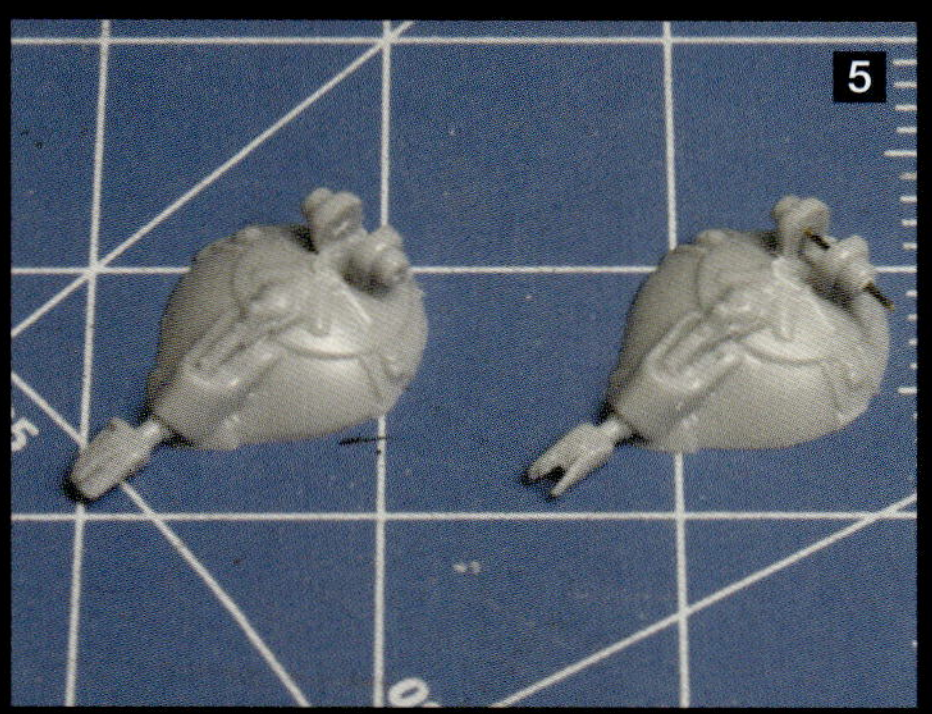

▼キットには同スケールのスノースピーダー（1/144サイズ相当）が1機同梱されている。こちらもバンダイの1/48スノースピーダーに準じた素晴らしい出来。ひとつをルーク機塗装で仕上げた

▲もう一機をオレンジのマーキングの入ったウェッジ機の塗装で仕上げた。機体のグレーを塗り分け、チョロハゲを描きこみ、キャノピーを黒く塗りつぶすだけで充分雰囲気がでる（製作／ROKUGEN）

AT-AT™ コクピットホログラム投影装置

1/144 AT-ATとほぼ同時期に発売されたホログラムVer.ダース・ベイダー。これは通信時の様子を再現したもの。だったら通信機のホログラム投影装置も作りましょう！

ダース・ベイダー（ホログラムVer.）
バンダイ　1/12
インジェクションプラスチックキット使用
税込2592円
プレミアムバンダイ
出典／『スター・ウォーズ／帝国の逆襲』
製作・文／**加藤優介**

ホログラムの投影装置を作りました

『スター・ウォーズ　エピソード5／帝国の逆襲』冒頭の惑星ホスでの戦い終盤で、AT-ATに乗ったヴィアース将軍が「シールド発生装置に到着しました」ってダース・ベイダーに報告してるシーンがありますが、これはあのホログラムを模した製品なのです。ちょうど1／144 AT-ATのキットがバンダイから発売されたタイミングですので、シャレの効いたお遊びといいますか、「クリアーとホログラムは違うだろ！」という突っ込みはおいておいて、このキットはそのまま加工・塗装はいっさい行なわず、ベースを工夫することでキットの魅力を最大限に引き出してみたいと思います。

ホログラムは映像自体が発光しているわけで、じゃぁクリアー成型のダース・ベイダーを電飾すれば再現できるのか、というと違います。内臓が透けて見えるわけじゃないですし。そこで劇中とは異なりますが足元から照らすことでダース・ベイダーをより美しく浮かび上がらせることにします。

ベースは1・0㎜厚と2・0㎜厚のプラ板とプラスチック製の丸棒とパイプ、ジャンクパーツを使い分けて組み立てています。底面の格子状のディテールは100円均一ショップのザルを使用しました。今回もっとも悩んだのが足元の光源で、全体を均一に明るくするために最初は高輝度白色LEDを約30個使って間接的に発光しましたが思ったような光量が得られず、結局蛍光灯に落ち着きました。適度な大きさ（1辺が15㎝程度）のライトボックス（写真のネガフィルムなどを確認するための光る箱）を入手し、それを加工しプラ板で作ったベースの下に仕込むことで期待どおりの効果を得ることができました。

塗装はフラットブラック一色です。赤く光っているところは5㎜砲弾型LEDで、蛍光灯とベースの間は0・3㎜厚の白色プラ板を挟んでいます。光源が透けることもなく、充分な光量を得ることができます。

ダース・ベイダーはほぼ素組みです。

完成しましたが暗闇で光らせると、あの劇中の緊張感とはかけ離れたメルヘンチックなダース・ベイダーに仕上がりました■

YODA's HUT- ダゴバ DAGOBAH™

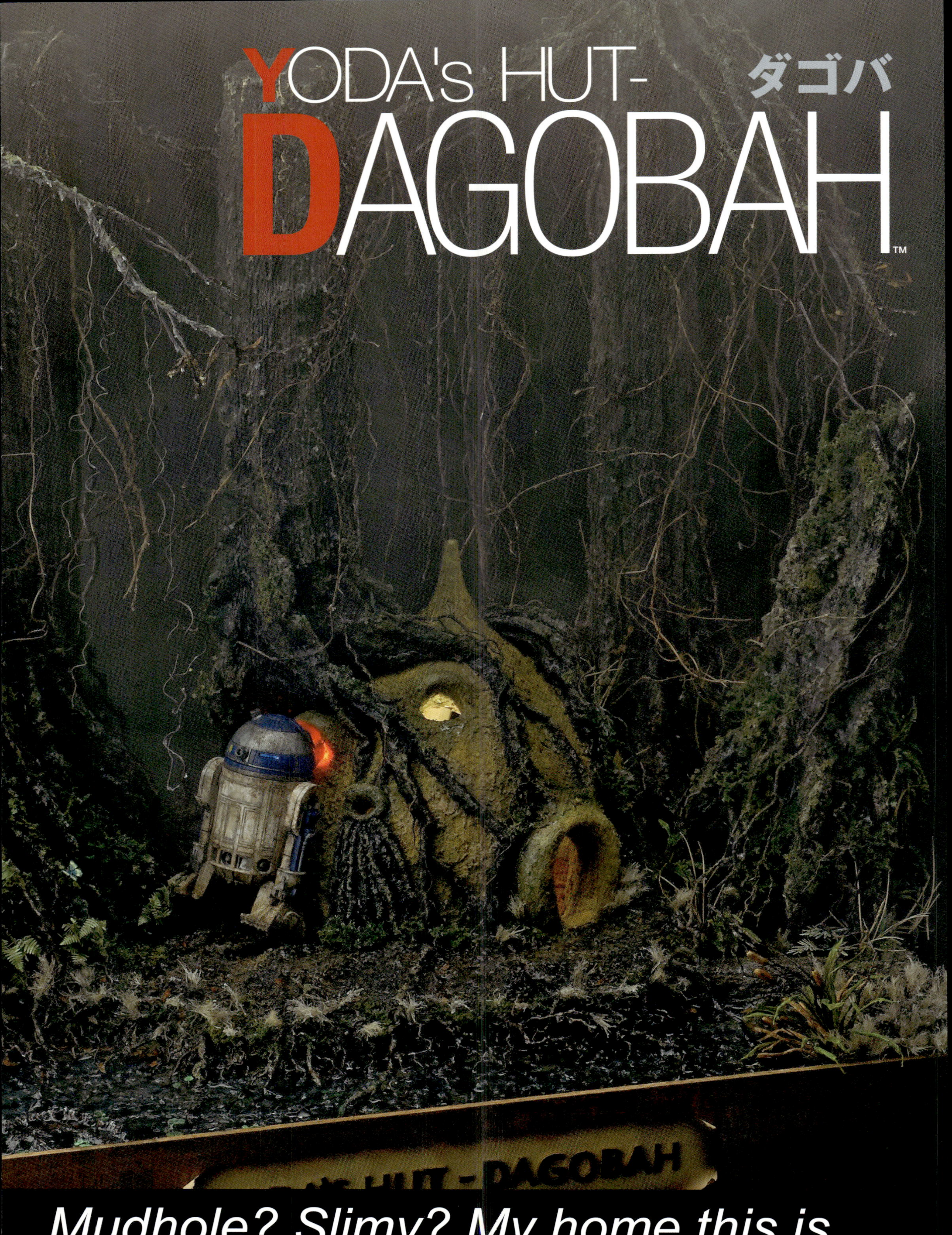

Mudhole? Slimy? My home this is.

「泥の穴？ ぬるぬるじゃと？ わしの家だぞ！」ーヨーダ

DAGOBAH™
ダゴバ

バンダイ　1/6　「ヨーダ」ボーナスパーツ使用
税込3240円
バンダイ　1/12　「R2-D2&R5-D4」R2-D2使用
税込2592円
出典／『スター・ウォーズ／帝国の逆襲』
製作・文／**ぴあにしも**

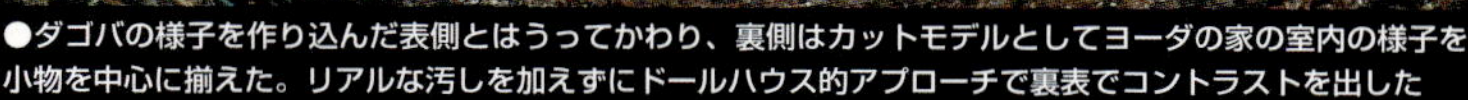

●ダゴバの様子を作り込んだ表側とはうってかわり、裏側はカットモデルとしてヨーダの家の室内の様子を小物を中心に揃えた。リアルな汚しを加えずにドールハウス的アプローチで裏表でコントラストを出した

圧倒的密度の密林と沼地の作り込み

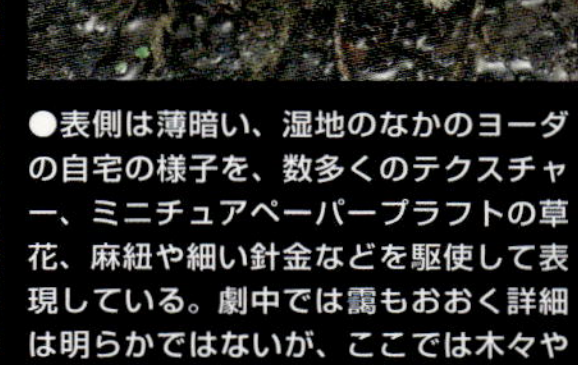

●表側は薄暗い、湿地のなかのヨーダの自宅の様子を、数多くのテクスチャー、ミニチュアペーパークラフトの草花、麻紐や細い針金などを駆使して表現している。劇中では靄もおおく詳細は明らかではないが、ここでは木々や地面の様子を豊かに再現した。雑然と植えられたわけではない草木の配置や絡み方、色合いの変化など、数多くの見所が盛り込まれている。透明レジンを使った水表現は沼だけでなく、水たまりや濡れた木々の水滴にまで及ぶ

製作・文／ぴあにしも

表はジャングル、裏は室内両A面のダゴバダイオラマ

こんにちは、ダイオラマ大好き、ぴあにしもです。このたびバンダイから発売された大小2個セットのヨーダはすばらしい出来ですね。P88では加藤優介さんが1／6サイズを使って『エピソード3／シスの復讐』のワンシーンを再現していましたので、私は1／12のヨーダを使い、「エピソード5／帝国の逆襲」の惑星ダゴバにあるヨーダの家のダイオラマを製作しました。

ヨーダとR2・D2はバンダイのキットを使用し、あとのものはすべて自作しました。ヨーダはそのままストレート組み。髪の毛と衣類のほつれをコットンで追加しています。塗装にはアクリル系塗料とセラムコートを使用し、目のみツヤアリにしました。最後に服に軽くドライブラシをすると、布目の凹凸が浮かび上がって、とてもいいカンジになります。R2・D2もストレート組みですが、頭部のセンサーのみピンバイスで開口し、3㎜赤色LEDを入れて点灯させました。沼に棲む巨大生物に丸飲みにされて吐き出された後なので、コゲ茶と黒色でかなり派手に汚しました。また、劇中このシーンでは雨も降っていますのでウェザリング後に、ジェルメディウムを上から下へ雨の流れに沿って筆で塗り、さらに足裏などに爪楊枝でジェルメディウムを少しずつ盛りつけ、水滴表現を追加しました。

惑星ダゴバのシーンをダイオラマで表現しようと思った場合、印象的なジャングルや沼地を作り込んでもみたいし、一方ヨーダの家のなかを立体で再現するのも魅力的です。迷ったすえ、表からはダゴバのジャングルや沼に佇むヨーダの家を、裏側はカットアウェイしてヨーダの家の室内を再現する、2方向の両A面劇場にしてみました。ベースのサイズは44×35×47㎝。

ベースはホームセンターでカットしてもらった木材を組み合わせ、内部にL字型の金具で補強をしてスタイロフォームで土台を作ります。地面はザ・ダイソー製の「ふわっと軽いねんど」で全体を覆い尽くしてから、園芸用の土にこまかく切った枯れ枝や小石を混ぜたものを水で溶いた木工ボンドと合わせて敷きました。所々にくぼみを

ひと手間ずつ筆を重ねて細密に作り込み、描き込み仕上げる

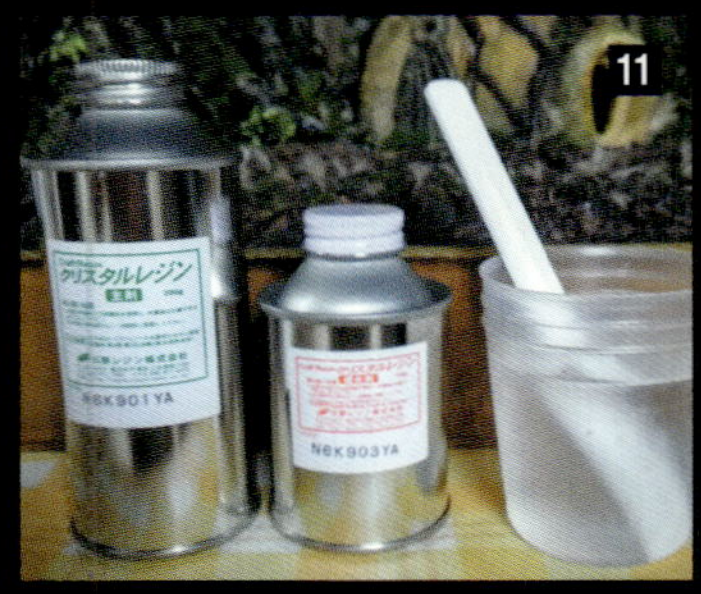

1 2軽量の木材やパイプ類をベースとして軽量粘土で地面を作る。底面に木工用ボンドを塗布しておく3枯葉は刻んだ本物の枯葉やダイオラマ用の市販テクスチャーを木工ボンドで固定する。植物の配置で大切なのは、高低差と粗密を作ることと常に3種類以上の素材を同居させること。これによって見た目が退屈にならない。4緑類は市販の材料やペーパークラフトなどを使用。5 6市販の材料もそのまま使わず複数の色、形状のものをブレンドして使用。固定にはジェルメディウムを使用する。7 8樹木の表面にもテクスチャーを付ける。木工ボンドとブレンデッドファイバーを混ぜたものにタミヤアクリルで着色したものを筆で木材に塗りつける。9地面の水たまりは光硬化レジンを直接注いで水たまりを作り、硬化させる。10大量の枯れ草は麻縄を短く切ったものの一端をほくして大量に作る。11 12水の表現には日新レジン クリスタルレジンを使用。段階的に乾燥させながら水中の草木を埋めながら流す。13メディウムを筆塗りして水面を作る。14小物類も自作。かごは実際に編んで製作

作り、UVレジンを注入して水たまりを表現。

垂れ下がる細いツルは#30の地巻きワイヤーをクルクルとまるめて使っています。木々の表面には市販のシーナリーパウダーやフォーリッジを木工ボンドで貼りつけ、苔むした感じを出しました。木々の塗装には大量の塗料が必要になりますので、主にボトル入りで安価なセラムコートで筆塗りしました。塗装後に雨の表現として表面にはジェルメディウムを、樹皮の溝にはたくさんの雨が流れていることが伝わるよう、クリスタルレジンが少し固まるまで待ってから厚めに筆塗りしました。

木の葉や足元に生える植物はクレープ紙で自作したものや紙創り製のペーパークラフト、麻紐を束ねて作った草や透明感ある樹脂粘土の毒きのこ、庭で採取した草も使って植生を豊かにしています。

ヨーダの家は針金の補強を入れて石粉粘土で作り、セラムコートで基本塗装してから油絵の具で表情をつけています。家は裏側から内部が見えるようカットモデルにしておゆまるで製作した壁の照明とかまどの炎にゆらぎ点滅のLEDを仕込んでいます。

テーブルや棚はヒノキ材、食器類はエポキシパテで製作しています。ヨーダの食事は残念ながら美味しそうに見えないのですが、木の葉型のお皿や果実、劇中にも登場するヘビなどを配置して楽しいお部屋にしましたので、ここはぜひ覗き込んで見ていただきたいポイントです。

沼の水は底面を濃緑や茶・青色の混色で塗装して木の根をワイヤーで作って大量に植えた後にクリスタルレジンを流し込み、硬化後にジェルメディウムを飛び跳ねるように付けて雨の跳ね返りを表現しました。こんな沼地ですから、どんな生き物が生息していてもおかしくないな、と想像し、水のなかには我が家のウーパールーパーからヒントを得て造形した謎の生物が潜んでいます。

ダイオラマを正面から見ると幻想的で怪しげな風景、裏側から見るとドールハウス的な温かみのある風景と、両側からお楽しみいただければうれしいです。■

MILLENNIUM FALCON™
THE FORCE AWAKENS
ミレニアム・ファルコン（フォースの覚醒）

ミレニアム・ファルコン（フォースの覚醒）
出典／『スター・ウォーズ／フォースの覚醒』
バンダイ　1/144
インジェクションプラスチックキット
製作・文／**どろぼうひげ**
税込5400円

『スター・ウォーズ／フォースの覚醒』にも登場したミレニアム・ファルコン号は『スター・ウォーズ』旧三部作に登場するメカのなかで、もっとも人気の高い宇宙貨物船。バンダイからは1/72サイズの大型モデルのほかに、手にとりやすい1/144サイズもラインナップされている。ここではそのキットをスタンダードに仕上げた

最新の電飾模型で
ミレニアム・ファルコンを楽しむ

1各所にある機体穴内のディテールは塗り分け、スミ入れをするだけでこの密度感が出る。赤い塗装はマスキングをしてエアブラシで塗装し、乾燥後に機体色で擦れ表現を描き込んでいる。2後部廃熱口付近の激しい汚れがないのも「フォースの覚醒」版の特徴。なので塗り分けとスミ入れを中心として控えた仕上げとした。3新しい形のアンテナは真ちゅう線を使って若干ディテールアップ。4コクピットはコンソールと室内灯を電飾。窓枠は太いように思えたので細く修正した。5付属スタンドに展示した場合、ACアダプターから電源をとりエンジンを発光させるが、差し替えで着陸脚を付けた場合には内蔵の電源に切り替わり、脚部の補助灯や機体底面灯などが発光する。67差し替えで開閉を再現している搭乗口の奥にスイッチを設けているので、搭乗口のパーツを差し込むと電飾が光る

買って損ナシ！ 絶品キット

『スター・ウォーズ／フォースの覚醒』に登場するバージョンのミレニアム・ファルコン号が発売されています。これまでも驚くべき技術力でキャラクターやビークルをキット化してきたバンダイですが、今回もさらに驚愕のディテールで再現されています。操縦席の内部には、壁面に至るまでディテールが再現されていますし、機体表面の穴の内側は、表面のパイプと内部のメカが二重構造になっていて、奥行きと立体感が自然に再現されています。円盤部分の断面は、内部から膨らんでいるようなグラマラスなアールが正確に再現され、くちばしも別パーツ化されているので、円盤部分との境界にちゃんと隙間があります。ファンでなくても、ぜひいちど手に取ってほしい傑作キットです。

　コクピットの窓枠は裏側を削って薄くシャープに整形しました。操縦席にはハン・ソロとチューバッカを乗せ、ハン・ソロは白髪に塗装しています。『ジェダイの帰還』でランド・カルリジアンが壊したアンテナは、ブロッケード・ランナーに搭載されているアンテナに近い、四角になりました。アーム部分のフレーム間を削り込んで、密度感をアップさせています。船体のダメージ痕は残っているみたいなので、リューターで傷を付けて再現しておきました。

　このキットはバンダイホビーサイトで購入可能の発光ユニットで簡単に電飾することも可能ですが、今回はすべて自前で電飾を仕込みました。エンジンは光の照射角が広いチップタイプのアイスブルーLEDを使用。コクピット内部では、長い蛍光灯を傷付けた光ファイバーで再現してみました。コンソールにもファイバーを通し、PICマイコンでランダムに点滅する部分を作っています。発光ユニットが収まる部分を改造して9V電池を収めました。開状態のタラップを取り付けると、内部のスイッチで電池に切り替わり、足元照明や赤いポジションライトが点灯します。

　塗装ですが、劇中の映像を見ると、これまでのミレニアム・ファルコンにくらべ、わずかに黄ばんだグレーに見えます。汚れも控えめになったように感じます。とくに、エンジン廃熱口から放射状にあったスス汚れがほとんどなくなっています。段取りとして、エンジン噴射口にある赤い部分に付くパーツを塗装後に取り付けると、マスキングが断然楽になります。同様に、機体表面開口部のなかのメカ部分は組み立ててしまうと塗装が届きにくいのでメカ部分を先にブラックで塗装しておくといいでしょう(使用色は、すべてGSIクレオスのMr.カラーで機体：グレーFS36622、薄いグレー：ダークシーグレー+グレーFS36622、濃いグレー：グレーFS36270、イエロー：ミドルストーン+グレーFS36270、赤：あずき色)

　誰でも簡単に最高のミレニアム・ファルコンを手にすることができるなんて、素晴らしい！ 塗装や電飾をじっくりと楽しんでみてはいかがでしょうか？ ■

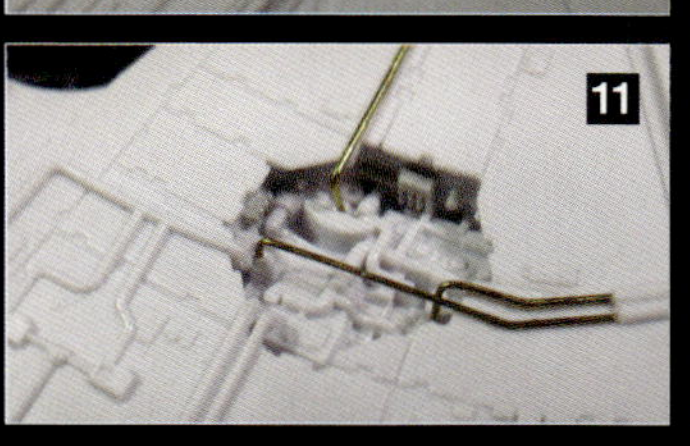

89コクピットは光ファイバーでコンソールを点で光らせるほか、表面をヤスって光を拡散させ、蛍光灯のように棒状にも点灯させている。光源のLEDはコクピットの裏に設置。1011繊細なモールドが特徴の本キットだが、表面に這うパイプ類の一部は成型の関係で一体化されている箇所がある。そこはモールドを削り取り、真ちゅう線に置き換えた。12このキットには純正の発光ユニットが準備されており、それを組み込むことで手軽に光らせることができる（購入はバンダイ・ホビーサイトを参照 http://bandai-hobby.net/sw/）。そのためのアクセスパネルが底面後部にあるが、今回はそこを電池の交換パネルとして利用。ネオジム磁石を設置してフタを固定できるようにしている。13エンジンノズルに使用したアイスブルーLEDはひとつで3つのLEDが入っているタイプ。今回は5つ設置したが、15個使用したのと同じ効果が得られる。付属のブルークリアーパーツを使用して発光用のボックスを作り、ノズル表面とLEDのあいだにできるだけ距離をとり光の拡散をより促す工夫をしている。14脚部灯は脚部の差し替え用のハウス内に砲弾型の3㎜LEDを設置。脚部パーツの同じ位置に3㎜穴を開け下面を照らせている。各脚、フタどちらもネオジム磁石で固定

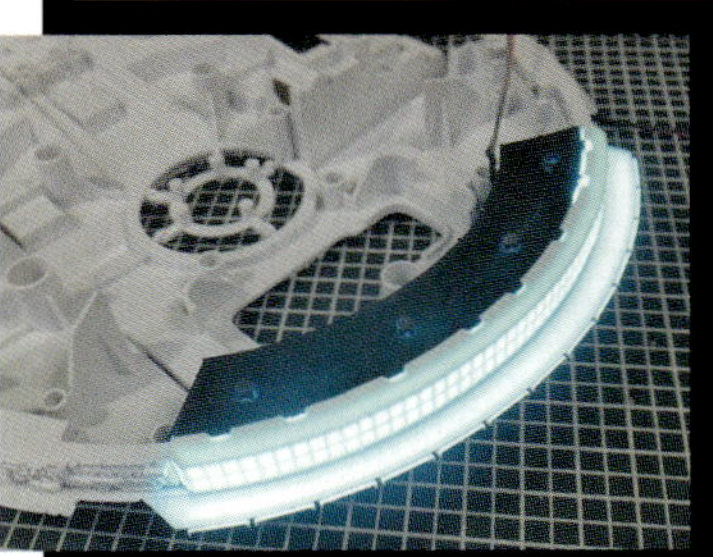

▲LEDを装着したのち、発光テストを行なう。この時点から不要な光漏れが起きないように確認しながら作業を進める

▲アンテナ裏のディテールが若干足りないので真ちゅう線を曲げたものに置き換えてディテールアップする

▼機体下面にはスポットライトを増設。タラップを差し込むとLEDライトが点灯し、床面を照らす。赤色のLEDと光ファイバーを使用

▼電飾を済ませたコクピットには、チューバッカとハン・ソロのフィギュアを面相筆で丁寧に塗り分けて座らせた

POE'S X-WING FIGHTER™

●キットにはクリアー成型のキャノピーのほか枠のみのキャノピーも付属する。枠だけのものを使う場合、パーツを裏から削ることでキャノピー自体が薄く見えるようになる。機首側面は色ごとに別パーツ化されているので、パーツ間の隙間が気になる。そこですべて接着後にいちどモールドを削り落として平滑にした後、スジ彫りし、モールドをプラ板で復元

●ベースはアクリメイト製海面プレートの下にクリアブルーの2㎜アクリル板、ミラーを敷いた。水煙は手芸用ポリエステル繊維をジェルメディウムで固めて製作。立体感ある水面を再現するのに最適だ

●機体の汚れ、チッピングなどは劇中写真を参考に再現したが、CG画を模型上でそのまま再現しようとすると不自然な箇所が出てくる。チッピングなどは劇中CGに捕らわれず、場所によってGSIクレオスの8番シルバー、Mr.メタルカラーのアイアンのほかに、濃いグレーも準備し、各所で使い分けるとプロップ模型らしく仕上がる

●エンジンノズルは内側からモーターツールで薄く削るが、貫通してモールドが剥がれてしまわないように、灯りに透かしながら削っていき、貫通する直前に0.2㎜のピンバイスで開口する

POE'S X-WING FIGHTER
BANDAI 1/72
Injection-plastic kit
Modeled and described by
Masahiro FUKUI

Xウイング・ファイター　ポー専用機
バンダイ　1/72
インジェクションプラスチックキット
税込2592円
出典／『スター・ウォーズ／フォースの覚醒』
製作・文／**福井政弘**

『スター・ウォーズ／フォースの覚醒』に登場した新型のXウイング・ファイターも1/72スケールにてバンダイから発売された。劇中ではそのほとんどをCGで描かれた戦闘機を、実際の模型としてどう作ると見栄えよく、違和感なく仕上がるのか？　そこをポイントとして製作した

Xウイング・ファイター ポー専用機

Incom-FreiTek T-70 POE'S X-WING FIGHTER™

▲このキットにはドロイドが二種付属している。ひとつはBB-8と、もうひとつが円錐台形の頭をしたRO-H2。パイロットであるポーの所有するBB-8を搭載しがちだが、ほとんどの登場シーンでRO-H2を搭載しているので注意。どちらも電飾を仕込んでいるが底部にソケットを準備し、そこに差し込むことで交換してもドロイド本体が発光する。塗り分けにはデカールを使用した。BB-8のアンテナは真ちゅう線に置き換えた

▲キットには四角い翼端灯のディテールが彫られている。劇中では発光していたので、ディテールを削りチップLEDで発光させている

◀旧三部作に登場するビークルのコンソールは電球色が基本だったが『スター・ウォーズ／フォースの覚醒』に登場する機体のコンソールは白色が基本色だ

劇中で光っているところは全部点灯させてみました。

1フィギュアは腕と首をいちど切り離し、表情が付くように再接着2パーツ内部のダボを削り取ってスペースを作り、CRDを根元に仕込んだLEDを仕込む。3BB-8は電源用ソケットを内蔵。4コクピットはLEDを前方に一本仕込み、そこから光ファイバーで採光。5翼端灯は太めのリード線で可動翼内を配線した。6機体は一度ヤスリがけをしてからディテールを再現。7機体色は濃いグレーを中心にモジュレーション塗装した

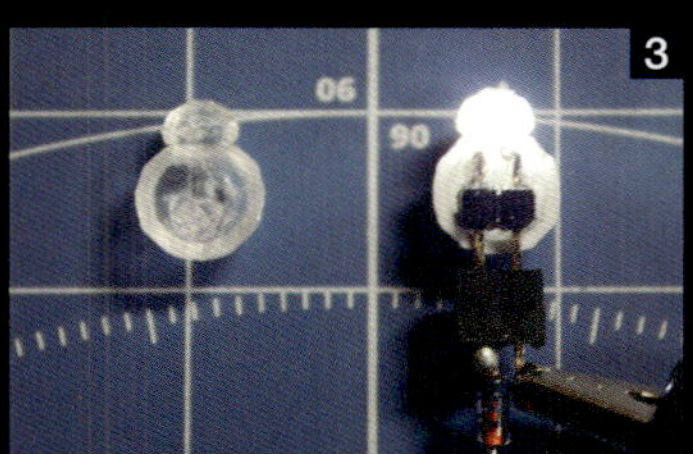

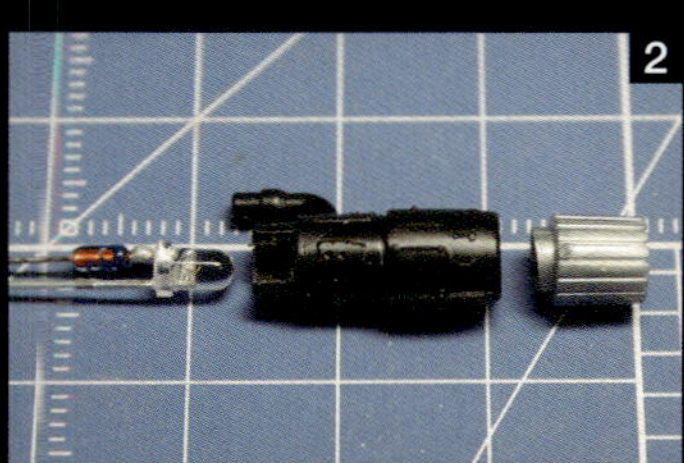

ポー・ダメロンの黒いXウイング・ファイターも1／72スケールでキット化されています。商品内容は、先発の青いXウイング・ファイターと比べ、成型色が黒、黄、銀に変更されBB-8がクリアーパーツに、タコダナの戦いで搭乗した黒いドロイドRO-H2が付属となったのが主な変更点です。今回は脚パーツは省略し、ベースを準備して飛行状態で仕上げました。劇中でもっとも印象的なタコダナの湖上でのシーンの再現です。

まず電飾ですがエンジンは3㎜のピンクLED、コンソールには熱収縮チューブで包んだ白LEDから光ファイバーを導き先端をクリアーレッド、ブルーで塗装。翼の発光部分はパーツをくり抜いてクリアーレジンに置換後、白のチップLEDを内蔵しました。電源は機体下面のベース差込部分にソケットを内蔵し、外部からACアダプターで供給しています。BB-8がクリアー成型なのは電飾しやすいようにとのメーカーの好意（！）と受け取り、白いチップLEDを内蔵して黒で遮光塗装→通常塗装後、発光箇所をニードルで傷つけて光らせました。このサイズのドロイドでは0・25㎜光ファイバーを使っても大味になるくらい発光部分が極小なのでこの方法は効果的です。

塗装ですが、黒い機体は意図的にメリハリのある塗装にしないとのっぺり見えてしまいます。機体のCGもよく見ると黒ではなく濃い目のグレーです。サーフェイサーを吹いた後に下地に遮光の黒を塗ります。基本色はMr.カラーのジャーマングレーで塗装後、明るめにしたグレーで天面や飛び出している部分をカラーモジュレーション風に塗ります。黄色はMr.カラーのサンディブラウン+黄橙色、銀はMr.カラーの8番銀。基本塗装後にMr.ウェザリングカラーのサンディウォッシュを薄めたものを機首から後部へ流れを残す感じで全体に塗ったあと、グランドブラウンでスジボリ部や奥まった部分に流します。チッピング部分はCGでは銀チョロで処理されていますが、これを均一にやり過ぎると昭和のガンプラっぽくなってしまうので注意が必要です。■

RESISTANCE X-WING FIGHTER™

RESISTANCE X-WING FIGHTER
BANDAI 1/72
Injection-plastic kit
Modeled and described by Masahiro FUKUI

Xウイング・ファイター レジスタンス仕様

Xウイング・ファイター レジスタンス仕様
バンダイ　1/72
出典／『スター・ウォーズ／フォースの覚醒』
インジェクションプラスチックキット
税込2592円
製作・文／**福井政弘**

『スター・ウォーズ／フォースの覚醒』では最後の激戦で大活躍したレジスタンス仕様の青いXウイング・ファイターは、これもまた劇中の飛行シーンはすべてCGで描かれている。この作例でも、CGで描かれるものを立体物の模型で表現するさいの『模型映え』を織り込んで製作してみた。

◀コンソールはフロントのほかサイドパネルにも光ファイバーを配置。光源は電球色1色のLEDを機首部分に仕込んでいる

▶ブルーラインの剥げは、先にマスキングゾルを筆や爪楊枝を使って描いておき、ブルーを塗装する。乾燥後に剥がすことで再現する

Xウイング・ファイター レジスタンス仕様

撮影用プロップモデル風味仕上げに

このT・70Xウイング・ファイター レジスタンス仕様は劇中では旧3部作のT・65Xウイング・スターファイターの後継機という設定ですが、デザインはラルフ・マクォーリー氏が『スター・ウォーズ／新たなる希望』の初期段階で描いたイラストを意識しているようです。

旧3部作のXウイング・スターファイターは、撮影用プロップに可変翼用のモーターやギアを内蔵する都合で胴体が太くなったり、初期デザインでは機体に青いラインが入っていましたが、ブルーバック合成を考慮してラインが青から赤に変更されました。そう考えると今回は初期の構想を復活させたといえるでしょう。翼を閉じると円柱形になるエンジン部や機首周辺のラインのとり方はイラストのイメージどおり。ちなみに映画の劇中で活躍するのはCGと1／1のセットのみで残念ながら撮影用模型は登場しない模様です。

今回の作例では、資料を参考に細身なプロポーションとシャープなモールドをより再現するような工作をしてみました。またエンジンとコンソールに電飾を施し、機体表面の青とグレーの塗り分けはキットにはデカールが付属していますが使用せず、塗装で再現しました。

まず電飾ですが、エンジンノズルのパーツC15を裏側からモーターツールで薄く削っていき、表側のエンジン内部のモールドを残しつつ開口し、エンジン内にピンク色の3㎜砲弾型LEDを内蔵します。途中で何度も光に透かしながら削っていくと失敗しません。そのなかに円形に切り出した透明プラ板をヤスって曇らせたものを入れておくと光がきれいに拡散します。翼の開閉ギミックを残したかったので配線はポリウレタン動線を使用しました。コックピット内はそれらしく計器類が光ってくれればよかったので、電球色LEDをコンソール前に挿入しそこから0・25㎜光ファイバーを引いてあります。電源は外部電源として、スタンドを刺す部分に小型のソケットを内蔵しました。

パイロットは座像と立像の2種付属して

1 透明キャノピーのほか、枠だけのパーツが同梱されるのは『スター・ウォーズ』模型のお約束。枠だけのものは内側から削ることでご覧のようにシャープな印象になる。2 3 ウェザリングはスミ入れとフィルタリングを兼ねながら汚しすぎないようにモールドを強調。4 エンジンのインテークや、機体後部左側面のグレーは丁寧にマスキングして塗装する。Mr.ウェザリングカラーは比較的プラを侵しづらいので塗料が入り込みがちな細部のディテールへのスミ入れにも最適。ジャブジャブと流さないのがコツだ。5 コクピット前方のダボを切り取りLEDを仕込むスペースを確保する。6 羽根は開閉が可能。可動部への配線には最細のポリウレタン線を使用。ここから胴体へ配線を通す。7 青い塗り分け部分はパーツが別でそのままでも塗り分けが再現されているが、すべて一度接着して、合わせ目を消す。その後スジ彫りを再現してからプラ板を切って表面に接着しディテールを再現してやる。ディテールを削り取る前に位置をけがくなどしてずれないようにしよう。8 マスキングゾルによる青部分のチョロ剥げ再現は爪楊枝でつっつくように剥がしたりお湯で温めてもよい

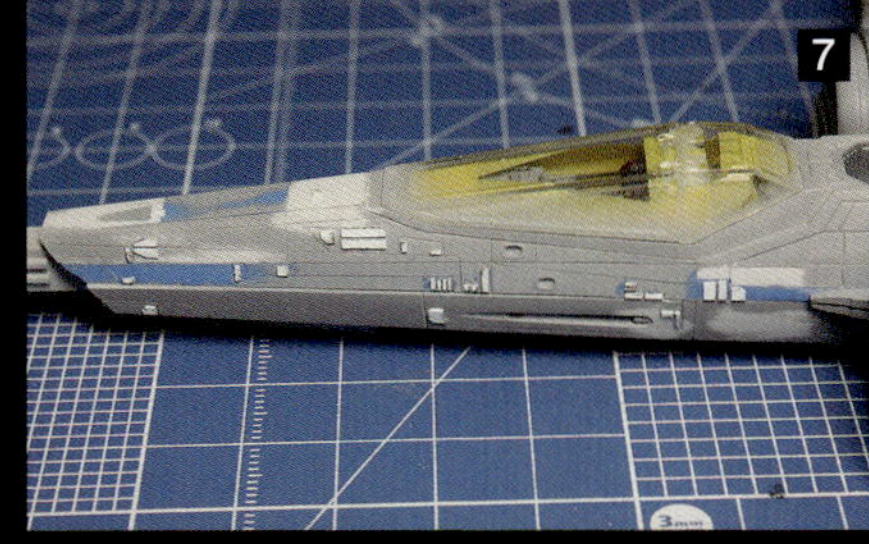

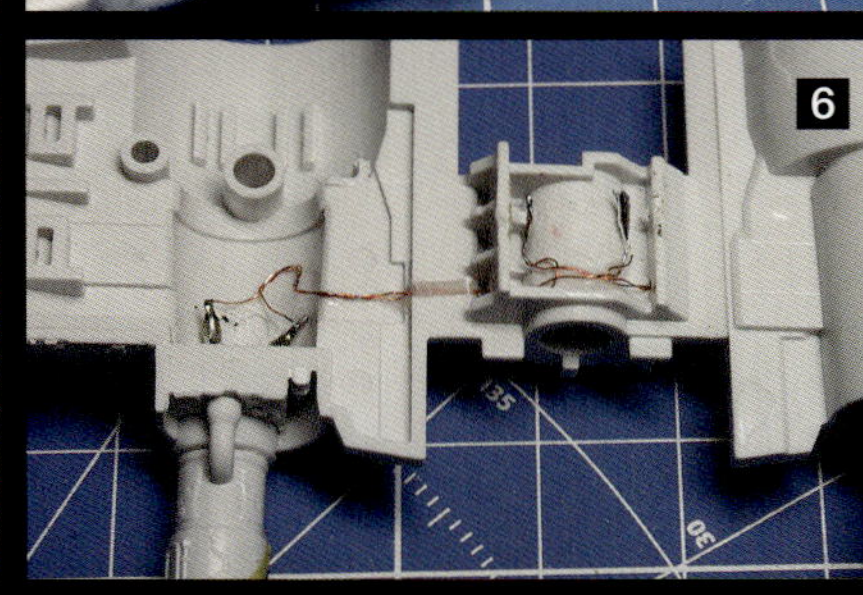

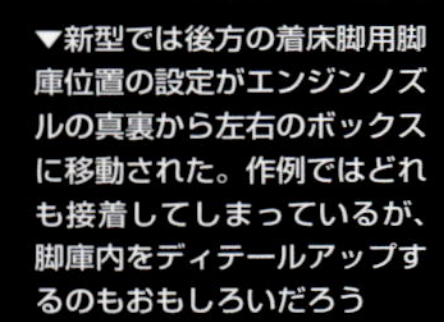

▼新型では後方の着床脚用脚庫位置の設定がエンジンノズルの真裏から左右のボックスに移動された。作例ではどれも接着してしまっているが、脚庫内をディテールアップするのもおもしろいだろう

●宇宙戦闘機だが前から後ろに流れるように汚れを描いてやると疾走感が増す。左右のプロトン魚雷発射口はエアブラシを使って濃いグレーの塗料でスス汚れを描いておく

エンジンノズルはピンクだろうさ！

いました（仕様変更されている場合があります）。この立像のデキがすばらしいです。そこで立像の頭部と両腕を座像に移植、その際頭部をちょっと横に向けると動きが出ます。操縦桿は小型化して握らせました。パイロットは資料を参考に筆で塗り分けます。BB-8はデカールをていねいに貼り、アンテナを0・1㎜ステンレス線に交換しました。キャノピーはクリアー成型のものと枠だけのものが付属しますが、枠のみのパーツを選択、内側から薄く枠を削るとシャープになります。コクピット左右にある精円のモールドは機体に搭乗する際に手や足をかけるもののようですのでモーターツールで凹に彫り込みます。機首側面は多色成型で別パーツになっておりどうしても微妙な隙間が出てしまいます。私はいちど接着してモールドを削り落とし、スジ彫りし直したあとでプラ板で凸モールドを再生しました。面倒ですが効果的です。4つある砲身の先端はドリルで開口します。翼の内側に閉じた際にロックするダボがありますが、翼を開いたときにかっこう悪いので削ったり埋めておきます。そのかわりに翼にネオジム磁石を内蔵し開閉機構は活かしました。

塗装ですが遮光の黒を塗ったあと、サーフェイサーを吹いてから基本塗装をします。白部分はGSIクレオスのMr.カラーの311番のグレー、青はキャラクターブルーに311番のグレーと紫少々、グレー部分はガイアカラーのニュートラルグレー2と3の混色です。グレーでスミ入れしたあとウォッシングしますが、砂漠での運用を考え、Mr.ウェザリングカラーのサンディウォッシュをメインに使用しました。青のライン上や凹んだ部分に残し気味にするといいカンジになります。ときどきステインブラウンやマルチホワイトも混ぜて変化をつけるとより自然になります。その後エッジにチッピング、スモークグレーで薄汚れたカンジにし、複雑な汚れにします。

新型のT-70 Xウイング・ファイターはとてもスマートでカッコいいです。ぜひ旧3部作のT-65 Xウイング・スターファイターと並べて飾ってあげたいですね。■

バンダイ「スター・ウォーズ」プラモデルシリーズはビークルだけでなく、ドロイドたちも非常によくできている。ここでは『スター・ウォーズ／フォースの覚醒』をイメージして三体のドロイドを仕上げてみる。BB-8とR2-D2は電飾して仕上げてみた

C-3PO™ R2-D2™ BB-8™

BB-8 & R2-D2
バンダイ　1/12
出典「スター・ウォーズ／フォースの覚醒」
インジェクションプラスチックキット
税込2592円

C-3PO & R2-D2™
バンダイ　1/12
出典
「スター・ウォーズ
／最後のジェダイ」
インジェクション
プラスチック
キット
税込5940円

製作・文／
加藤優介

今回は『スター・ウォーズ／フォースの覚醒』からの新シリーズでも通して共演した3体のドロイドをならべてみました。手軽に作れるぶん、2体のアストロメク・ドロイドは簡単に電飾してみました。

◆BB-8

雪だるま状の下半分の球体を転がして移動するので、ボディはそれなりに傷や汚れがあるはずですが、意外と汚れていません。(ダゴバだったらこうはいかないでしょう)。資料を眺めると、球体を構成するパーツの接合ラインに汚れが集中しており、エッジが暗くなるような明暗になっています。これを1／12の模型で同じように汚すと若干不自然になるかなぁ、と懸念しながらもやってみました。オレンジ部分はオレンジ＋イエロー＋イエローFS33531、ライトグレーはホワイトFS17875＋イエローFS33531(いずれもGSIクレオスのMr.カラー)で基本塗装後、パーティングラインに沿って汚れを置き、中心に向かって汚れを弱くしています。ウェザリングにはGSIクレオスのMr.ウェザリングカラーのサンディウォッシュとステインブラウンを混ぜたものを使用しました。色を伸ばすときには、別途きれいな平筆などを使うのがコツです。これが完全に乾いてからダークイエローのパステル粉末を筆でたたきつけ最後に半光沢のクリアーでコーティングしました。また、頭部の小さな四角い小窓をチップLED、カメラ部の赤い点を0・5㎜光ファイバーで電飾しています。首下にぶら下がるように電池と収縮チューブで遮光したLEDが入っています。

◆R2・D2

普通に作ってはおもしろみに欠けるのでジェダイ寺院焼き討ちにあったシーンでのハードウェザリングな状態を再現してみました。シルバーはMr．カラーのメッキシルバー、白はホワイトFS17875、青はメタリックブルー塗装後、Mr．ウェザリングカラーのステインブラウンとパステルで汚し、半光沢のクリアーでコーティングします。

R2-D2™

▲▶ハードウェザリングで仕上げたR2-D2は、パステルで汚した後、スミ入れでモールドを強調。中央の足は省略してスペースを稼ぎつつ、頭部を外せるようにしておいて、なかにLEDと光ファイバーと電源のスイッチを収納している。電源はボタン電池とし、頭部に固定せず収納している

BB-8™

▲▶頭部には赤点灯用のLEDと、白点灯用のLEDを設置。白は熱収縮チューブを被せ遮光をしながら光ファイバーをさして四角い窓の点灯用とした。電源はボタン電池とし、ボタンケースを首から下にぶら下げ胴体にしまうような作りにしている

C-3PO™

▲▶腕以外は素組のC-3POはメッキの出来がすばらしいのでなるべく汚さないように組み立てる。腕の赤塗装の際にはメッキを剥がすが、その上にクリアオレンジが塗装してあるので、まずそれを溶剤で拭き取ってから漂白剤などに漬け込み、メッキを剥がして塗装した

頭部の赤い丸い部分に3㎜砲弾型LEDを仕込み、四角い部分は0・25㎜光ファイバーを束ねたものをツライチにカットし青と白で不規則に光らせています。電源は電池とし、頭部を外すと電池ボックスとスイッチが固定せずに入れてあります。スペースがない場合、無理に固定しなくてもいいですちょ。

◆C-3PO

劇中に登場するC-3POは、そのときそのときで説明なく各部の色が違います。フォースの覚醒』で登場する場合は全身が金色で左腕だけ赤い状態（お腹のシリンダーや配線の具合などもいろいろと変わっているようです）です。『最後のジェダイ』版で発売されたC-3POは両足が金メッキ仕上げでしたので、これをもとに左腕を赤で仕上げました。外周に影響が出そうな場所はすべてアンダーゲートになっているので切り口をきれいに処理すれば大丈夫です ■

●マスクはGSIクレオスのメッキシルバーNEXTで塗装後に、エナメル系塗料のブラックを濃い目に希釈したものでスミ入れした。こうすることで表面のこまかいモールドが浮かび上がる

●軟質素材の塗装にはソフトビニール用の塗料「Vカラー」を使用。グロスブラックで吹き、シワの凸部にメタリックブルーを吹いている

▶固定ポーズにして関節はエポキシパテで埋めて衣服のシワを彫刻した

▶衣装の裏側に真ちゅう線を接着。任意の形になびかせている

KYLO REN™ カイロ・レン

カイロ・レン
バンダイ 1/12
インジェクションプラスチックキット
税込3240円
出展／『スター・ウォーズ／フォースの覚醒』
製作・文／**加藤優介**

バンダイの『スター・ウォーズ』プラモデルシリーズのキャラクターラインは、その劇中のキャラクターの特徴、とくに布服を再現するために多数のトライをしています。このカイロ・レンではそのマントを軟質樹脂で再現しています。今回はそれをどう活かすかがポイントになった作例です。

◆軟質樹脂の服

この衣装は胸がPS素材ですが、スカート部分が軟質樹脂でできています。今回はこのクニャクニャと曲がる性質を利用して裏側に0・5㎜の真ちゅう線を接着し自由に形をつけられるようにしました。作例ではジャクー上陸時の強風になびくローブをイメージしています。そしてポーズはお決まりのブラスターの弾丸をフォースで止めるシーン。このポーズにすると腕の付け根や肘、足首などの関節パーツが目立ってしまうので今回は各関節を固定しエポキシパテで整形しました。

◆塗装

頭部のヘルメットは全体をシルバーで塗装したあと、通常よりも薄めに希釈したブラックを吹いています。うっすらと下地の銀が透けるくらいに吹くのがポイントです。こうすることでガンメタルほど銀の粒子が粗くなく、黒一色よりもメタリックな感じに仕上がります。腕はフラットブラックに少量のグレーを混ぜたものを吹き、白のパステル粉を凸部にドライブラシの要領で乗せていきます。こうすることで腕のきれいなヒダのモールドが引き立ちます。塗料はすべてGSIクレオスのMr.カラーです。

ライトセーバーは光刃部分にGSIクレオスのスーパークリアーを2度吹きしツヤを強調しています。こうすることでカイロ・レンのライトセーバー独特の光刃の凹凸に光が反射し効果的です。

このキット、頭巾で隠れて見えづらいのですが、じつはヘルメットの質感が非常によく再現されています。次回は頭巾を取った状態でダース・ベイダーのマスクに語りかけるシーンを再現してみたいです。■

BB-8™

新境地！ バンダイの新たなる挑戦に驚いた人も多かったでしょう。大人気アストロメクドロイド BB-8が33.5㎝の大サイズキットとして発売されました。そんな驚きの模型なら、さらに驚くような作例で仕上げなくては……というわけで、このBB-8を光って首を振って喋るという、ほとんど誌面では伝わらないギミック満載（笑）の作例として仕上げました！

BB-8
バンダイ　1/2
インジェクションプラスチックキット
税込1万5120円
出典／『スター・ウォーズ／フォースの覚醒』
製作・文／**どろぼうひげ**

このBB-8 光るだけでなく お喋りして 首を回すんです!!

右に！ 左に！モーター内蔵で首が回る!

▲台座にあるスイッチをいれると、BB-8特有のおしゃべり声（？）である独特のビープ音を響かせながら頭部をランダムに左右に降り続ける。また、頭部中央の赤いプライマリーフォトレセプター下の丸い発光部は、そのお喋り音に同期して点滅する

電飾したストレージポケットも取り出せる

▲ポケット前部の青く光る部分には、チップLEDを埋め込み、透明なエポキシ接着剤で埋めておく。赤い点灯部分は、内部に光源の赤LEDを設置しておき、そこから0.75㎜の光ファイバーを用いて点灯させストレージポケットごと動かせる

●クールホワイトで仕上げたボディは、砂による汚れを中心に清潔感のある仕上がりをめざしているが、頭頂部のシルバー部などはシェーディングを入れることで間延びせず、この大きさなりの立体感を強調している

▶バーナーアームは、先端に青色のチップLEDを仕込み、高速に明滅させて炎を表現。内部にスイッチを仕込み、サムズアップしたときだけ点灯する仕組みだ

バーナーアームも点灯するのだ!

◆とにかくかわいいBB-8

『スター・ウォーズ／フォースの覚醒』に登場したドロイドBB-8は、コロコロ転がりながら移動する動きや、ポップなカラーリング、そして愛らしい人間的なしぐさによって、一躍人気者になりました。4月にバンダイから発売されたその新キットは、なんと1／2というスケール。全高33・5㎝という大きさで、その可愛らしさも大幅にアップしています。今回は、頭部やボディの発光部分を、劇中同様にすべて電飾しました。さらに今回はBB-8のキュートさを表現するために、頭部を左右に振り、お喋りするギミックも追加してみました。

◆フル電飾ですよ

キットは、付属のLEDで頭部の主眼、プライマリー・フォトレセプターが赤く発光します。さらにオプションの電飾ユニットをふたつ装備することで頭部の4箇所も発光可能になりますが、今回は胴体もふくめすべての電飾を自作してみました。資料をもとに劇中で発光している部位はすべてLEDで点灯します。プライマリー・フォトレセプターは、保護抵抗の値を調整して、劇中のようにぼんやりと点灯する明るさに調整しました。ほかの発光部分はプラ板で箱組みしたなかにLEDを仕込みますが、直接発光面にLEDを向けず間接照明になるようにとりつけて発光面が均一に光るようにしています。

◆塗装は効率的に

オレンジの部分の塗装は、GSIクレオスのMr.カラー109番キャラクターイエローにオレンジを加えてキットの成型色よりもオレンジに色味を振って、可愛らしさを強調しています。シルバー部分はMr.カラー8番のシルバーで塗装しましたが、首のリング部分のみ、プレミアム・メッキシルバーで仕上げました。

汚しは、2種類のブラウン系のエナメル塗料を綿棒に含ませ、表面でコロコロと転がすことで、こまかい砂のような散れた汚れを表現しています。ちょっとコツの要る

光るだけじゃもの足りない! 動いて喋らせたい!!

1 2 モーターと頭部の回転軸の接続には磁石を用いることで、不意の可動部の破損を防ぐのみならず、展示会などでの鑑賞者への安全の配慮もしている。3 4 LEDの発光部はプラ板で箱組みして遮光している。発光面にも薄いプラ板を貼り付け光を拡散している。5 左右と中央のマイクロスイッチで、回転の限界位置を検知する。PICマイコンにより、動く方向やタイミングは、ランダムになるようにプログラミングした。6 SDカードに収録した音声を、小型のMP3プレーヤーで再生させ、ステレオアンプで胴体に内臓したスピーカーを鳴らす。本体内部は広く空いているのでアンプや大口径のスピーカーも余裕で納まる。7 薄く希釈したブラックを一気に吹くと、モールドのエッジが薄くなる現象を利用して、光を透過させ、浮かび上がるロゴマークを作った

フタをあけると、なかは基板とメモリーが!

◀▲ボディのなかには、これだけの大がかりなギミックを実現するための回路を収納している。音量調整のボリュームやボイスデータを収録しているSDカードもここからアクセスできる

ウェザリング法ですが、これだけ大きなキットを汚すのは大変ですので、効率的に塗装できる方法で仕上げています。

◆動いて喋るのだ

頭部には、60rpmのギヤードモーターを仕込み、電動で左右に旋回させました。この回転軸は磁石で接続させており、万一不具合が起きて無理な力が加わっても、接続が外れて駆動系を守る安全装置が付いています。

左右の動作限界と中央の位置にマイクロスイッチを取り付け、PICマイコンで検知してモーターを停止させる制御をしています。動く方向とタイミングはランダムにプログラミングしており、まるで子供がキョロキョロと見回しているような動きにしてみました。さらに小型のMP3プレーヤーとアンプ・スピーカーを内蔵させ、SDカードに収録した音声で、ピコピコとお喋りもしちゃいます。音声データはステレオで、片方のチャンネルには、トリガーとなる信号が収録されており、この信号をきっかけとしてLEDを光らせますので、発声と口の白色LEDが同期して点灯します。このような大掛かりな回路でも大きなボディに余裕で内蔵させることができました。

◆大きいことはよいことだ

先に発売された1/12のBB-8も可愛いのですが、やはり大きいと存在感があり、まるで本物のBB-8が部屋にいるみたいです。リビングのインテリアとして、おひとついかがでしょうか。■

作例の原寸大

ファースト・オーダーの新たなる主力戦闘機たち

FIRST ORDER TIE FIGHTER™ & FIRST ORDER SPECIAL FORCES TIE FIGHTER™

映画『スター・ウォーズ／フォースの覚醒』では、スター・デストロイヤー艦内はおろか大気圏内でも大活躍したファースト・オーダー タイ・ファイター（以後タイ・ファイター）。バンダイから発売された1/72のプラモデルは、シンプルなシルエットとは裏腹に内部はみっちりとコクピットが再現された逸品。これを光らせよう！

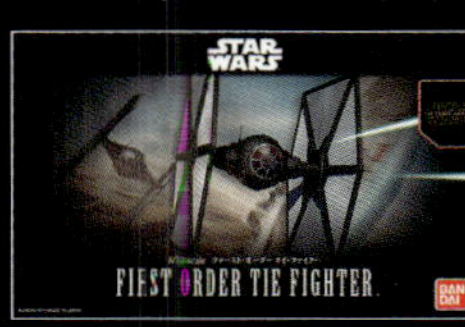

ファースト・オーダー　タイ・ファイター
ファースト・オーダー
スペシャル・フォース　タイ・ファイター
バンダイ　1/72
インジェクションプラスチックキット
出典／『スター・ウォーズ／フォースの覚醒』
税込各2592円
製作・文／**ROKUGEN**

●左右のソーラーパネルは旧デザインに比べ上下の長さが短くなっており、コンパクトな印象になっている

FIRST ORDER TIE FIGHTER™

▶こちらのタイ・ファイターは単座のため、若干コクピット内に余裕がある。正面の窓からも意外とパイロットが見えるのでフィギュアもていねいに塗装してから搭載するのがいいだろう

◀後部も2箇所発光させている。新型になってからツイン・イオン・エンジンの場所が移動したのか、それらしいモールドがないため、推進器を発光させることができず残念

▶ふたり乗りの機体は内部が非常に狭い。背中合わせにタンデムしており、ガンナーは後ろ向きに搭乗する。収縮チューブを細切りにしてそれぞれシートベルトを作っている

◀タンデム型の後部はデザインが一新され、大型の横長の窓が増設されている。この機体には窓の左右に推進器（イオンエンジン）のディテールがみてとれる。作例ではちょっときつめにチッピングを入れてみた

●機体の一部が赤いだけでなく、球状の機体のフォルムが変わっており、翼の付け根のディテールも変更されている

FIRSR ORDER SPECIAL FORCES TIE FIGHTER™

待ちに待った映画『スター・ウォーズ／フォースの覚醒』、冒頭のタイトルロゴから涙腺緩みっぱなしの至福の136分間でした。圧巻のファルコンチェイス、Xウイングとタイ・ファイターのドッグファイト、当然製作意欲もアップ！ 早速バンダイから発売された、ファースト・オーダー タイ・ファイターとファースト・オーダー スペシャル・フォースタイ・ファイターを作ります（以降、タイ・ファイターとスペシャルタイ・ファイターとします）。

これらはEP4、5、6に登場のタイ・ファイターと一見、同じように見えますが、似て非なるもの。ディテールはかなり変更されていて、戦闘機としてよりリアルになっています。スペシャル タイ・ファイターは2人乗り仕様で、前向き、後ろ向きの操縦席になっていて、後部に窓もあります。エンジン部分と思われる大きく横に張り出した部分は赤パネルで、強いインパクトを与えます。

キットの内容についてですが、窓パーツは、クリアーパーツと枠のみのパーツが用意されていて、プロップ模型派にはうれしい仕様になっています。大型ソーラーパネルは以前のタイ・ファイターよりもシンプルな構造になっているため、パーツ数が少なくなり、組み立て易くなっています。その反面、ソーラーパネル周りの枠が一体化されているので、ランナーからの切り出しには注意が必要。一回で切り出そうとせず、数回で行なった方が無難です。刃物はよく切れるものを用意したいところです。コックピットは、複雑に入り組んだ梁や操縦桿がメカらしさを演出し、内装パネルはデカールで忠実に再現されています。ベースはジャクーの砂漠タイプ、ディスプレイスタンドはモールドをうまく利用して楽しめるように配慮してあります。今回は形状はそのままに、コクピット内部を中心にLEDを使って電飾していこうと思います。

まずコクピットとレーザー砲の電飾からはじめます。劇中飛び交うタイ・ファイターのコックピットが全体的に赤く光っているのが印象的なため、LEDで内部を照ら

小さなコクピット内を美しく光らせる

●旧作のタイ・ファイターから進化した最新型、という設定だけあって、全体のバランスはそのままにディテールが一新されたデザインとなった。とくに印象が変わったのがソーラーパネルで、ひと回り小さくなっただけでなく上下に短くなり、かつパネル自体が分厚くなった。キットでもそこを再現するためにパネルパーツを枠パーツで挟み込む形式になった

◀後ろからみると二種類のボディ形状が大きく異なるのが容易に見て取れる

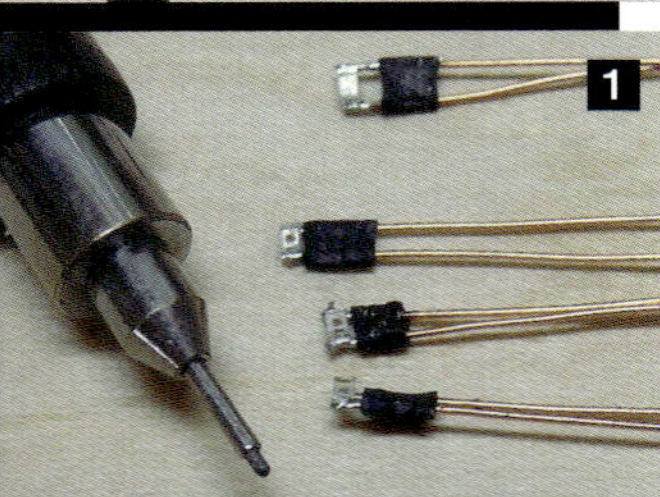

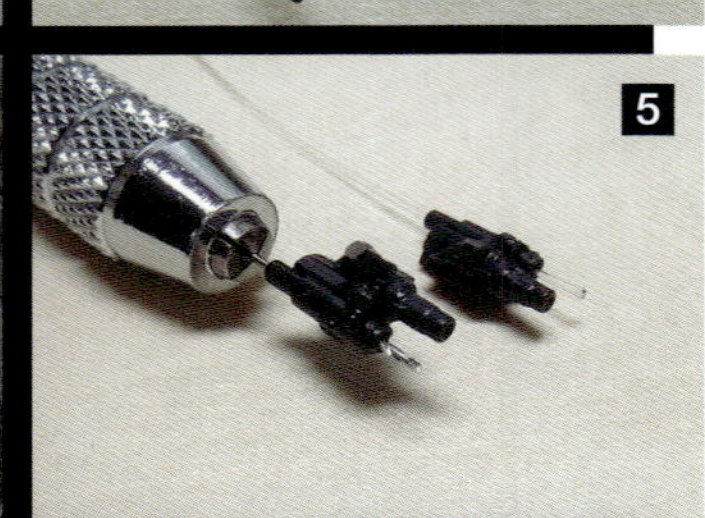

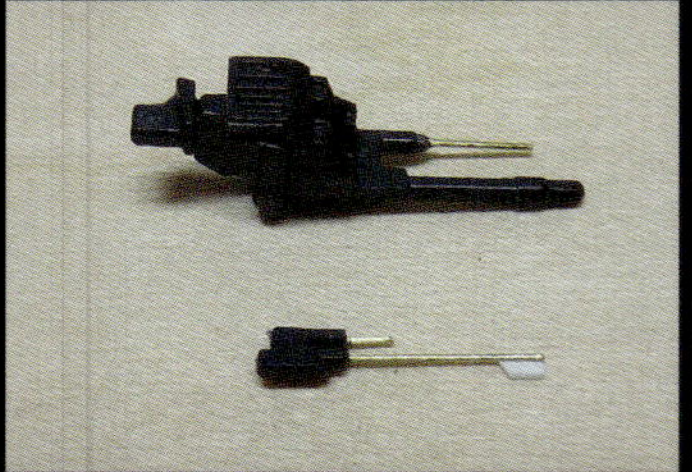

1 1608サイズのチップLEDは、長さ1.6mm×幅0.8mm×厚さ0.68mmと非常に小さくコンパクト。2 そのチップLEDに熱収縮チューブを被せて、光ファイバーを差し込む。右の小さな黒い箱はチップ型（153）のCRD。3 4 コクピット内部の左右両端をカットし、そこにLEDを設置。ここは組み立ててしまうと内部の各パーツの陰になり間接照明となる。また外部から光源が見えてしまうことがない。5 レーザー発射口は0.5mmのピンバイスで貫通させ光ファイバーを通し、バレルの表面でツライチになるようにカットする。6 機体の底部分に配線をまとめる。茶色の銅線が皮膜されたポリウレタン線。黒い熱収縮チューブを被せたLEDに光ファイバーを刺して採光している。7 発光テスト。光り方の都合からキャノピーはピラーのみのパーツを使用。8 コクピット内部の計器類はデカールで再現。完成後は見えなくなるが見ていても楽しめるところなのでていねいに貼る。9 機体はメッキシルバーを塗装後、磨いてから外装を塗る。10 アンテナはすべて真ちゅう線に置き換える

す方法を考えます。使用するのはチップLED1608です。とても小さいので、設置スペースが厳しいときには重宝します。CRDもチップタイプのものにしています。このキットは外装と内装が隙間なく組み上がり、内部のスペースがないため、コクピットパーツの両サイドを切り取って、このスペースにLEDとCRDを配置します。ここからLEDで内部を照らすと光源がほとんど見えず、コクピット全体を赤色発光させることができます。パイロットの塗装をグロス仕上げにすれば、周りの赤色が映り込んで、より効果的です。正面レーザー砲も赤色に光っているので、ピンバイスで穴をあけ、0・5mmの光ファイバーを通し、コクピット下のスペースにひとつチップLEDを設置して光ファイバーを発光させます。LEDの配線はポリウレタン銅線を使用してパーツのあいだに挟み込まないよう仮組を繰り返します。固定はあとでやり直しの効く両面テープを使用しています。

次に塗装です。全体をガイアノーツのサーフェイサー エヴォブラックで遮光、Mr.メタルカラーのアイアンを下地とします。アイアンを塗装したらピカピカになるまで磨きます。次にMr.カラー125番カウリング色、Mr.カラー92番セミグロスブラック、Mr.カラー310番ブラウンを順に調子を見ながらエアブラシで吹き、最後に艶消しクリヤーでコートした後、チッピングで表情を付けていきます。

スペシャル　タイ・ファイターの赤パネルも同様の工程で、アイアンの下地から、Mr.カラー68番・モンザレッドを基調に塗装します。コクピットは壁面部分をMr.メタルカラー・ステンレスで、操縦桿をMr.メタルカラー・クロームで塗装し磨きます。

両サイドの大型ソーラーパネルは使用感を出すために、まず黒色で塗装、そして換気扇フィルター越しにMr.カラー316番ホワイトを数回重ねて、色ムラを意識しながら調子を整えていきます。ソーラーの通しラインは下地の黒が出るところまで0・2mmのBMCタガネでケガいて表現しています。■

残った村人は全員殺せ!

キャプテン・ファズマ
バンダイ　1/12
インジェクションプラスチックキット
税込4320円
ファースト・オーダー　ストームトルーパー
バンダイ　1/12
インジェクションプラスチックキット
税込2592円
製作・文／**加藤優介**

Captain Phasma™ & First Order Stormtrooper™

新シリーズの第1作『スター・ウォーズ／フォースの覚醒』には魅力的な新キャラクターが多数登場する。ここではバンダイからプラモデルが発売された、キャプテン・ファズマとファースト・オーダー ストームトルーパーを、劇中の雰囲気を再現しながら製作する。果たしてメッキボディへの効果的なウェザリングとは？

キャプテン・ファズマ

●全身をクロームメッキの装甲で覆われたキャプテン・ファズマはシーンによっては装甲表面が激しく汚れている。キットはパーツがメッキされているが、これを活かした仕上げをしたい

◀頭部などは、光る部分と汚れで鈍くなる部分とのコントラストがつくようにチッピングを置く場所を考える

◀ブラスターの発光部分はチップLEDを埋め込み、エッチングパーツ製の板を貼って三分割している。電源は背中にボタン電池を仕込み、右腕のなかをポリウレタン線を使って配線している

銀装甲をチッピングしよう

▲Mr.クリンスティックはスポンジ状の筆先が付いており、塗面上に乗せた塗料をコントロールすることが可能。自然に色を残すようにする

▲チッピングが乾いたら、今度は色の表情を付けるためにシタデルのSERAPHIM SEPIAをチッピングの上から薄く筆塗りする

▲シタデルのABADDON BLACKとDOOMBULL BROWNの混色をスポンジに付け、ドライブラシ状態にしたのち、トントンと乗せ塗る

▲微細な傷を描くのに３M製のスポンジヤスリを5㎜角に切り取り、表面が凸凹になるようにむしったものを筆先に使う

◆平成のボバ・フェット　キャプテン・ファズマ

ギラギラした甲冑に身を包みスターキラースロープを闊歩する映像に、公開前から胸躍らせた人は少なくないでしょう。「フォースの覚醒」での意外と活躍しなさにくらべ「最後のジェダイ」での大立ち回りは期待どおり。やはりこういったキャラは暴れてこそですね。

まず、本キットで特筆すべきは劇中の銀アーマーの質感をそのまま再現したメッキ加工されたパーツです。ゲート跡を表面に出さないアンダーゲートを採用しているので、正しくゲート処理することで美しい仕上がりになります。また、同スケールのファーストオーダー・ストームトルーパーと比べ、身長は高いものの足のサイズは小さいなど毎度のことながら細部までリサーチされています。またこれまでのストームトルーパーの課題である「ブラスターに添える手」もシックリ収まります。つまり、本体については手の指の先まで改修点はまったく見当たらない、のですが……。

今回も唯一にして最大の課題となるのが「マント問題」です。プラモデルにおける布表現は永遠の課題。ダース・ベイダーの作例ではマントをエポキシパテで作り直し、ボバ・フェットでは鉛板を使ってみました。ベイダーのマントのようにツルン、ストンという感じではなく、戦火をくぐり抜けてきたボロ、ゴアとした質感です。キットには布製マントも同梱されていますが、今回はこれを表現するために、ティッシュでアレンジしてみました。マントの型紙を起こしてティッシュを切り、本体をビニールで包みマスキングしてからティッシュを巻きつけ、黒サーフェイサーを4～5回に分けて薄く吹き、自然なシワになるようにかたちを整えながら乾かします。こまかいヒダは瞬間接着剤で固定。赤いラインは細切りのティッシュを塗り両面テープで貼りつけました。

◆塗装

今回は関節パーツをツヤ消しブラックで塗装しただけで、アーマー類はメッキの質

◀グロス仕上げ派？

ファースト・オーダー ストームトルーパー

●劇中でさまざまなシチュエーションで登場するため、美しいグロスの状態から戦闘にて汚れた姿まで様々。キットは綺麗な光沢のある白で成型されているが、その上からグロスで塗装するもよし、ウェザリングするもよしだ

▼ウェザリング派？

▲考えられた関節部の設計から、自然なポーズを取らせることが可能なのもこのシリーズの特徴だ。

◀多少ずんぐりしたバランスのボディが見事に再現されている。
▼ファズマとならぶと頭ひとつ大きいことがわかる。ぜひ並べて作りたい。

▲若干形状が異なるが、バンダイの「1/12 サンドトルーパー」から階級を示す肩当てを流用、オレンジに塗装して使用した

▲ブラスターは綺麗に塗り分けることで質感が高まる。ブルーグレーと白、マットブラックで塗装した。こちらも同じくブラスターを電飾

▲背中の装甲を外した内部に電池ホルダーを内蔵し、ここから電源を供給する。スイッチはなく、光らせたい時に電池を入れる原始的な方法

感をそのまま利用しました。シタデル塗料を使ったチッピングを施したあと、同じくシタデルのセピア色（SERAPHIM SEPIA）を少量筆で塗り、適度に残して綿棒やGSIクレオスのMr.クリンスティックで手早く拭います。これには若干コツがいりますので、目立たない部分やランナーなどでテストしましょう。

◆ファースト・オーダー ストームトルーパー

ファースト・オーダー ストームトルーパーといえば劇中冒頭に登場した、上陸艇内灯の点滅のなか浮かび上がるグロスのイメージ。しかしその後にジャクーの村を焼き払ったあとの汚れた感じも捨てがたいです。3本の血痕がついたフィンのヘルメットも作りたい……ということで今回はグロス仕様を2体、ウェザリング仕様を2体（うち1体はフィン仕様）の計4体を製作しました。

キットの造形は非常にすばらしので、いずれも無改造で塗装のみで仕上げました。ベースの白はGSIクレオスMr.カラーのC1ホワイト、黒いインナースーツの部分はC137タイヤブラックを使用（ただし、ボディはグロスインジェクションの成型色のままでもまったく問題なし）。ポイントとしてはグローブ、ブラスターの複雑な塗り分けです。手間ですが、組み立て説明書や資料を見ながらきちんと塗り分けると見栄えがよいポイントです。

ウェザリングした2体にはMr.ウェザリングカラーのマルチブラックとグレーパステルを粉末にして水で溶いたものを併用。劇中では火炎放射や爆発のシーンが目立ったのでおもに黒スス汚れを表現しました。なかでもフィンのヘルメットはアップのシーンで意外と汚れているのがわかるので若干強めに汚します。こちらも電飾を施したがキャプテン・ファズマと同様にブラスターのチャージランプを光らせました。

装備品でバリエーションのあるトルーパーですが、まずはグロス仕上げ、もしくはウェザリング仕上げで複数体並べてつくってみたいですね。■

JANGO FETT™'s SLAVE I™ VS. Obi-Wan Kenobi™'s JEDI STARFIGHTER™

ジャンゴ・フェット スレーヴI vs. オビ＝ワン・ケノービ ジェダイ・スターファイター

プリクエル三部作からは、1/12バトル・ドロイド&スタップに続き、ジャンゴ・フェット版スレーヴＩとジェダイ・スターファイターがプラモデル化されています。この2機は「スター・ウォーズ／クローンの攻撃」でのジオノーシス軌道上でのドッグファイトが印象的。

ここでは2機まとめて電飾＆チョロ剥げ塗装を施します。スレーヴＩの特徴であるスプレー跡＆チッピングは『スター・ウォーズ』模型の醍醐味ですが、今回はマスキングゾルを使った新しい方法で再現。その方法を解説します

スレーヴＩ ジャンゴ・フェット機
バンダイ　1/72
インジェクション・プラスチックキット
税込4104円

ビークルモデル　009　ジェダイ・スターファイター
バンダイ　ビークルモデル
インジェクション・プラスチックキット
税込648円

製作・文／**福井政弘**

●キットは先行して発売されている「ボバ・フェット版スレーヴ1」のバリエーションではなく、カラーごとのパーツ分割を行なうため、そのほとんどが新規で作り起こされたランナーで構成された内容。今回はさらに細かい部分のディテールアップもほどこし、より劇中の機体に近づけた

ジャンゴ版スレーヴIを劇中同様の仕上で再現

●劇中ではCGで描かれているため、その表面は整っているように見えがちだが、実際には非常に多くの塗装の剥がれやチッピング、塗装の退色が見られる。これらを表現するのに剥がれ塗装の技法や筆によるリタッチを組み合わせて、より模型映えする仕上がりを目指した

『スター・ウォーズ』

SWモデラー福井政弘の

エンジンやコクピットの発光用LEDはどうやって組み込むか？ そして非常に特徴的な塗装はどんな手順で再現していくのか？ ここでは、それらの具体な方法を、手順に従って解説していく。

スレーヴIの仕上げ方 電飾&激しい剥がれ塗装をやってみたい!!

製作・文／
福井政弘

コクピットの工作

みどころのひとつである、コクピットはどうしても機体の奥まったところにあり、完成後ではキャノピーによってだいぶ見える場所が限られてしまう。そこでコンソールのパネルや左右奥の壁面のランプ類をLEDによって灯火することで見栄えがする。光源もコクピットパーツに作り付けるのがコツだ

▲付属のフィギュアは面相筆で丁寧に塗り分けるだけでフェット親子に見える。軽くスミ入れするとよい

▲劇中のシーンを参考に壁面の点灯する部分に光ファイバーを植えるための0.3㎜の穴を開口しておく。その後塗装する

▲コンソール下に黒く遮光したLEDをセット。CRDをハンダ付けし配線を取り回す。コンソールも開口し光ファイバーを差し込む

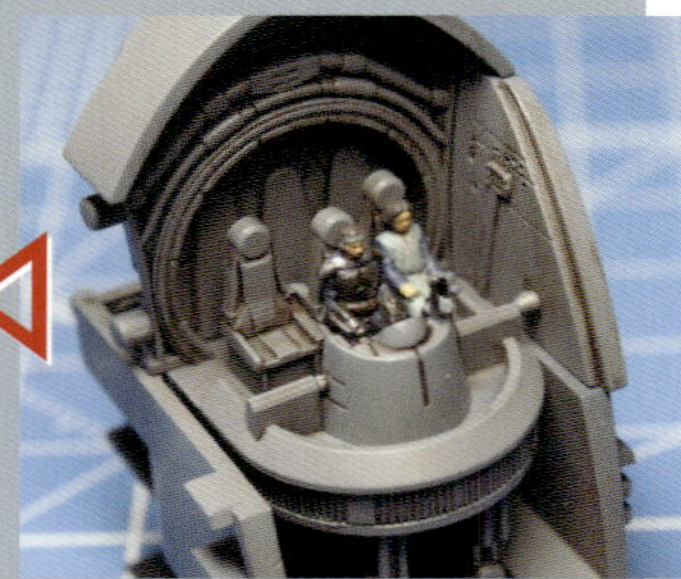

▲コンソールにLEDを組み込んだらコクピットをグレーで塗装し、ダークブラウンでスミ入れしてから組み立てる

▲コクピットの光源に赤と緑のLEDを内径3㎜のパイプに詰めCRDを繋ぐ。左右の壁面にはチップLEDを設置し、こちらもCRDを繋ぐ

▲パーツのダボを切り取って空間を作り、できるだけコンパクトにする。LEDを詰めたパイプから採光し0.25㎜の光ファイバーを取り回す

▲点灯し、光漏れなどがないかチェックする。漏れている場合、黒塗料で裏から塗装したり、黒テープで塞ぐなどで対処する

機体の電飾と小改造

本体の電飾は裏面のスリット型と円状のそれぞれのエンジンを点灯させる。適切に光らせるためにLED自体を加工する。ほかにボディでディテールアップする箇所も手をいれながら、最終的に塗装単位でそれぞれ組み立てる。

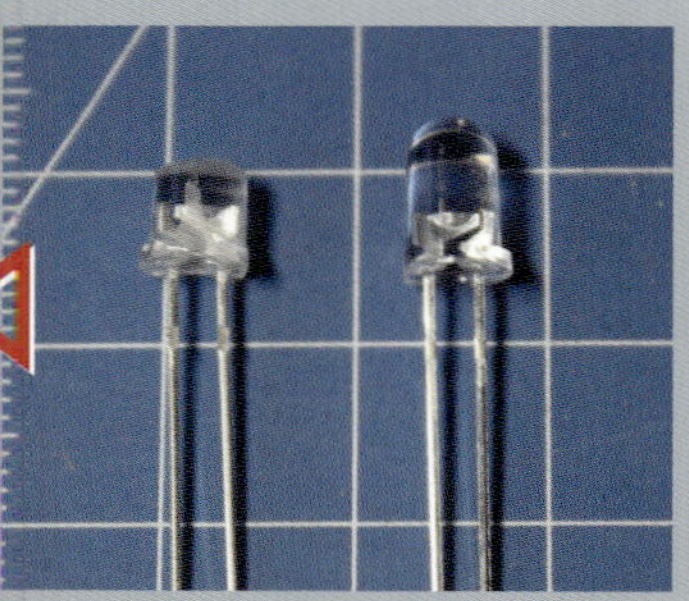

▲メインのエンジンは5㎜の砲弾型LEDを使うが、そのままでは先端が丸く収まりが悪いのでエッチングソーで先端をカットする

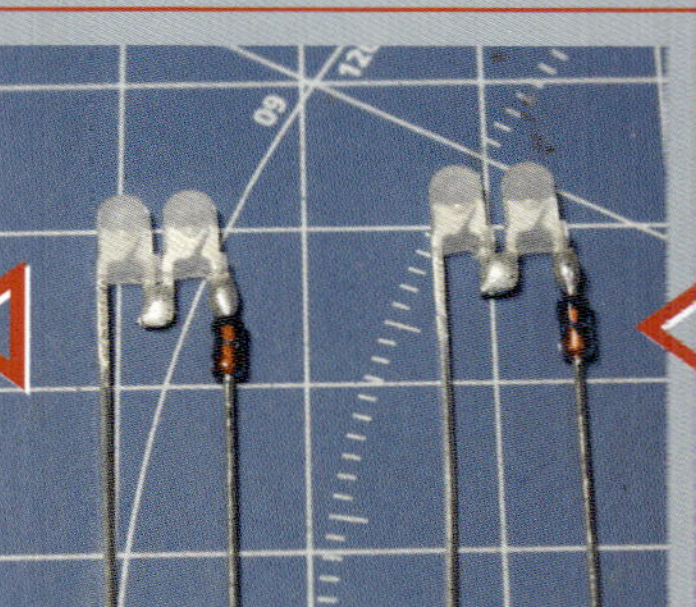

▲スリット状のエンジンには、LEDを薄く削ったものをふたつ並べて使う。なかの電極に触れなければこういった加工をしても点灯する

▲透明パーツをはめて、その裏からLEDを設置する。透明パーツが完全にクリアの場合、光が拡散しないので紙ヤスリでヤスって曇らせる

『スター・ウォーズ エピソード2／クローンの攻撃』で名戦闘シーンを繰り広げたスレーヴIジャンゴ・フェット機とジェダイ・スターファイターが製品化されました。この2機の劇中でのドッグファイトシーンはとても印象的ですので、ぜひ2機とも揃えて作りたいものです。

スレーヴIはすでに発売済みのボバ・フェット版のバリエーションと思われがちですが、配色がまったく異なる部分をパーツ分割で再現しているので多くの部分が新規金型で作られており、ストレート組みで特徴的なカラーリングが再現できます。今回は細部をよりジャンゴ機に近づけつつ電飾と特徴的なハゲチョロ塗装の再現にトライしました。

まずエンジンの電飾ですが、あらかじめ透明パーツが使われており電飾しやすくなっています。円形部は5㎜、横長部は3㎜電球色LEDを2個ずつ挿入します。コクピットの真後ろがエンジンになりますので、電飾パーツの組み込み方によっては干渉してしまいます。随時仮組して調整しながら組み込みました。電源は機体尾部に下部先端にソケットを内蔵、ここから展示用スタンドから外部電源を引きます。LEDはすべて2個ごとにCRDを繋いだ回路を作り、最後にそれらをすべて並列につないだ回路へACアダプターから12Vの電源が供給されるようにしています。

スカートの内側、エンジン部は完成後に見えないパーツまでじつによく再現されています。丸いレーダー状のパーツE25のフチを薄く削り込み、E32、33の先端を0.2㎜の真ちゅう線に差し替えました。翼はジャンゴ機の方が小ぶりなので小さく見えるよう加工しました。コクピット下部両脇にある収納式の機銃はボディを開口、流用パーツから機銃を製作しました。下部の2連装機銃はジャンゴ機では銃口が開いています。0.8㎜真ちゅうパイプを埋め込みました。コクピット両脇の黄色いインテイクは切り刻んで形状を変更しました

塗装ですが、激しいハゲチョロ塗装の再現にホルベイン製のマスキングインクを使

▲ディテールアップポイント②：翼根元カバーのスリットが塞がっているので、いちど切り飛ばして段差を付け、接着する

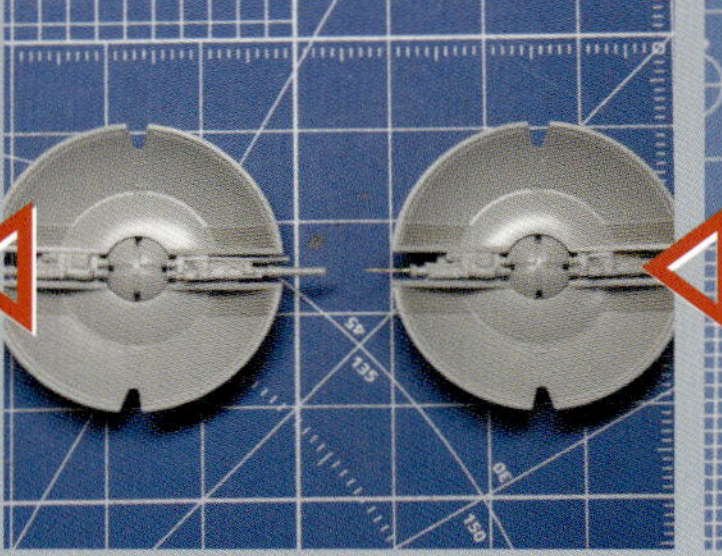
▲ディテールアップポイント①：裏側アンテナの先端が太いので、1.5㎜の真ちゅう線に交換した

▲メインエンジン部分は、上にコクピットが乗るので干渉しないように調整しながら配線する。要所で熱収縮チューブで絶縁しながら配線する

▲電源は機体後部にコネクターを設置し、支柱受けと兼ねることとした。エポキシパテでコネクターを固定し、配線を逃す工作をする

▲隠しレーザー砲用にスリットを開口し、カバーをプラ板で再現。他のディテールも甘いところをプラ材と真ちゅう線で製作

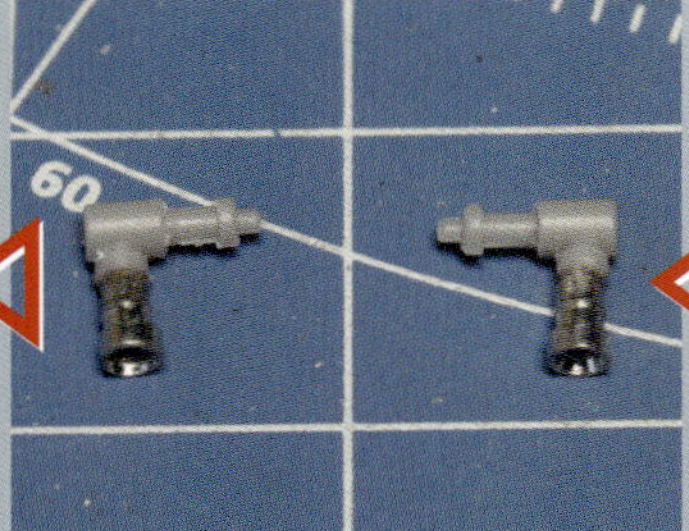
▲隠しレーザー砲は再現されていないので、ジャンクパーツを使ってそれらしく再現する

▲ディテールアップポイント③：ツインブラスターの銃口は空いていないので、0.8㎜のピンバイスでふたつ開口する

▲ガイドがないと段差がうまく作れないので目隠しもかねて内側にプラ板でガイドを作ってやるとうまくスリットが作れる

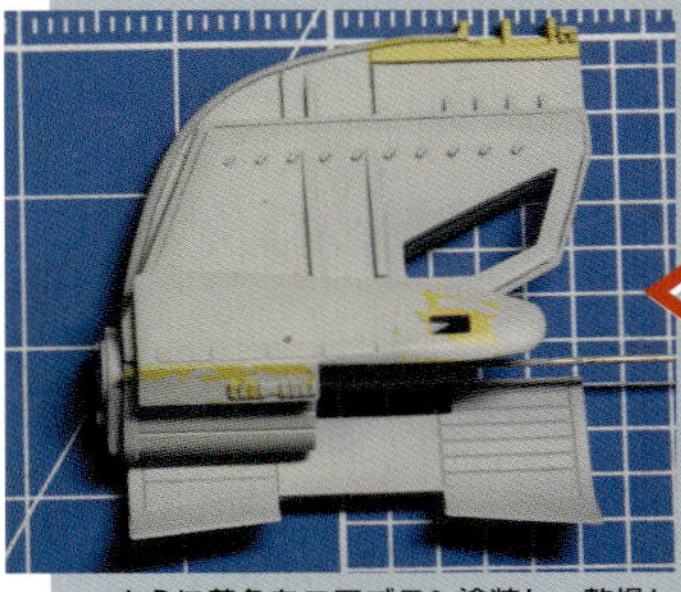
▲さらに黄色をエアブラシ塗装し、乾燥したらマスキングを剥がす。そうすると黄色が削れたような表現ができる

▲主翼に基本カラーのオフホワイトを塗装、乾燥後に黄色の剥がれを表現する。まずはマスキングした上でさらに剥がれ部分をインクで描く

▲ボディとスカート部、主翼は塗装後に組み立てる。それ以外の細かいパーツも接着せず、塗装が済んでから組み立てる

マスキングによる剥がれ塗装

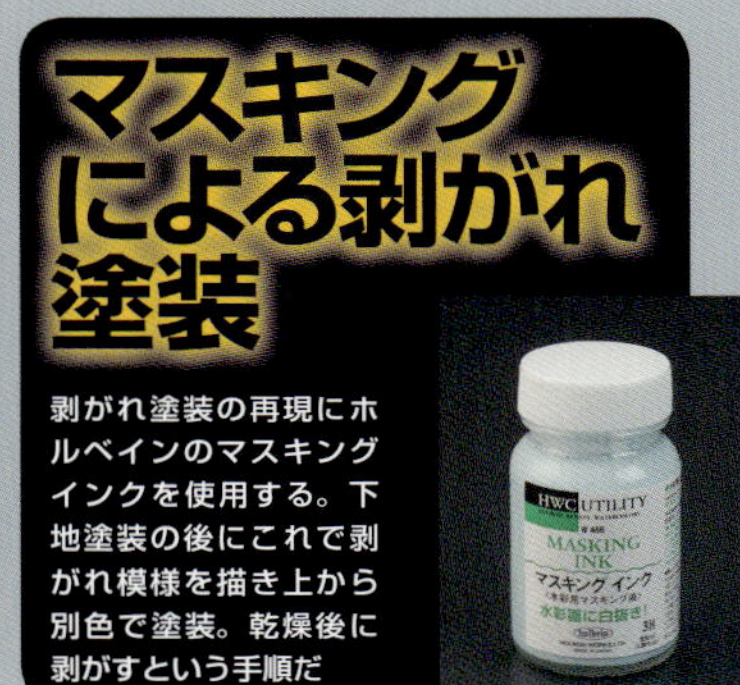

剥がれ塗装の再現にホルベインのマスキングインクを使用する。下地塗装の後にこれで剥がれ模様を描き上から別色で塗装。乾燥後に剥がすという手順だ

▲細かい粒子が飛んだような剥がれ表現も可能。不自然なところは濃グレーでレタッチし、表面をヤスることで凹凸も馴染む

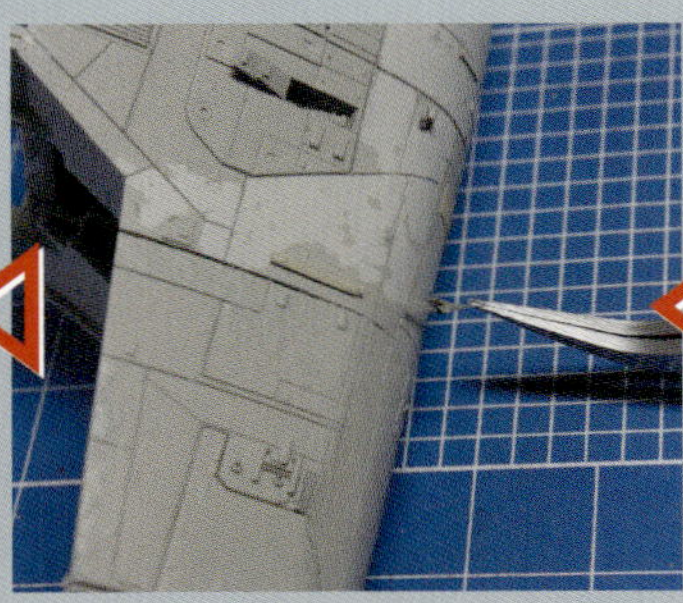
▲乾燥後にピンセットや爪楊枝などでマスキングインクを剥がすと、自然な剥がれ塗装が再現できる。指でこすっても剥がすことができる

▲マスキングインクが乾燥したら要所もマスキングテープでマスキングしつつ、上から濃グレーをオーバーコートし乾燥させる

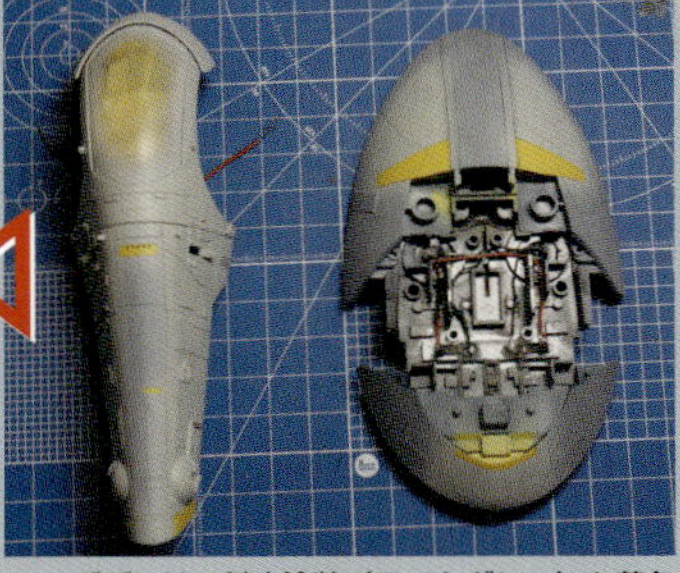
▲ボディは、基本塗装（ライトグレー）と黄色の塗り分けが終わったら、マスキングインクで剥がれ模様を資料を見ながら筆で描いていく

用しました。模型用のマスキングゾルに比べサラサラで、筆で塗ったり歯ブラシに浸してそれを指で弾く（スパッタリング）と飛沫状に飛び散って自然な表現が可能です。

まず本体、スカート、翼、インテーク部分をバラした状態で黒塗装で遮光し、サーフェイサーで下地を作ります。次に各色のベース色を塗っていきますが、マスキング液を使ったハゲチョロ塗装は薄い色からだんだん濃い色を塗っていくほうが色味の調整がやりやすいようです。機体は明るいグレーを全面に塗った後、資料を見つつ明るめのグレーを残したい部分にマスキングインクを筆で塗っていきます。こまかい飛沫状の部分は歯ブラシでスパッタリング。マスキング液は気に入らなかった場合剥がしてやり直せるのもメリットです。気に入った形になったらより濃い色でエアブラシ塗装、乾燥後に指の腹で転がすようにするとマスキングインクが剥がれてくれます。筆でのレタッチやレタッチで厚くなった部分を4000番の神ヤスリで平滑にする後作業も重要です。

同様の要領で青、明るいグレーはガイアカラーのFS36622グレー、青みのグレーはGSIクレオスMr.カラーのRLM76ライトブルーをベースに濃い色をかけていきました。青はGSIクレオス、ガミラスブルーに白を混ぜたものを下地に濃い青はガイアカラーの鉄道模型用カラーの青15号、黄色は鉄道模型用カラーの西武2000系イエロー、緑はMr.カラーのフィールドグレー2を使用しました。その後Mr.ウェザリングカラーのグランドブラウンでスミ入れして組み上げます。組み立て後に全体のバランスを見ながらスモークグレーやMr.ウェザリングカラー各種で調和させました。黄色は目立ちすぎる傾向があるので派手に汚したほうがよさそうです。

ジェダイ・スターファイターは繊細なディテールで、ていねいに塗り分けるだけでいい仕上がりになります。エンジンに3㎜電球色LED、コンソールとドロイドは白チップLEDと光ファイバーで電飾しました。光るとさらにカッコいいですよ■

▲左右の主翼カバーと背中のカーキ部分も明るい色を塗装後にマスキングインクでマスキング後にカーキを塗装して、乾燥後に剥がしている

▲スカートの背中部分も三種のグレーを使用。ライトグレーを塗装後インクでマスキング後、濃グレー、青グレーと塗装して剥がしている

▲スカート部の先端はライトグレーと青みのあるグレー、濃グレーで剥がれ塗装になっているが、ライトグレーから塗装していく

▲スカート部、背中の一部などのブルーグレー、ライトグレーが混じる部分も同様にマスキングと塗装を繰り返し剥がれを表現

▲濃いブルーで剥がれ部分のギワ形を変えたり、中間色でブレンディングするように馴染ませたりなどして仕上げる

▲マスキングインクを剥がしただけで不自然な状態になることも。そういう場合は同色を使ってリタッチし、剥がれ方を調整する

▲資料ではモールドのエッジを中心に剥がれているので、そうった箇所を狙って筆でマスキングインクを塗っていく

▲スカートのブルー部分も剥がれといいつつ退色的表現ということで、まずは明るいブルーを全面に塗装し、乾燥させる

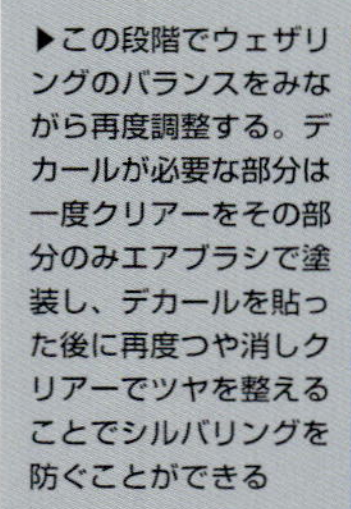

▶この段階でウェザリングのバランスをみながら再度調整する。デカールが必要な部分は一度クリアーをその部分のみエアブラシで塗装し、デカールを貼った後に再度つや消しクリアーでツヤを整えることでシルバリングを防ぐことができる

▲スミ入れとウェザリングを施したら機体とスカート部の配線を結線し組み立てる。配線を挟み込まないように注意して組み立てる

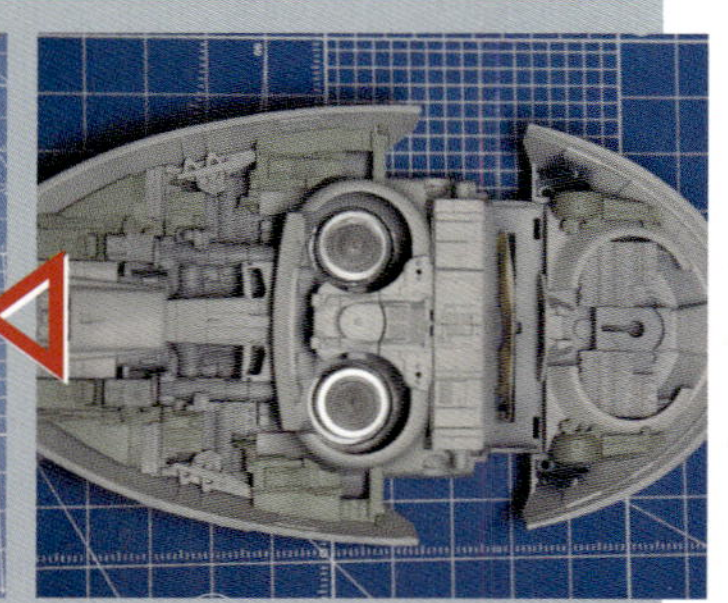

▲スカート内部も組み立て説明図を参考に丁寧に塗り分け、パーツを接着していく。控えめにスミ入れもしておく

塗装を調整して完成

●CG表現されている機体とはいえ、機体のテクスチャーや汚れ方などは、これまでの「スター・ウォーズ」に登場するビークルと同じ考え方で描かれているので、比較的真似しやすい。濃くスミ入れしすぎない、汚く汚し過ぎないといった点を守ればCGテイストでありながら、実機のような「スター・ウォーズ」ビークルが仕上げることができるだろう

ジェダイ・スターファイターも光ってます

◀コクピット内はスクラッチビルドし、キャノピーをバキュームフォームで成型。そしてコンソールを点灯させた

▶オビ=ワンの代わりにスレーヴI付属の少年ボバのパーツを流用、コンソールに白チップLEDをセット。ドロイドも点灯

◀エンジンには3㎜LEDを細く削って一本ずつ差し込んだ。白く光っているのがコンソールとドロイド用の白チップLED

『スター・ウォーズ』プリクエルでもっとも高い人気を誇る悪役、グリーヴァス将軍がついにインジェクションプラスチックキット化！　期待に違わず非常によくできております。さて模型映えしそうなその体は、はたしてどうやって仕上げると劇中の雰囲気が出せるのか？　今回は塗りとモーターライズで雰囲気アップに挑戦です！

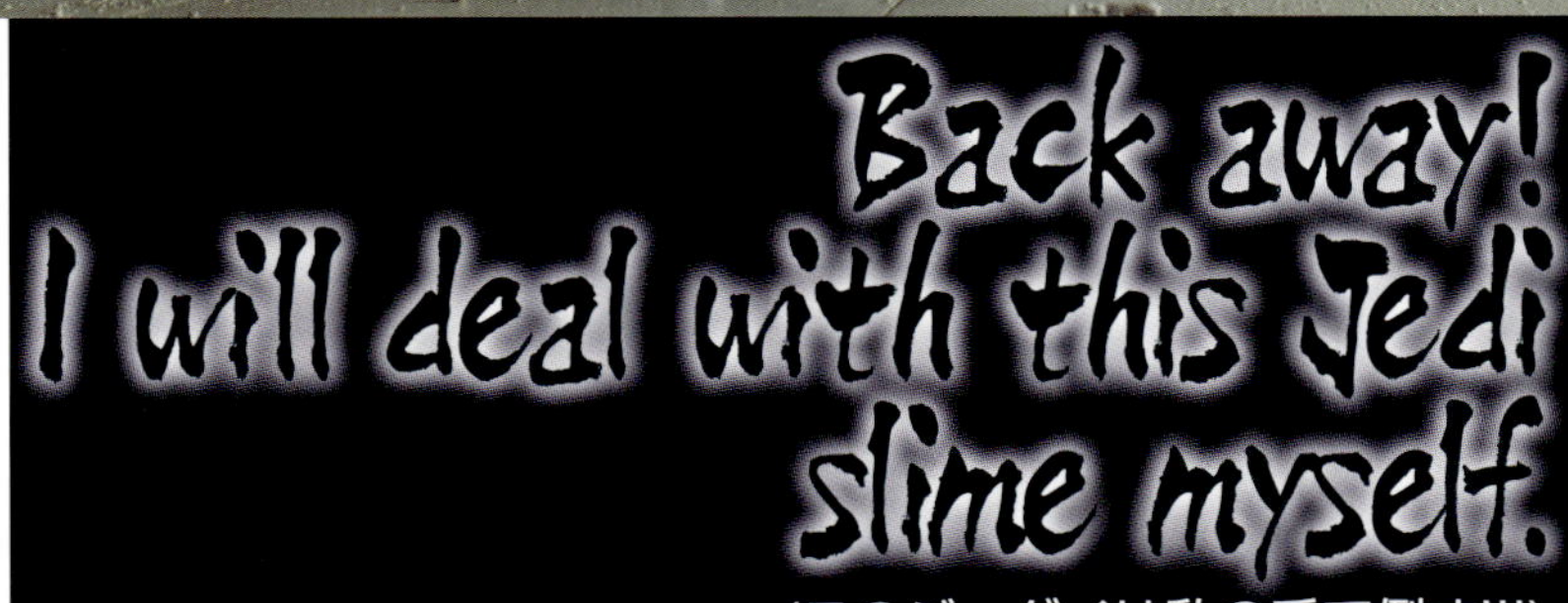

(このジェダイは私の手で倒す!!!)

グリーヴァス将軍
バンダイ　1/12
インジェクションプラスチックキット
税込4860円
出典／『スター・ウォーズ／シスの復讐』
製作・文／**加藤優介**

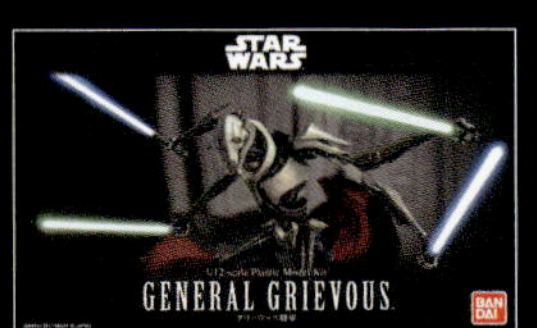

グリーヴァス将軍
General Grievous™

グリーヴァス将軍といえば四刀流なのでライトセーバーを小型モーターで回しました！

▼2本の手首にはディテールを削り取ってモーターを設置した。ライトセーバーを握らせた手首を直接接続している

▶白部のエッジにはグレーの色鉛筆を擦りつけると有機的な雰囲気に。チッピングも追加している

▶白部は汚し塗装のほか、削った色鉛筆で描き込んだ黒や茶のスジがテクスチャーとなっている

▶複雑な首まわりは白いケーブルを追加したほか、金属パイプに置き換えるなどして質感を高めた

『スター・ウォーズ』プリクエル三部作からもバンダイはインジェクションプラスチックキットシリーズの発売を開始しています。クローン・トルーパーを筆頭にバトル・ドロイド、スレーヴI（ジャンゴ・フェットVer.）、ジェダイ・スターファイターと続いて、ついにプリクエル三部作中もっとも人気の悪役、グリーヴァス将軍が1／12サイズのインジェクションプラスチックキットとして登場しました。生ものキャラと違って、固いボディを持つキャラですのでプラモデル向き。待っていた人もいるのではないでしょうか。

劇中ではマントを羽織り、咳き込んでいますが、キットにはマントが付属し、劇中でふたつに分割される両腕も差し替えパーツで再現されています。その腕はインサート成形による関節がすでにカタチになっているという凝りようです。複雑な首や胴体の形状もスッキリとしたパーツ分割で見事に再現されています（グリーヴァス将軍の首まわりってこんなカタチしているなんで知りませんでした）。もちろんコレクションしているという、倒したジェダイから奪ったライトセーバーも4本（刃含む）付属していますので、劇中（『シスの復讐』）、惑星ウータパウでのオビ＝ワン相手に見せた四刀流のシーンを再現してみました。もちろんライトセーバーを回しながらの大立ち回りシーンです。今回は固定モデルです。

そうはいうもののライトセーバーにLEDを仕込み、光らせながら手首を回転させるには配線の問題を解決しなくてはいけません。非常にやっかいですし効果的な方法が思いつかないので、手首の回転のみに注力し、剣の発光は諦めました。剣はガイアノーツの蓄光塗料で塗装しました。

ライトセーバーは柄を入れると全長約10㎝。これを左右で2本グルグル回すと、大きなトルクが発生し1／12サイズのフィギュアは立っていられません。配電の都合もあったのでベースを準備し、下半身を固定してしまいました。上半身、下半身ともに腰の接合部に電源のソケットを埋め込み、ソケットによって組み上がるようにしまし

▼ライトセーバーはガイアノーツの「蒼き鋼のアルペジオ -アルス・ノヴァ- カラー」を使ってそれぞれ塗装。蓄光カラー塗料で、ブラックライトを当てると肉眼でも光っているように見える

▲使用したモーターは携帯電話のバイブレーション用に使われる小型のもの。これをそのまま使用した

▼ふくらはぎのプレートはキットのままでは厚かったのでカッターでカンナがけの要領で薄く削った

▼ウェザリングに使用したのは、GSIクレオスのMr.ウェザリングカラーの各色、シタデルカラーのDOOMBULL Brown 、ABADDON Black 、SERAPHIM Sepia。パステルは白、黒、黄、焦茶、茶を茶こし内で擦ってパウダーにしたものと、それを調合して作った4種のグレー。色鉛筆はユニカラードペンシル ペリシアの白、ファーバーカステルの濃いグレーと薄いグレーの二色に黄土色、黄色など。油絵の具はホルベインのランプブラックとマーズオレンジ。グレーの色鉛筆は手足や脇の下のフレーム部のチッピングを描き込むのにも使用した

▲せっかくの内臓ディテールを活かすべく、暗い赤で内臓のヒダヒダを描き込み、それを包む緑のクリアーパーツは使わず、複製して透明に置き換えた

た。下半身には足首からベースへ配線し、ベースから6VのACアダプターを使って配電します。

上半身を組み上げたら、手首にあたる部分のディテールを削り取りまるまる直径3㎜の小型モーターに置き換えました。配線にはポリウレタン銅線を使用。腕や胴体内部には埋め込まず、表面をチリチリと這わせることでディテールに見えるようにしています。完成後はまったく目立ちませんのでオススメです。あとは通電させれば写真のように2本のライトセーバーが回ります。

グリーヴァス将軍は、ロボットではありませんが、その体のほとんどを機械化しています。金属製と思われる四肢と骨格を持ち、殻に収めた内臓を白い体で覆っています。このそれぞれがアップで写る際の質感を塗装などで再現してみました。

まず内臓です。キットでは非常にいい形状の内蔵が作られていますが、クリアーグリーンのボディパーツで覆われ中身が見えません。クリアーグリーンのパーツをシリコーンゴムで型取りして、透明レジンキャストに置き換え、そこでじっくりと内臓感たっぷりに塗装したパーツを入れました。

金属風の四肢ですが、複数の黒鉄色や焼鉄色を角度を変えながらグラデーションを付けながら吹き、見る角度で印象が変わるよう工夫をしました。ウォッシングしたあとに、明るいグレー等で傷を描き込みます。

顔や胸の白いパーツは劇中よく見ると装甲ではなく、まるで骨や甲羅のような質感です。これを再現するために、まずクリーム色で塗装したあと、若干白を足した色を薄く吹いてグラデーションを付けます。そうしたら、黒、茶の油絵の具を面相筆でちょっと置いたり、グレーのパステル粉をパーツのエッジに擦りつけたりして外皮が一部剥がれた感じを表現したりします。GSIクレオス製Mr.ウェザリングカラー各色で薄く跡が残るように色を置いたら、最後に色鉛筆（水彩、油）のグレーや茶色を使って、ひっかき傷や骨っぽいスジをこまやかに描き込みます。パステルを軽くまぶしたら完成です。■

CLONE TROOPERS™

327th Star Corps
212th Attack Battalion

Commander Bly

Commander Cody

Captain Rex

バンダイ1/12クローン・トルーパーはフェイズ1、フェイズ2のヘッドが入るなど改造の素体としても非常に優秀なキット。ここでは人気の高いコマンダー・コーディに改造し、エピソード3のあのシーンを再現してみた

第212アタック・バタリオン
コマンダー・コーディ

212th Attack Battalion Commander Cody™

"オーダー66を遂行せよ"
:ダース・シディアス"

コマンダー・コーディ
クローン・トルーパー改造
バンダイ 1/12
インジェクションプラスチックキット
税込2592円
出典／『スター・ウォーズ エピソード3／シスの復讐』
製作・文／加藤優介

2

1

4

3

6

5

7

オビ=ワン率いる精鋭部隊を電飾改造で仕上げる

1肩のアンテナ基部はキットの肩パーツに四角いプラパーツを貼り付けエポキシパテで曲面を繋いで成形した。胸のスイッチ類もプラ板で製作。24コマンダー・コーディのもっとも特徴的なのがヘルメットの形状と塗装だ。プラ板で作ったバイザーはフチまわりを薄く削ると成型品らしさがでる。バイザー表面に入る白い模様やマスク周辺の三角形のオレンジマークは透明デカールに塗装したものを貼り付けている。3腹部はキットのままで塗装だけを変更している。黒ではなく濃いグレーでベルトと腹部を塗装している。腹部のチッピングはオレンジ部分が薄いオレンジで擦れ色が置かれた後にグレーの汚しを入れることで塗面が削れてから傷が入る様子を再現した。5手のひらに穴を空けてチップLEDの発光面を上に向けて設置。右肘は固定し、ポリウレタン線を使って背中の電池ボックスまで配線を通している。6特徴的なバックパックは電池ボックスを仕込む都合から今回は省略。7合わせて作った第212アタック・バタリオン所属の通称"ウータパウ・トルーパー"はキットをストレート組みし、設定画を参考に塗装を施した。使用した塗料はコーディと同じ。マスクの水色のスリットの塗り分けは付属デカールを使用した

ここでは1/12クローントルーパーを使ってエピソード3に登場するコマンダーコーディとウータパウ・トルーパーを作ります。このキットは2種の頭部パーツが付属し、フェイズ1と2のクローン・トルーパーを作り分けることができます。ほかにもマクロバイノキュラーや2タイプの武器が付属し、さまざまなバリエーションを楽しめます。

コマンダー・コーディはこまかい改造が必要です。まずヘルメットですが、特徴的なバイザーは0・3㎜と0・5㎜のプラ板の組み合わせで、左右の大小のアンテナはプラ板やジャンクパーツで作りました。また頭頂部左右のラインはエポキシパテで成形し細い線は伸ばしランナーを貼ってます。

また口元にある魚の骨のような切れ込みや三角形のギザギザマークなどコチャゴチャしたかんじがなんともカッコイイのですが、これらは実際に切り込みを入れたり透明デカールに塗装したものを切った貼ったして再現しています。あとは左肩のアーマーにアンテナが付いていますのでエポキシパテで四角い突起を作り、太さの異なる真ちゅう線でアンテナを作っています。

塗装は白い部分はホワイトFS17875、黄色い部分はイエロー+オレンジ+イエローFS33531の混色(いずれもGSIクレオスのMr.カラー)です。ウェザリングですが、今回は、水性色鉛筆を使ってCG独特のウェザリングを再現してみました(このトルーパー達は劇中はすべてCGで表現され、実際に着用するプロップマスクなどは作られていません)。

コマンダー・コーディといえば皇帝からの命令"オーダー66"を受けて、惑星ウータパウでの戦いのさなか、これまで共に戦ってきたオビ=ワン将軍を後ろから射撃する命令を下しましたが、そのシーンを再現するため、手のひらに青色のチップLEDを、背中にボタン電池を仕込んで光らせました。エポキシパテで作った皇帝のホログラムをクリアーレジンに置き換えたものを手の平に載せればあの衝撃のシーンが再現することが可能です。■

コマンダー・バカーラ
ギャラクティック・マリーンズ
クローン・トルーパー　改造
バンダイ　1/12
インジェクションプラスチックキット
税込2592円
出典／『スター・ウォーズ
エピソード3／シスの復讐』
製作・文／ROKUGEN

第21ノヴァ・コープス
ーギャラクティック・マリーンズー
コマンダー・バカーラ

21st Nova Corps-Galactic Marines
Commander Bacara™

『スター・ウォーズ／エピソード3　シスの復讐』最後に登場するのが第21ノヴァ・コープス、通称“ギャラクティック・マリーンズ”を率いるコマンダー・バカーラだ。ここでは1/12クローン・トルーパーをベースに装備品をほぼすべて新造、特徴的な風体を作り上げた

共和国グランド・アーミー最強の多目的部隊をスクラッチビルド！

ギャラクティック・マリーンズ

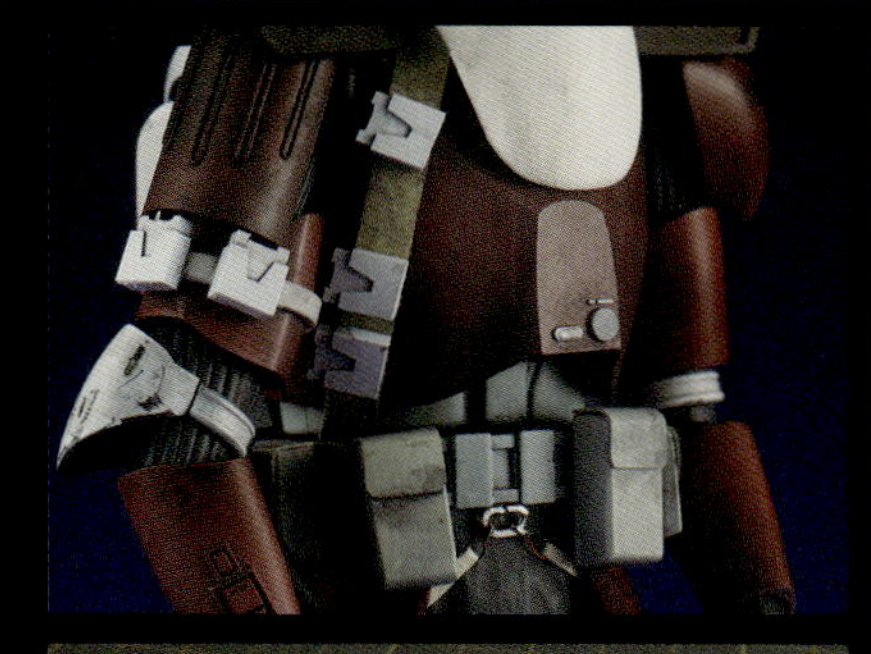

バンダイ1／12「クローン・トルーパー」を使って、氷の結晶惑星マイギトーでジェダイマスター・キ＝アディ＝ムンディとともに戦うコマンダー・バカーラと独立部隊ギャラクティック・マリーンズを製作します。

バカーラはフェイスマスクや胸のプロテクターなど多くの追加パーツが付けられているので、キットを直接バキュームフォームして、部品を作り出しました。肩から腰にかけてのベルトはカーモデル用1／20のシートベルトを流用します。カーマ（腰巻）は斑に染められた綿生地に黒の裏地を張り付けて製作、布で製作することで可動部分をなるべく活かすようにしています。

兵士2人は『エピソード5／帝国の逆襲』に登場したスノートルーパーにとてもよく似ています。が、腕以外はクローン・トルーパーとは別物……。ですので頭部、ボディーパーツ、ショルダーアーマー、などパテやプラ板を加工して再現します。右筒形状のショルダー・アーマーはプラパイプから作り出して可動部品を移植。左ショルダー・アーマーは大きめの形状に変更。その上の両肩大型プロテクターはプラ板から作り出して、肩へ金属棒で差し込み式に。腰から下はバンダイ製1／12スカウト・トルーパーの足とひざ当てを流用、足はカーマ（腰巻）にあまり干渉しないように削り込んでいます。大きなバックパックも特徴ある部分なので再現したいポイント。まずは木型を製作してバキュームフォームして複数作っています。その周りに取り付けられている小物入れはプラ板の積層から作り出し、予備弾倉もエバーグリーン製のプラ材から作り出しました。

寒冷地用ブーツはベルトを追加してエポキシパテで形状変更、靴は底をスカウト・トルーパーのものから流用。靴表面は樹脂粘土で製作しました。これは乾燥後も柔軟性があるので、フェイスマスクにも利用しています。

塗装はすべてのパーツをガイアノーツのエヴォブラックで裏側まで吹いて透けを防いだ後、バカーラの白色はGSIクレオスのMr.カラー316番と1番を重ね吹き。ギャラクティック・マリーンズのふたりのあずき色はMr.カラー29番と81番の混色。パンツはMr.カラー128番、5番、33番の混色で仕上げています。汚しはエナメル系塗料で、チッピングはデザインナイフで下地の黒が見えるように削っています。■

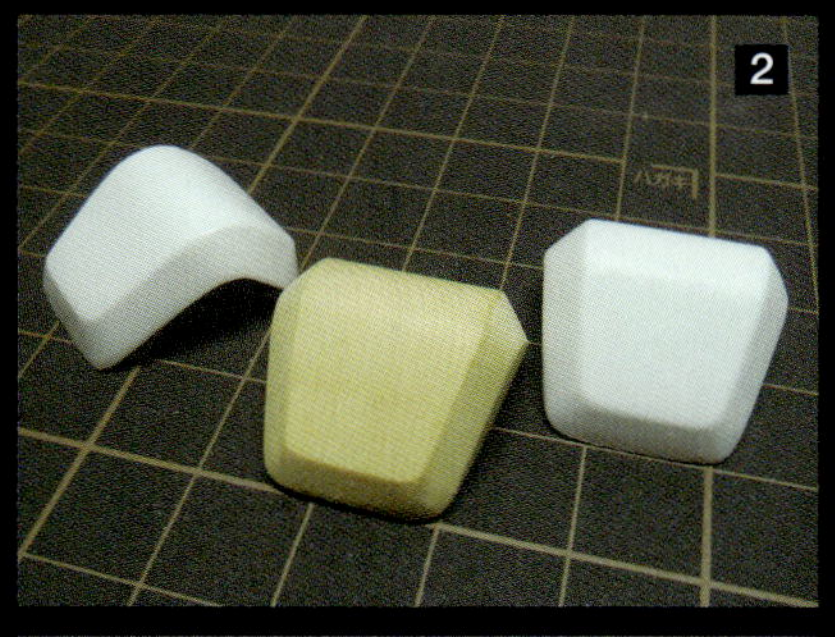

1マスク部のカバーは実際にヘルメットを上や左右からヒートプレスしたものから切り出して使用。先にマスクの頬部分の段差はエポキシパテで修正しておく。2特殊な形状のバックパックは木材で原型を作り、ヒートプレスして量産する。3エポキシパテで胸の形状を修正、ブーツもエポキシパテで形状を整えたあと、プラ板の細切りを巻き付けている。4ギャラクティック・マリーンズは目以外見えないのでマスクを黒く塗りつぶしてからヘルメットと、樹脂粘土を薄く伸ばして作ったフェイスガードを装着。5頭部パーツもバキュームフォームで量産

コマンダー・ブライ
クローン・トルーパー　改造
バンダイ　1/12
インジェクションプラスチックキット
税込2592円
出典／『スター・ウォーズ　エピソード3／シスの復讐』
製作／ちょうぎ

第327スター・コープス コマンダー・ブライ

『エピソード3／シスの復讐』終盤で発動した皇帝によるジェダイの抹殺命令“オーダー66”。これにより、ジェダイマスターであるアイラ・セキュラを惑星フェルーシアでの任務中に殺害したのが、コマンダー・ブライ率いる第327スター・コープスだ。

●アーマー類の塗装の剥げには、GSIクレオスの「シリコーンバリアー」を用いた剥がれ塗装を施した。基本塗装の上からシリコーンバリアーを塗布し、乾燥後にMr.カラーの土草色＋ホワイト＋キャラクターイエローで作った黄土色でラインを塗装。乾燥後にナイフの刃先やピンセットの先で引っ掻くとヘアラインの剥げができる。スポンジヤスリで擦ると広めの剥げも作ることができる

皇帝の僕たちを切った貼ったで完全再現!!

327
Co

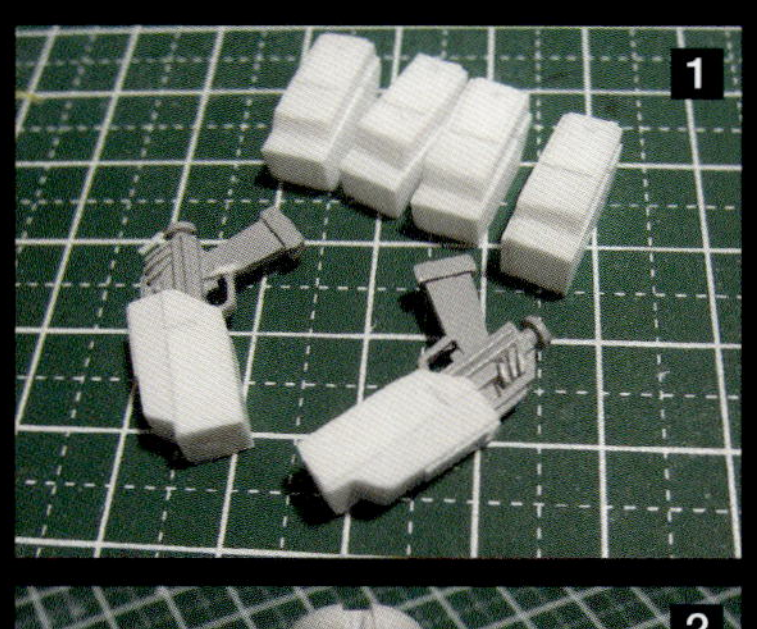

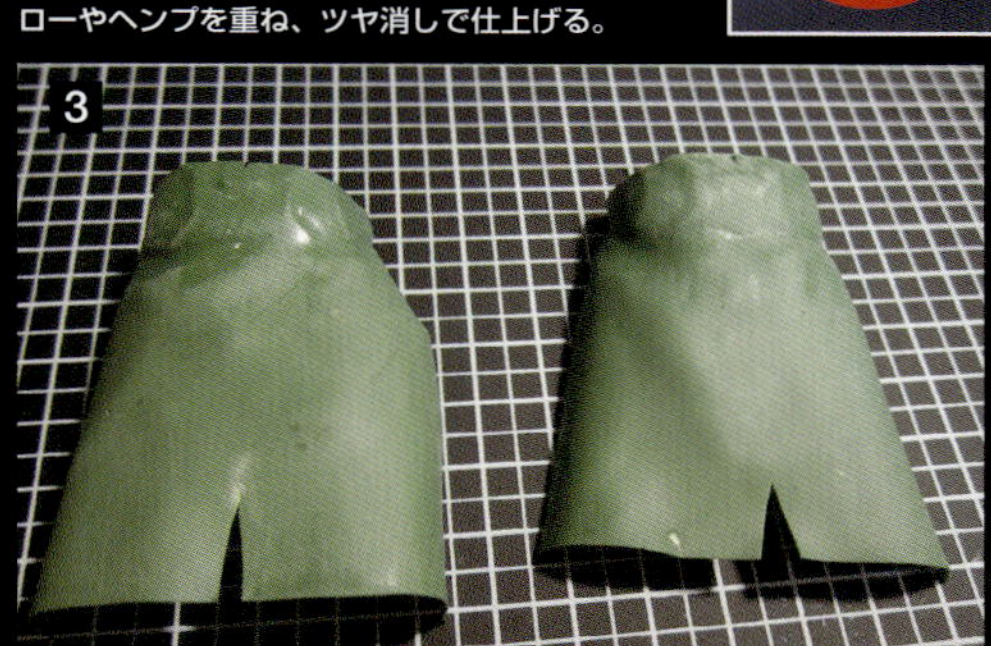

1ブラスター・ピストルは3人分6丁必要なので、プラ板とプラ棒でスクラッチビルドし、必要数をレジンキャストで複製する。**2**ボディは本塗装前にシェードを吹いて立体感をだしておく。肩当て類はプラ板を現物あわせで製作。首の可動に影響がないか調整する。**3**デュ一ロパテをクッキングペーパーに挟んで麺棒で伸ばして一度薄い生地状態にしてから切り出す。革素材と解釈しGSIクレオスのMr.カラー レッドブラウンの上からサンドイエローやヘンプを重ね、ツヤ消しで仕上げる。

歴戦の傷跡をどう描き込むかがポイント

文／ちょうぎ

今回はバンダイの1／12クローン・トルーパーを改造して『スター・ウォーズ エピソード3／シスの復讐』終盤、オーダー66によってトワイレック人の女性ジェダイ、アイラ・セキュラを背後から射殺した姿が印象に残る、コマンダー・ブライとその部下からなる第372スター・コープスを製作しました。

キットのクローン・トルーパーに追加装備を加えることでこの部隊になります。必要な作業は①／カーマ（腰巻）②／肩の追加プロテクター③／二丁のブラスター・ピストルとホルスター④／予備弾帯と各部のマーキングになります。カーマ（腰巻）は硬化後も柔軟性のある「デューロパテ」で製作し、足の可動を確保しました。肩の追加プロテクターは直線的なデザインなので0・5㎜プラ板製作。これらを2㎜径のコイルスプリングで胴体パーツに接続することで腕の可動も妨げないようにしています。ブライはバーミキュラー（双眼鏡）を跳ね上げた姿がよく見られますので、キットの「つる」の角度を変えたものを製作しこの姿も再現できるようにしてみました。

塗装ですが、アーマー部はGSIクレオスのジャーマングレーでパーツの縁と凹部にシェードを吹いた上から同じくMr.カラー GXホワイトをシャドウを僅かに残して塗装し、立体感を出します。各部の黄土色のラインは下地にGSIクレオスのシリコーンバリアを吹いたあとマスキングして塗装します。するとライン部はナイフやスポンジやすりでこまかい剥がれを再現できます。剥がれのパターンは各個体で特徴がありますので、資料を見てできるだけ再現しました。そのほかの傷はアーマーのエッジ部を中心にランダムに描きますがこのときファレホを使うと、試行錯誤しつつ作業することができます。最後に足元を中心としたドロ汚れはGSIクレオスのウェザリングカラーのグランドブラウン、グレイッシュブラウンを適宜混色したものを置いたあと専用うすめ液でぼかしていく手法を多用しました。■

キャプテン・レックス
バンダイ　1/12
インジェクションプラスチックキット
クローン・トルーパー　改造
税込2592円
出典『スター・ウォーズ／クローン・ウォーズ』
製作・文／**高橋卓也**

パルパティーン最高議長によって編成されたエリート部隊

501大隊 キャプテン・レックス

『エピソード3／シスの復讐』でダース・ベイダーと共にジェダイ寺院を襲撃。その後銀河帝国軍のストーム・トルーパー部隊へと昇格したのが第501大隊だ。

501st Legion Captain Rex™

●二丁拳銃がトレードマークのキャプテン・レックスだがDC-17ハンド・ブラスターはブライのものとは形が違ったのでスクラッチビルドした

●一連の1/12クローン・トルーパー改造作例で唯一映画本編ではなく、CGアニメシリーズ『クローン・ウォーズ』に登場するのがこのキャプテン・レックスだ。劇中ではデフォルメされるスタイルをスケールモデルに落とし込むという作業を造形だけでなく塗装でもこなしている。とくにヘルメットのキルマークや額のマーキングはキャプテン・レックスらしさの記号だが、アニメに忠実にというわけではなく、リアル系の表現になるように調整している。各部の汚れ、ブルーのマーキングの剥げ具合なども同様だ

1劇中同様にフェーズ1とフェーズ2のヘルメットを組み合わせてレックスのマスクを製作。溶接痕は0.3㎜のプラ棒を接着した。2時折背負うジェットパックは同シリーズのボバ・フェットの物を流用し戦闘機の増槽なども流用して再現。背中にはネオジム磁石で固定。3基本的に装備をスクラッチビルドしてクローン・トルーパーに着せることで仕上がる。ヘルメットの照準器はボバ・フェットから流用。4レックスのカーマは左右に分かれた2枚のもの。0.1㎜軟質塩ビ板をカットし製作。腰パーツを見えない部分で削り、ベルトとの間に挟み込む。塗装はカーマのみVカラーを使用

文／高橋卓也

アニメディテールに寄せすぎずに仕上げます

クローン・トルーパーの魅力といえば個々に性格付けがなされ、単にやられ役ではなく物語に大きく関わってくる隊長クラスや一般兵の存在だと思います。とくにCGアニメ『クローン・ウォーズ』では顕著で、本編映画では見られないクローン・トルーパーたちの活躍が垣間見られ、今回の製品化を喜ばれている方も多いのではないでしょうか。私もそのひとりでアナキン・スカイウォーカーとパダワンのアソーカ・タノに同行し大活躍したキャプテン・レックスの大ファンです。キャプテン・レックスは第501大隊に所属し、遺伝子操作は成長加速のみで自我を持っているARCトルーパーのひとりでカーマ（腰巻き）と肩当てを装備しています。劇中装備がフェーズ1からフェーズ2に変わりますが、今回製作したヘルメットはフェーズ1にこだわりを持っているレックス自身がフェーズ2の空気フィルターなどいいところを移植したタイプです。キットのフェーズ2ヘルメットをベースにフェーズ1ヘルメットの正面のパーツを移植します。アーマーについては基本的にキットのままですが、アニメ版の特徴である胸まわりが大きく切り欠かれているタイプをパーツをカットし再現しました。ベルトも正面のみプラ板で製作し置き換えました。肩当てや2丁拳銃もホルダー含めてプラ板で製作しました。

塗装は黒のサーフェイサーを吹いた後にガイアノーツのウォームホワイトで塗りました。青帯はGSIクレオスのスージーブルー（GX5）にガイアノーツのクリアブラック（043）を混ぜ調色しています。青の剥がれ表現にはマスキングゾルを使用しました。レックスのアーマーにはキルマークが描かれていますが、塗装後にカッターの刃先で塗装を削り落としました。ウェザリングはタミヤのスミ入れ塗料の黒を綿棒に浸しハンコを押すように先端で乗せていき、同様にぬぐい取りました。

キャプテン・レックスはCGアニメシリーズ『反乱者たち』に登場しています。おじいちゃんな風貌ですが、相変わらずの有能っぷりで今後の活躍が楽しみです ■

JEDI Master YODA™

ヨーダ
バンダイ　1/6
インジェクション
プラスチックキット
税込3240円
出典／『スター・ウォーズ
エピソード2
／クローンの攻撃』
製作／**加藤優介**

なんとバンダイからマスターヨーダが発売されました。キットには1／6と1／12サイズの2体がセットになっているのも嬉しいところ。今回は1／6を使ってエピソード3の印象的なシーンを再現してみました。

このキットですが、特筆すべきは眼球パーツが白目と黒目に分かれていること。黒目のこまかい塗り分けや白目のフチの毛細血管など納得いくまで塗装できます。そしてもっとも注目すべきは表情。本当によく似ています。また頭部だけでも髪が有りと無し、眼球が正面と横向きがあるので、4つのバリエーションから選べます。今回は髪なし&横向き眼球を選びました。

作例では髪無しのパーツに紅茶で染めたコットンで髪の毛を表現してみました。頭部を塗装後に頭頂部から襟足にかけて強力両面テープを貼り、その上から目にそってコットンを押し付け、ゆっくりはがします。そのあとハサミでカットしピンセットで整えました。塗装はGSIクレオスのMr.カラーNo.23ダークグリーン(2)に少量のNo.321黄土色を混ぜたものベースに吹いたあと、濃淡3色の緑色を使ってシワを面相筆で書き込みます（この作業が楽しい！）。両耳の先端にほんの少し黄土色を吹いてやるとよいアクセントになります。仕上げに目の上などの凸部にパウダー状にしたパステルのグレーをアイシャドウ用スティックでチョンチョンとハイライトを入れて完成です。

今回は固定ポーズにして肩に生じる隙間をエポキシパテで埋めました。このキットはローブの上半身がプラで下半身が軟質樹脂です。ヤスリがけができないので、ゲート跡をどう処理するかが問題ですが、ハサミでていねいに切ってやることで目立たなくなるようです。ローブの上半身のプラ部分と下半身の軟質樹脂部分は瞬間接着剤で固定し、隙間をエポキシパテで埋め、塗装しました。あまり強く触ると割れてしまうかもしれません。

（文／加藤優介）

▼市販のコットンパフを紅茶で茶色に染めて頭部の毛を作った。貼り付けたあとハサミで余計な毛を切り整える

▲このキットのヨーダは、顔のしわのひとつひとつがすばらしい彫刻で再現されている。作例では顔、手首、足首を基本塗装のあと、濃淡の違う緑色と黄土色を使って面相筆をでシワをなぞった。薄く、少量の塗料を何度も重ねることでブレンディングしたかのような深みのある表情に仕上がる

◀キットでは関節によって動く肩部分を固定してエポキシパテで埋めた。ローブ下半身は軟質樹脂だがきれいにゲートを処理してサフを吹き塗装した。ソフトビニール用のVカラーを使うなどしてもいいだろう

▶ライトセーバーの電飾は光を顔に反射させるため、砲弾型の3㎜緑色LEDを左手内に収めた。手首から配線を回し、足首から外部電源を取る。ライトセイバーは上の1/3だけ切り取って残し、内側を筒状にくり抜く。ライトセーバーの刃の部分は2㎜の透明プラ棒を切り出して挿し込む

簡単な植毛とシワの描き込みでマスターヨーダをリアルに仕上げる！

BATTLE DROID™
Battle of Geonosis

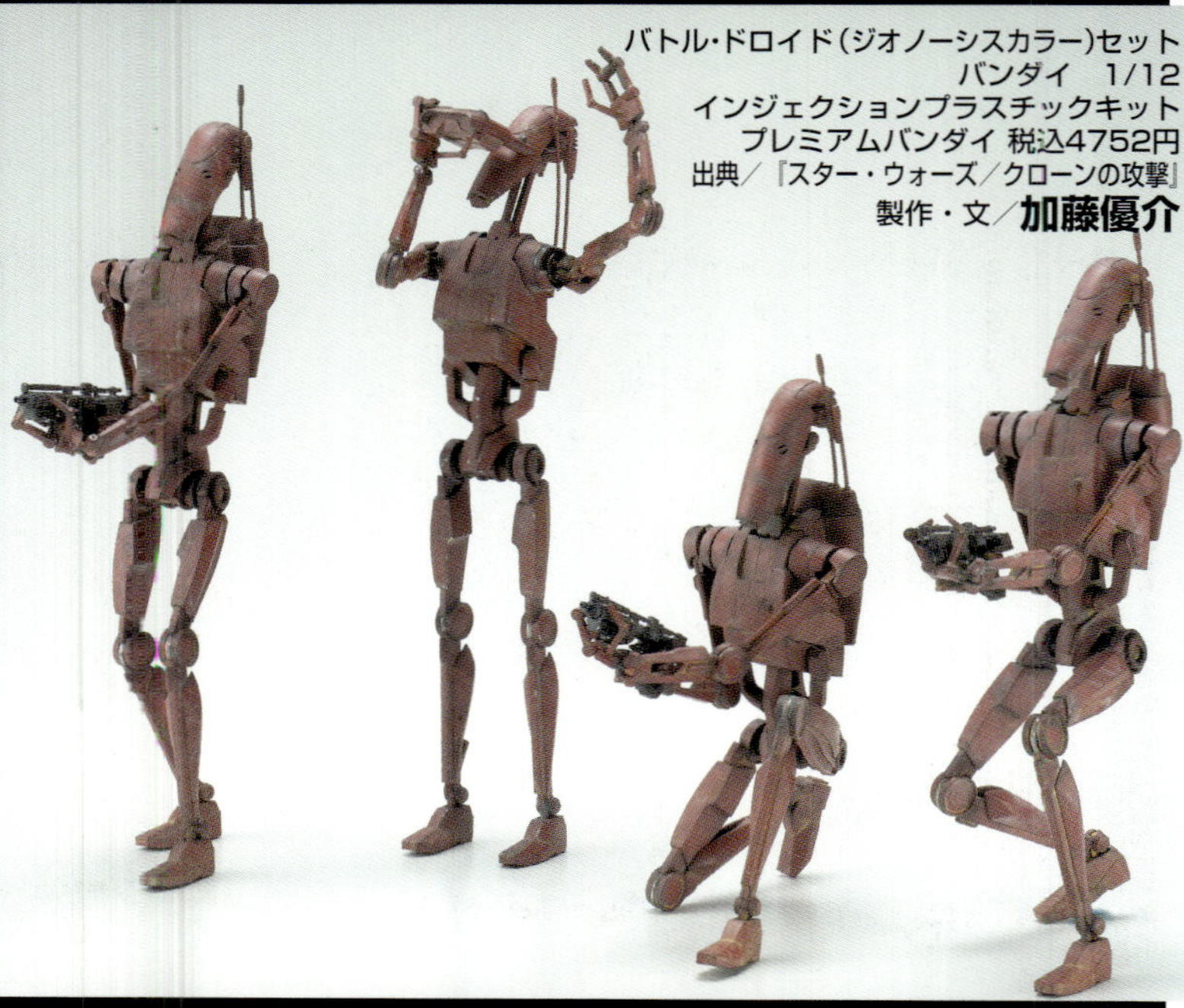

バトル・ドロイド（ジオノーシスカラー）セット
バンダイ　1/12
インジェクションプラスチックキット
プレミアムバンダイ 税込4752円
出典／『スター・ウォーズ／クローンの攻撃』
製作・文／**加藤優介**

『スター・ウォーズ エピソード2／クローンの攻撃』に登場した赤銅色（ジオノーシスカラー）のバトル・ドロイドです。

このキットの特筆すべきは、パーツをランナーから切り出した時点で複雑な可動部分が完成されている、いわゆる〝システムインジェクション〟が採用されている点。いつもながらバンダイキットの技術の高さには驚かされます。

さて、今回のテーマは「お！バトルドロイドも意外とカッコイイぞ！」です。劇中のコミカルな声と動きからどうしても雑魚キャラ感が拭えませんが、じつはデザインは洗練されており、ポージングでかりかっこよくなります。そこで今回はジオノーシスの決戦の場で活躍したバトルドロイドを、赤茶の砂埃にまみれ、可動部分には幾重にも油が足されメンテナンスが行き届いていない感じを塗装などで再現しました。

塗装に際し、まず脚や腕の軟質樹脂のパーツにガイアマルチプライマーを塗り、その上から塗装していきます。各関節や影になる部分にマホガニーを吹き、次にベースの赤銅色として№81あずき色、№29艦底色、№321黄土色（いずれもGSIクレオス）を調色したものを、マホガニーを残しつつ吹きます。全体が同じ色なので単調にならないように、吹き付けに強弱をつけます。このあとのウェザリングとトップコートで色の階調がかなり落ち着いてしまうので、この時は割と大げさに色の違いを残します。ウェザリングは「オイル垂れ」「砂埃」の二種を施します。オイル垂れはシタデルのシェードを可動箇所に筆塗りします。しっかり乾いたらピグメントで窪み部分を中心に砂埃の堆積を表現し、その後全体に黄土色のピグメントを薄っすらと筆でたたきます。最後にエアブラシ用の艶消しトップコードを吹けば完成です。

今回は4体作りましたが、やはりこれくらいは並べたいものです。見た目よりも可動範囲が広いので多彩なポーズが楽しめますし、更に背中のリュックの有無やブラスター、バイノキュラーで個体差を付けるとストーリー性も生まれます。■

惑星ナブーへの侵攻をダイオラマで
バトル・ドロイド

BATTLE DROID™ & STAP™

バトル・ドロイド&スタップ
バンダイ　1/12
インジェクションプラスチックキット
税込4536円
出典／『スター・ウォーズ ／ファントム・メナス』
製作・文／**高橋卓也**

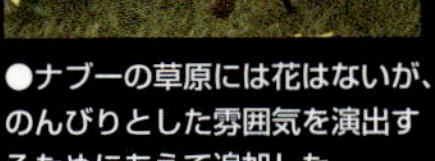

●ナブーの草原には花はないが、のんびりとした雰囲気を演出するためにあえて追加した

バンダイから発売された〝ラジャラジャ〟でお馴染みのバトル・ドロイドとスタップです。成型時に関節まで完成しており、ランナーから切り離すだけで可動してしまうというバンダイ独自の射出成型技術でメカニカルなバトル・ドロイドの手足を再現しています。しかし、成型素材の関係で通常のプラモデルのようには塗装ができないので塗装やウェザリングをしたい場合は下地にガイアノーツのマルチプライマーを先に吹いてみてください。今回は頭一部と胸に丸い黄色が入った〝コマンダー〟にマクロバイノキュラー（双眼鏡）を持たせ、その部下2体も製作。形状は手を加えるところがない出来で一部モールドをシャープに整形した程度です。なので塗装の話になりますが、黒いサーフェイサーを吹いてからシルバーを塗装。陰影を付けるために換気扇フィルターを使って黒をムラ気味に塗装して下地とし、その上からGSIクレオスのMr.カラー313 イスラエル砂漠迷彩色を重ねています。仕上げに映画製作時に作られたプロップを参考にカッターで軽く表面を削り下地のシルバーや黒を露出させます。

スタップですが、足を乗せるステップのステーの内側が埋まっていたので開口し、翼の裏側を平らに削り劇中のイメージに近づけました。エンジンが光っているのでディテールが入っている後ろ側ギリギリの所で切り落とし、ヤスリで仕上げてフィンのあいだを抜きました。プラパイプのなかにチップLEDを仕込みプラ板でフタをして光源としています。12V1Aで光らせますが、電源はベースを通してACアダプターからとっています。機体の薄いところに配線を通す場合は、一度表面に溝を彫って、配線を通してから埋めて整形しています。真鍮パイプを曲げて接着し、配線を通しつつパッと見浮いて見えるようにベースに固定しています。塗装はMr.カラーの42マホガニーに赤を少量入れて調色した色を重ねています。こちらもカッターでハゲチョロ表現を入れています。舞台はナブーの草原です。プラ板でベースを作りスチレンボードと軽量ねんどで地面を作っています。■

On the Scarif

デス・トルーパー

デス・トルーパー
バンダイ　1/12
インジェクションプラスチックキット
税込2916円
出典／『ローグ・ワン／スター・ウォーズ・ストーリー』
製作・文／**加藤優介**
ベース製作協力／ぴあにしも

初の外伝映画『ローグ・ワン／スター・ウォーズ・ストーリー』に登場する新しい帝国軍の兵士も1/12でプラモデル化されている。ここでは予告編で見られた水辺を行軍する姿が印象的なこのデス・トルーパーをヴィネットとして仕上げてみた

DEATH TROOPER™

黒い追っ手達を細密に再現!

◀▶手前がノーマル版で後ろのポールドロン（肩あて）をつけ、胸や腰まわりに装備を多数装備しているのがスペシャリスト。スペシャリスト2人に対しノーマル4人の6人で行動する

◀ベースには足首だけを固定し、デス・トルーパーだけを取り外して展示することが可能。胴体や肩、二の腕に入るシルバーの帯はマスキングしてGSIクレオスのMr.カラー8番のシルバーを使用

●ベースは木箱にプラ板を貼り、グラデーションをつけながらマリンブルーを塗装。砂浜部分にはサンドカラーを塗ってからアクリル板を接着して基礎とした。次に、流木や岩類を設置してからKATOのNゲージ用ウォーターエフェクトとリキテックスのジェルメディウムを使って海面と波を再現した。デス・トルーパーの足首をベースに接着したら、別途透明樹脂で作っていた跳ね上がった大きい波のエフェクトをまわりに植え込み根元をジェルメディウムで固定し海面と馴染ませる。最後にアクリル塗料で波頭をところどころ白く塗ってやって完成

今回はバンダイより映画公開に先駆けて発売された1／12デス・トルーパーを製作します。トレイラー動画にも登場したデス・トルーパーですが、そのなかでも水しぶきをあげながら海辺を駆けるイメージカットがカッコよかったので、そのシーンを再現してみました。

しかし『デス・トルーパー』って名前、すごいインパクトですよね。中南米のデス・スクワッド（暗殺部隊）がイメージソースなんでしょうか。劇中でもクレニック長官の私兵のように動いていましたね。

デス・トルーパーは通常のタイプと重装備のスペシャリストと呼ばれるタイプが存在するようで、このキットはそれら2種のどちらも作ることが可能です。

全身が単色というのは難しいです。しかも黒。シャドー・ストームトルーパーのように全身が同じ素材であれば再現は簡単ですが、今回は装備の各部が様々な素材で構成されていますから、それらの質感をキチンと表現してあげる必要があります。アーマー部分はセミグロスブラック、腹まわりのボックスはパキッとしたグロスの黒、インナースーツはタイヤブラック、腹部の3連爆弾は黒鉄色、腰まわりの箱は布っぽく調色したマットな黒、といった感じです。

ウェザリングはグレーに白を混ぜたパステル粉をエナメル溶剤で溶いたものを使用しました。全体が黒だとせっかくの造形がつぶれてしまうので、ちょっと説明的になりますが凹部に白パステルを置くことで凹凸を浮かび上がらせています。やり方は溶いたパステル粉を凹部を中心に置き、綿棒で拭います。このとき、直線的にシャッシャッと拭うのではなく、太い綿棒と細い綿棒を使い分けてトントンとたたきながら拭うとランダムな調子が出ます。

スペシャリストに着けるポールドロンと肩のポーチは溶きパテを毛足の短い筆でトントンとたたきこまかい凹凸をつけ、乾燥後に軽く1000番の紙ヤスリをかけて塗装後に凸部に軽くドライブラシすると革っぽい質感になります。肩のベルトは0・15㎜の鉛板に差し替えました。■

※掲載している画像はテストショットを使用しています。
実際の商品とは異なる可能性があります。

『ローグ・ワン／スター・ウォーズ・ストーリー』にはデス・トルーパーのほかにも新たなトルーパーが登場する。惑星スカリフに駐屯する熱帯地方に特化した装備を有するそれは、ショアトルーパーと呼ばれ、劇中でもいくつかのバリエーションが登場する。こまかいながらもそれぞれに違いがあり、キットでもその違いを再現できる仕様となっているので、ここではそれぞれのバリエーションを作り分けてみた

▶3種類のショアトルーパーはそれぞれに塗り分けも異なる。キャプテンと呼ばれる個体は腹部のほか胸部は脇の下まで青の塗り分けがある

▶ヘルメットの後部パネルなど、各部をタガネで彫り込んでやるだけで、塗装したときに別パーツ感が出て効果的だ

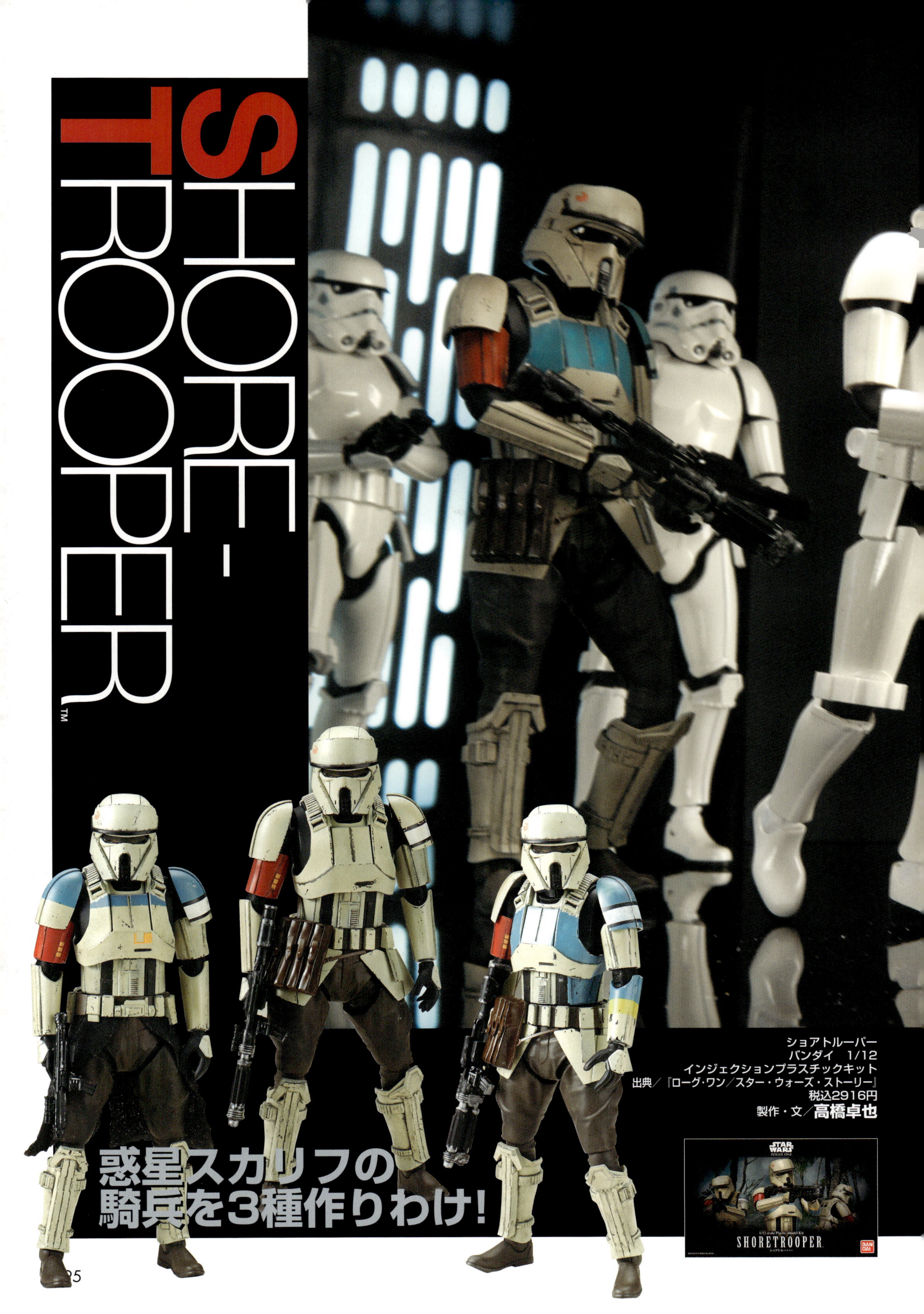

SHORE-TROOPER™

惑星スカリフの騎兵を3種作りわけ!

ショアトルーパー
バンダイ　1/12
インジェクションプラスチックキット
出典／『ローグ・ワン／スター・ウォーズ・ストーリー』
税込2916円
製作・文／**高橋卓也**

▲3タイプともに布製のズボンをはいているのでツヤ消しで塗装するだけでなく、布の質感がでるような工夫を施すと、装甲のチッピングとのコントラストが際立つ

▼キャプテンとレギュラーの背中のラックは左右ともにパンチ穴の開けられたプレートが存在するが（写真上）スクワッド・リーダーだけは向かって右側のプレートが取り除かれている（写真下）

▲スクワッド・リーダーの左足首の内側にはベルト状のディテールがない。外れた跡を付けるためにベルト状にチッピングを入れている

バンダイの、1／12ショアトルーパーは非常に出来のよいキットです。ショアトルーパーには劇中では装備などの違いから3バリエーションが登場し、それぞれ、「スクワッドリーダー」「キャプテン」「レギュラー」と呼ばれています。このキットではそのうちのひとつを選んで再現して製作する内容となっています。今回の作例ではこの三種類を、判明しているディテールの違いを加味して作り分けてみました。

まずはヘルメット。側面から後方に向けてぐるりと回っている部分をタガネで彫り込み、別パーツに見えるようにしました。胸のアーマーは取り付け用ダボが丸見えですので、切り飛ばしてしまいダボ穴のほうも見える部分のみプラ板で塞いでおきます。続いて腰に下げているマップケース（ですかね）に薄いプラ板でベルトを取り付けました。スクワッド・リーダーと呼ばれるショアトルーパーは腰巻をしています。しかし付属のものは質感に乏しく、薄っぺらい感じがしたので使用せずにキムワイプを切り出し、黒色のサーフェイサーをしっかり吹いて代用しています。スクワッド・リーダーは背中と左足のディテールがほかとは違います。

塗装についてはまず黒色のサーフェイサーをエアブラシで塗装します。アーマーのチッピングが印象的なのでGSIクレオスのMr.シリコーンバリアーを使って再現します。黒色の上からMr.シリコーンバリアーを吹き、GSIクレオスのMr.カラー313 イスラエル砂漠迷彩色をエアブラシで吹きます。そのあと、カッターの刃でコリコリとその塗膜を削っています。左肩アーマーの白黒帯のみデカールを使用してますが、それ以外はマスキングして塗り分けています。タミヤのウェザリングマスターを使い汚れを追加した後にアーマーについてはツヤあり、布のズボンはツヤ消しで仕上げました。マップケースはサーフェイサーの上から茶系の色を筆塗りで色を重ねながら革っぽい質感を目指しました。

三体作り分けると、並べてもなかなかサマになります。ぜひおためしを■

未踏の領域

バンダイ1/72 ミレニアム・ファルコンは 我々をどこへ 連れて行くのか？

バンダイ1/72 ミレニアム・ファルコン 開発チームインタビュー

まだ誰も全貌をつかんでいないだけで、驚くべきことが起きている。バンダイが2017年8月末に発売したPG（パーフェクトグレード）1/72ミレニアム・ファルコンは、「これ以上は不可能」と言い切れるほど徹底的なリサーチと検証の末に生まれた学術論文、研究報告書のようなキットだ。この膨大な情報量のキットが“誰にでも組み立てられる大量生産品”として世の中に送り出されたとき、いったい何が起きるのだろう？　静岡ホビーセンターで開発に携わるバンダイのスタッフ、社外の協力者たちの言葉から「いま何が起きつつあるか」を探ってみたい。

（2017年8月29日収録）

聞き手、構成／**廣田恵介**

◀左よりハイターゲットチームの福地英記（バンダイホビー事業部）、開発設計チームの芳賀勇助（バンダイホビー事業部）、撮影用モデル研究家の鷲見博、高橋清二、グローバルプロモーションチームの小川健太郎（バンダイホビー事業部）。鷲見博、高橋清二の両氏は資料提供やパーツ解析など、多方面にて今回の開発に協力している

◆決め手は〝熱量〟と〝美しさ〟

――ミレニアム・ファルコンには何種類かの撮影用モデルが存在するそうですが、僕のような素人は1／1の実物大セットが本物ではないかと考えてしまいます。今回、なぜ1・7m大の撮影用モデルをキット化の対象に選んだのでしょうか？

福地　2014年に1／72 Xウィング・スターファイターから弊社の『スター・ウォーズ』プラモデルシリーズを始めさせていただきまして、当初から数ある撮影用モデルのうち一種類を明確に選んでプラモデルとして再現することがシリーズのコンセプトでした。そしてミレニアム・ファルコンの大型商品、決定版を出すなら記念すべき第一作『新たなる希望』に登場したバージョンを商品化することが決定事項でした。それと、『帝国の逆襲』版のディテールを再現したファルコンの製品はこれまでにも商品化されてきましたが、『新たなる希望』撮影用に製作された1・7m大のファルコンを再現した製品はあまり商品化されていなかったことも理由のひとつです。

――『新たなる希望』では、1・7mの撮影用モデルがいちばん大きいのですか？

鷲見　いちばん大きなものが実物大セット、次が全体ではなく部分だけを作った4・5mのもの。そして、全体像を製作した撮影用モデルのうち最大のものが、1・7m大のものです。

――1・7m版がファルコンの全体像を作ったモデルとしてもっとも精密なのですか？

福地　精密でもありますし、製作スタッフの情熱がいちばん込められているのが1・7m大の撮影用モデルなんです。

鷲見　これまで存在しなかったアイディアやデザインを『スター・ウォーズ』という映画で具体的に形にしていく過程で、スタッフみんながときめいたと思うんです。ミレニアム・ファルコンは、最初はまったく違うデザインで進んでいたところ、急な判断で劇的にデザインが変更されました。デザインと模型制作の中心的役割を担ったジョー・ジョンストンさんは雨だれ、錆だれ等をこまかく分けて愛情のこもった塗装を施しました。込められている情報量が莫大で、どのディテールも美しいんです。

高橋　そう、『新たなる希望』の撮影用モデルは塗装が格別にいいんですよね。SF好きのアーティストが集まって作ったことが、とてもよく伝わってきます。

福地　今回の製品にあたって、2回、現存する撮影用モデルを取材してきました。すると、当時のスタッフの熱量が伝わってくるんです。撮影用モデルのこまかいところに製作者名が入っていたり、1・7m大の撮影用モデルに関わった人たちの足跡が刻まれています。また、この撮影用モデルはバンダイとの縁があって、弊社の戦車などのプラモデル製品をディテールに使ってくれています。鷲見さんがどの製品のどのパーツがどこに使われているか徹底的に解析してくれましたので、しっかり再現しています。弊社のプラモデル製品の遺伝子が『スター・ウォーズ』の撮影用モデルに受け継がれ、それをもう一度自分たちで再現して新たなプラモデル製品として世に送り出す……。ある種の因果さえ感じます。

――『帝国の逆襲』以降の撮影用モデルは、ディテールがかなり違うわけですか？

福地　1・7m大の撮影用モデルは『帝国の逆襲』以降も使われていますが、少しずつディテールが追加されたり変更されたりしています。

芳賀　『新たなる希望』の撮影時にこまかい部分を破損してしまったり、紛失したりして、細部が変わっています。大きな部分では、『帝国の逆襲』時に着陸脚が3本から5本に改造されています。

福地　決して『帝国の逆襲』版を軽視するわけではなく、今回は『新たなる希望』で作られた最初の状態にこだわっています。

鷲見　僕らの世代ですと、MPC社が公開当時に発売したプラモデルのパッケージが忘れられないインパクトになっています。じつは、あのパッケージ写真に使われていたのが1・7m大の撮影用モデルなんです。「ああ、あのミレニアム・ファルコンだ」と、ひと目で分かる素敵さがあります。

福地　1・7m大の撮影用モデルを可能なかぎり現物どおりに再現することで、必然的に1／72スケールのプラモデルとしての情報量も向上し、お客様が組み立てることで「こうなっていたのか」と、新たに発見していただけるキットになっています。

芳賀　僕はほかの皆さんより年齢が少し下なせいもあって、ミレニアム・ファルコンが映画ごとに違っていることをよく知らず、当初は一般ユーザーの方に近い視点に立っていたと思います。商品化に際して勉強していくうち、『新たなる希望』版撮影用モデルならではの魅力……情報量の多さや塗装の重厚さに驚愕しました。自分の受けた衝撃、〝ミレニアム・ファルコンの始まりの姿〟を、プラモデルを通して世界中の皆さんに伝えたいと思い、設計に臨みました。

◆当時のスタッフの作業を追体験できる

芳賀　映画を見ていても動きが速かったり、暗くて見えなかったりするような部分まで、撮影用モデルでは作り込まれています。宇宙船として、立体物としてのていねいな仕上げに、当時のスタッフの熱意を感じますね。

鷲見　「スター・ウォーズ スカルプティング・ア・ギャラクシー」（ボーンデジタル／刊）の著者であるローン・ピーターソンさんによると、現場のスタッフはみんなファルコンが好きで、1・7mの撮影用モデルには誰もがディテールを付けたくて仕方なかったそうです。みんながちょっとずつディテールを作っては去っていくという、スタッフの愛情に包まれた模型なんですね。

一例をあげると、メカ穴の側面にラティス構造のディテールが使われています。二箇所に使われていて、そのうち一箇所は船体中央部です。ERTL社のトラックのシャシパーツでディテールが作られていて、その奥にラティス構造の橋の欄干が二重に取り付けられているのが見えます。と言っても、劇中ではまったく見えないような奥まった部分です。当時の撮影用モデルを撮影した写真の中にたまたまフラッシュを使って撮られたものがあり、その一枚によって明らかになりました。映画では映らないとわかっているところまで作り込まれている理由は「ファルコンの魅力がスタッフを動かしている」、「やらずにいられなかった」からでしょうね。こんなこまかな部分は一般には知られていませんから、バンダイのキットを組み立てることによって「なんでこんな見えないところまで作ってあるの？」というおかしさもあるし、当時のスタッフの作り込みをモデラーの皆さんが追体験できる、そんなキットになっています。

芳賀さんと打ち合わせしているとき、「どこのディテールが好きですか？」と聞いたら、機体下面の穴ディテールの内部にある戦車のパーツが二重に貼られている部分だとおっしゃったんです。「……うん、よしよし、わかるよ」とうなづいてしまいました。

一同　（笑）

鷲見　その部分は現存している撮影用モデルには残っておらず、真上から撮られた写真しかありません。写真だけでは立体的な構造まではわかりませんから、プラモデル化することで「こんなに美しく作られていたのか」と気がつくはずだと確信していたし、芳賀さんにもちゃんと1・7m大の撮影用モデルの良さが伝わっていて、嬉しく思いました。

――芳賀さんは、ファルコンのどこに惹かれますか？

芳賀　全体のフォルムの美しさにも惹かれますが、やはりガラクタを寄せ集めたようなゴチャゴチャしたディテールが魅力ですね。覗かないと見えないような部分、パイプ状の入り組んだ部分、全体に散りばめられたひとつひとつのディテールの情報量がとんでもないんです。だけど、モチベーションに火がつくというか、無視はできません。ユーザーの皆様も今回のキットを製作していくなかで初めて知る形状があると思いますが、それらの形状は適当に作っているわけではなく、すべて当時の資料に基づいて形状を再現しています。

福地　撮影用モデルの取材に行って大変だったのは、機体周囲の側面ディテールですね。1回目の取材では暗くて写真が撮れていませんでした。高橋さんも鷲見さんも資料をお持ちでない箇所もありますから、2回目の取材では「やるからには徹底的に」という執着心で、余すところなく撮影してきました。現存している1・7m大の撮影用モデルの資料は、2度の取材によって充分に補完できたと思います。

◆撮影用モデルの〝できた瞬間〟を捉える

――これまで1／144スケールやビークルモデルなどで手ごろな価格とサイズのミレニアム・ファルコンが発売されてきて、「もうこれで充分」という方もいると思います。そのうえで4万円を超える価格の商品を買うのは勇気が必要な気がします。

福地　はい、会社としても勇気が必要でした（笑）。しかし、会社からは「バンダイが『スター・ウォーズ』を手がけるからには、この商品を出さないわけにはいかないだろう」と理解してもらえました。

――しかし、従来のバンダイ製品のブランドイメージからすると、組み立てのハードルが上がってしまっていないか心配です。

福地　ポリシーとしては、ニッパー一本で接着剤を使わずに組み立てられる商品を目指しています。オプションとしてエッチングパーツが付くので、そこのみ瞬間接着剤を使わないといけませんが、基本的にはスナップフィットです。1／144ファルコンやYウィング・スターファイターで検証してきたことですが、配管の微細なパーツはPS樹脂よりも柔らかくて弾性のあるアサフレックスを使い、折れにくくなっています。もうひとつ、最小サイズのビークルモデルによって「どこまでディテールを入れられるのか」という検証結果も得られました。これまでトライしてきたディテールの再現度や細密なモールドの入れ方などが、今回のPG（パーフェクトグレード）にすべて反映されています。

――PGというと『新世紀エヴァンゲリオン』からはじまり、いまはガンプラの最上位ブランドとして認知されていますよね。そのPG枠に『スター・ウォーズ』を含めると、ちょっと混乱を招きませんか？

福地　PGは、あくまで「バンダイ製のプラモデルにおける最高峰ブランド」と考えてください。今回の1／72ミレニアム・ファルコンは決定版ですから、PGの名を冠するべきだと思いました。弊社としては「やり残していない」パーフェクトな内容であるという意味ですね。鷲見さんと弊社の芳賀に作ってもらっているのは『新たなる希望』版ファルコンの完璧な姿です。

鷲見　もっと正確に言うと、1・7m大のファルコンの撮影用モデルは完成してすぐ宣伝用の写真を撮られているんです。その時期の様子を再現しています。船体中央部の砲塔は、この撮影用モデルでは基部ごと外せるので、写真によっては上下が逆になっています。ディテールに使われているプラモデルのパーツのダボ位置が異なっているので、そこから上下を判断できます。上下の砲塔周辺はけっこうディテールが違うので、そこも宣伝用写真に従って形状を再現しています。「スター・ウォーズ・クロニクル」（学研／刊）に掲載されているモノクロ写真は『新たなる希望』の撮影が終わって、『帝国の逆襲』のスタジオに引っ越して最初に撮られたものです。その時点でディテールが追加されたりしているのですが、宣伝用写真を撮られた段階でなかったディテールはキットには含まれていません。

福地　つまり、撮影用モデルができたばかりで撮影前の、いちばんきれいな状態を目指しています。

鷲見　そうそう、どこも破損していない〝できた瞬間〟をキット化したいんです。

福地　ですから、お手元の資料を見て「違うじゃないか」という方もいらっしゃるかもしれません。『新たなる希望』の撮影前と撮影後で、すでにディテールが異なっていますが、キットは撮影前を再現しています。

鷲見　こまかく言うと、1・7m大の撮影用モデルには3バージョンあります。完成直後、着陸脚が5本に改修される直前、5本脚に改造されたもの。撮影時にぶつけて壊れてしまった所もあって、根元だけ残っています。その残った部分から流用パーツを探し当てて再現してもらっています。

福地　もはや、考古学ですね（笑）。

鷲見　元になったキットが判明すると、隠れた部分のディテールまでわかるんです。チラッと映っているディテールから流用パーツを類推してキットの現物を入手し、パーツをノギスで測ってから、デジタル上に立体として配置して確認しています。

――話を総合すると、完成直後の1・7m大のファルコンを再現した、ほぼ唯一の立体商品ということですか？

福地　そういうことになります。写真だけではわからなかった部分まで、鷲見さんと高橋さんが解析してくださいましたので、その研究成果は充分に活かしてあります。

1.7mサイズのファルコンは、スタッフの愛情に包まれた模型なんです。

◀撮影用モデルに使われた膨大なキットを入手して、ミレニアム・ファルコンの徹底解析を行なった鷲見博氏。高橋清二氏と協力して、当製品の考証を完璧なものとした

※写真に写っている模型はテストショットです

◀左から、グローバルプロモーションチームの小川健太郎（バンダイホビー事業部）、撮影用モデル研究家の高橋清二、鷲見博

◆なぜこの価格？　なぜこのスケール？

——「それほど詳しくないけど『スター・ウォーズ』は嫌いじゃない」というライトな層にとって、4万円を超えるプラモデルは買いづらい商品ではありませんか？

福地　当然、たくさんの方に買っていただきたい気持ちはあります。「482㎜の大きなサイズのミレニアム・ファルコンが望まれているだろう」と考えたのが企画の発端ではなく、これまでの弊社のこだわり、蓄積してきたノウハウを存分に込められると逆算したのがこのサイズなのです。そういう意味では、コアなお客様、『スター・ウォーズ』を好きな方に向いた商品と思われるかもしれません。これ以上は望めない至高の逸品をバンダイが全世界に向けて送り出す。それがこの製品の最大のコンセプトです。

高橋　税込4万3200円という値段に驚くかも知れませんが、値段は後から決まったんですよ。

芳賀　最初に発売した1／144スケールのミレニアム・ファルコンは『スター・ウォーズ／フォースの覚醒』公開に合わせて開発しました。つまり、新作映画から入ってきた新しい方たちと旧作の『スター・ウォーズ』のファン、両方に向けた製品でした。その次に、手軽に買えるビークルモデルを発売して、『スター・ウォーズ』の世界観、ファルコンのかっこよさ、プラモデルを組み立てる楽しさを幅広い層にアピールできたと思います。しかし、この2種類の製品だけでは物足りない、〝その先〟を見たいというお客様もいらっしゃいます。そういう方たちに納得してもらえる、徹底的にこだわった究極のミレニアム・ファルコンを設計したくなりました。

　1／144スケールのファルコンは映画に登場した機体がCGでしたので、CGデータをベースに設計したものです。今回の1／72ファルコンは、1／144で使ったデータの流用はいっさいありません。鷲見さんに協力していただき、撮影用モデルの形状解析を行ない、ゼロから形状作成の作業を開始しました。組んでしまったら見えないような部分にまで、ディテールを彫り込んであります。流用されているプラモデルパーツの突き出しピンまで再現しました。値段が値段ですので、考えてしまうかもしれません、すぐでなくても、いつかは手にとっていただきたいです。組み立てやすさに関してはプラスチックパーツは接着剤も使いませんし、これまでのバンダイ製品同様、どなたにでも組み立てていただけます。決してハードルの高いキットではありませんので、そこは強調させていただきたいです。

——1／72スケールは、実機が存在すると想定して算出した大きさですよね？

福地　公式設定では、ファルコンの全長は34・75mです。弊社の『スター・ウォーズ』シリーズでは、ビークル系は1／72、1／48、1／144の3種類で展開しています。なかでもXウイング・スターファイターなどの主役級ビークルは1／72ですから、『スター・ウォーズ』シリーズを開始した時点で、いずれ1／72スケールのファルコンを発売するであろうことは必然的な流れでした。

芳賀　1／144スケールのファルコンを開発しながら、流用されているプラモデル製品のパーツを1／72で再現するとしたらどうなるか、うっすらと考えてはいたんです。パイピングの細さですとか、わずかな段差の寸法ですとか、バンダイの金型成形でどこまで表現できるか1／144の設計段階でチャレンジしていました。そしていよいよ1／72での製品化が正式に決定したので、これまで積み重ねてきたノウハウをすべて投入しました。サイズの分だけコストも跳ね上がってしまったのですが、1／72だからこそ伝えられる魅力もあるので、ぜひ1／144と作り比べてみてほしいです。

——細密さを保つため、接着剤が必要な仕様にする選択肢はなかったのですか？

福地　いえ、それは最初から考えませんでした。バンダイ製品を買っていただくお客様には、最低限の作業で最上級のプラモデルを楽しんでいただきたい。PG（パーフェクト・グレード）というブランドを冠しつつも、やさしさというよりは組み立てやすさを提供したいのです。

芳賀　繰り返しになりますが、ステップを踏んでいけば必ず組み上げられます。接着剤を使うというだけで尻込みしてしまう方もいらっしゃるので、弊社ならではの「初めてプラモデルに触れる方でも完成させることができる」ポリシーで臨みました。

福地　工場萌えや建築萌えのような感じで、メカニカルな面から「何か、凄いプラモデルがあるらしい」と興味をもってくれる方もいるでしょう。もしかすると、この1／72ミレニアム・ファルコンがプラモデル作りの入り口になるかもしれません。挫折せず、苦労なく、誰でも完成させられるプラモデルという点では、600円でも4万円でも同等であるべきと考えています。

◆デカールで表現される〝塗装感〟とは？

——今回のファルコンは多色成型ではなく、組み上げると白一色のようですが……。

福地　はい、成型色ではなく水転写デカールで色分けを再現しています。まず、パーツを組み立てることで「40年前の撮影用モデルを『スター・ウォーズ』のスタッフとして作り上げる」追体験をしていただいた後に、水転写デカールでパネルの塗り分けやマーキングなどの塗装感を味わっていただく。ただし、汚し塗装まではデカールで再現できていませんから、最後のウェザリングだけはキットの組み立て説明書やお手持ちの資料をもとに仕上げていただくかたちになります。

小川健太郎　今回は塗装のハガレをデカールで再現しています。撮影用モデルとそっくり同じ塗装ハガレを、付属のデカールを貼ることで再現可能です。

——塗装のハガレまでデカールで再現しているのは、シリーズでも初めてでは？

福地　はい、いままではまっさらなマーキングばかりで、ハガレ具合はご自分で工夫していただく仕様でした。今回のファルコンは、デカールを貼るだけです。

鷲見　撮影用モデルでは市販のプラモデル製品のデカールを転用して貼っているのですが、一枚だけ見えないところに貼ってあ

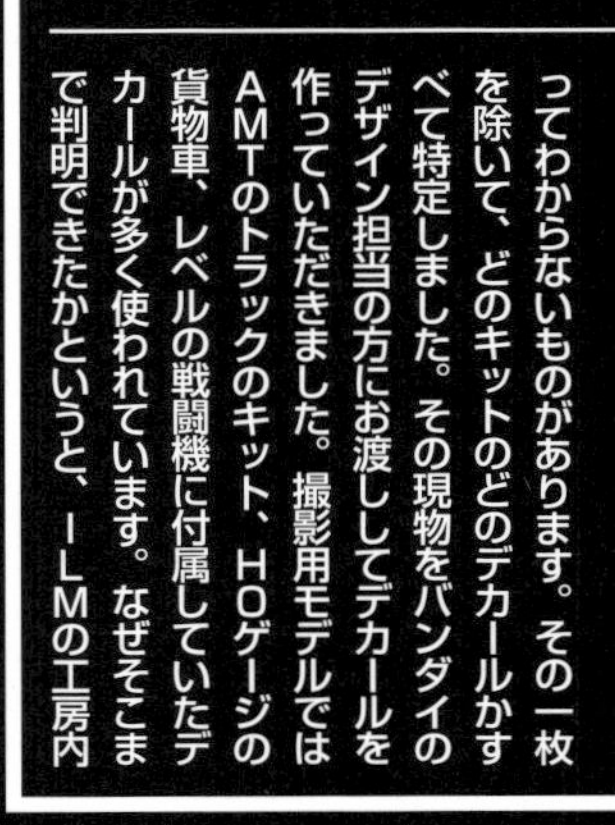

ってわからないものがあります。その一枚を除いて、どのキットのどのデカールかすべて特定しました。その現物をバンダイのデザイン担当の方にお渡ししてデカールを作っていただきました。撮影用モデルではAMTのトラックのキット、HOゲージの貨物車、レベルの戦闘機に付属していたデカールが多く使われています。なぜそこまで判明できたかというと、ILMの工房内

▶取材時点ではテストショットしかなく、キットの組み応えを探るには開発スタッフの証言を頼りにするよりなかった

で撮影された当時の写真を見て、棚に積んであるプラモデル製品をすべて買い揃えて調べたからなんです。撮影用モデルのそとから見える部分に貼ってあるデカールは100%、完全に特定して再現してもらいました。

高橋　撮影用モデルに流用されているデカールは一枚一枚、すべて異なっています。

鷲見　使っているのは「スーパーダイバード」というバッテリーのロゴ、「ドライブ・セーフティ」だとか「チャンピオン」だとか、車関係のデカールが多いんです。ほかに撮影用モデルには、模型製作スタッフのサインも入っているのですが、彼らの名前も特定しました。

福地　『スター・ウォーズ』の世界では原語表記が英語ではないので、遊びで貼ったデカールもあるんでしょうね。商標などの問題がありますが、その部分はできるだけ近いかたちでお届けしたいと思っています。

鷲見　ですから、デカールについては明確に文字が読めないよう、アレンジはしてもらっています。それでも、海外の『スター・ウォーズ』研究サイトで公開されているものより、このキットのほうが正確なはずです。

　ディテールに関しても、当時の写真ではピンボケでわからない部分がありました。芳賀さんが設計している途中の段階で新たに流用パーツが判明したりもしました。そういった箇所は、もちろん最新の情報に更新して再設計していただいています。ですから、全世界のミレニアム・ファルコン・マニアがビビる充実した情報量になっていると思います。

芳賀　設計作業中に「このディテール、世界で何人がわかりますかね?」なんて会話をよく交わしましたね。「うーん……5人ぐらいかな?」とか（笑）。

福地　「そこまでやるなんて、バンダイはおかしいよね」と言ってもらえるのは、誉め言葉として受けとっております。

高橋　この製品を見たら、おそらくほかのプラモデルメーカーの開発者たちも驚くと思います。「ああ、ついにバンダイもスケールモデルに手を出したか」と震撼するのではないでしょうか。

――「撮影用モデルの縮尺模型」は、新ジャンルと呼べるのではありませんか?

高橋　いえ、はっきりとスケールモデルと呼んでさしつかえのない内容ですよ。

福地　『スター・ウォーズ』は架空の世界かも知れませんが、撮影用モデルという現物が存在しています。その現物に対するスケールモデルを作ることがシリーズの出発点でした。今回は、その集大成ですね。

◆本当に“組み立てやすい”のか?

――撮影用モデルをプラモデルとして縮小する際、サイズ的にどうしても再現できない部分もあったと思うのですが……?

鷲見　縮小したとき、0・1㎜以下になる、点みたいな部分は省略しています。流用されているパンサー戦車のパーツのリベットと穴ダボは数を合わせただけでなく、形状も変えているのですが、そこはしっかりと再現されています。Yウィング・スターファイターがキット化されたとき、実際の撮影用モデルに比べて少しディテールが間引かれたように感じましたが、今回のファルコンは違います。たとえば、Yウィングとファルコンには、同じプラモデル製品のパーツが流用されています。今回のファルコンのほうが、元のパーツの印象を強く残しています。

芳賀　事前検討を行ない0・1㎜であれば、太さの違いや凹凸の高さの違いなどが目で確認できることを確認しました。ですから、目安として0・1㎜を基準にしました。ディテールを精密に再現するには、まずパーツを分割する方法があります。パーツを分割せずに一体成型する場合、金型の抜きの方向によってアンダーになって肉厚が増してしまうんです。そういう場合は抜きの方向を変えて、アンダー部分の肉厚をなるべく減らして、撮影用モデルの印象を極力崩さないように注意を払いました。

鷲見　とてもきれいにディテールが抜けていますね。芳賀さんの愛を感じます。

芳賀　鷲見さんがライフワークとして解析された部分、弊社が直接取材して新たに判明した部分とがあります。それらを余すところなく再現したかったのです。

鷲見　僕のほうから「このディテールはアンダーになって抜けないだろうから、省略しましょう」と提案した部分もあるのですが、芳賀さんから「いえ、省略しません。なので、この部分の裏側のディテールを教えてほしい」と連絡が来て、ちょっと感動しました。

芳賀　単にゴチャゴチャしているのではなく、影が落ちることで奥行きが出て、密度や情報量が増す。そうした、立体感のポイントになる部分を大事にしました。

――それは、482㎜大のプラモデルとしての見映えですね?

芳賀　そうです。最初に撮影用モデルの写真を見たときそのままの印象を、どうすればこのサイズに落とし込めるか考えました。

鷲見　一体成型にしても効果的に影が落ちるところは、無理に分けずに一パーツで成型してもらっています。別パーツにしたほうが効果の出るところは、芳賀さんの判断で調整してもらいました。

福地　1／2スケールのBB-8を開発したとき、陰影を強調するシェーディングモールドという技術を初めて試しました。今回は、シェーディングモールドの応用として、パイピングの立体感を強調するために特殊なテクニックを使いました。単なるカマボコ型にパイプを成型するのでなく、一段へこんだように彫っています。

――確認ですが、1・7m大の撮影用モデルに着陸脚はあったのですか?

鷲見　ありません。ですから、着陸脚は実物大セットの図面から起こしています。ハッチの開き方もセットのとおりにしています。

芳賀　雰囲気で処理している部分はありません。必ず、何かしらの資料に基づいています。また、ディテールの再現だけでなく、組み立てていて飽きないようなパーツ分割を考えました。それぞれのブロックごとに、組み立てることで何か新しい発見があるように心がけて設計しました。

――1／144ミレニアム・ファルコンでは、ふたつのパーツを組み合わせるだけで驚くほど立体的なディテールができ上がりました。そういうパーツ構成を1／72でも期待していいのですか?

芳賀　当初は1／144を進化させたパーツ構成にしようと考えました。だけど、撮影用モデルを詳しく見ていくうち、1／144の方法では再現できない部分が出てきたので、思い切って考えを変えました。その結果、パーツ数は増えていますが、私の場合、テストショットを9時間程度で組み終わりました。パーツ数の割には、楽しく組み立てられるキットになっています。

――サイズがサイズだけに大きなパーツもあると思うのですが、ヒケなどの対策は?

福地　大きなパーツについては、これからの工程で苦労することになります。通常よりも大きな成型機を使いますので。

芳賀　大きなパーツのなかで分厚いところと薄いところがあると、ショート（材料が回り切らない）してしまいます。ピンゲートという、型に材料を流すゲートの位置や数の微調整も必要になってきます。成型工程はナマモノですので、金型の条件、材料の条件に左右されます。実際に射って(成型)みないとわからないんです。製品として安定させる仕上げ作業はこれからですね。おそらく、金型や成型に携わる職業の人たちが見ても、おもしろい製品になっていると思います。

鷲見　ミレニアム・ファルコンの撮影用モデルの美しさって、0・3㎜と0・5㎜の差が生み出していたりするんです。僕が40年前に撮影用モデルの写真を見て感動したように、いまの人たちも何か感じてくれるんじゃないでしょうか。やっぱりプラモデルという立体物を自分の手で作っていくと、理解できることがいっぱい出てきます。なぜここまで深く作りこんでいるかというと「当時の撮影用モデルが魅力的だから」。それに尽きるんです。この感動、届く人には必ず届くはずだと信じています。■

ディテールの再現だけでなく組み立てていて飽きないパーツ分割を考えました

◀左は開発設計チームの芳賀勇助（バンダイホビー事業部）、右はハイターゲットチームの福地英記（バンダイホビー事業部）

廣田恵介の

組んだ語った SWキットレビュー症候群

レビュアー／廣田恵介

前回の『スター・ウォーズモデリングアーカイヴ』でも当時発売されていたキットを素組みしてレビューしたが、あれから『フォースの覚醒』『ローグ・ワン』『最後のジェダイ』と三本の映画が公開されてキット数も激増。単なるカラバリと思われるキットもしっかり組んで、“些細な違い”を見つけて楽しんでみた。

1/72 Xウィング・ファイター（レジスタンス仕様）

2015年10月発売　税込2592円

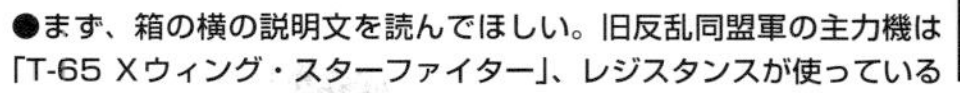

●まず、箱の横の説明文を読んでほしい。旧反乱同盟軍の主力機は「T-65 Xウィング・スターファイター」、レジスタンスが使っている本機は「インコム・フレイテックT-70 Xウィング・ファイター」と明記してある。大気圏内でも使うから「スター」が外れたのかも知れないけど、とにかく開発メーカーと形式番号が書かれているだけで気分が高まるではありませんか（俺だけ？）。キットは、まず主翼の組み立てでデザインの巧みさに感心させられます。旧Xウィングと異なり、面積の違う翼が前後に組み合わさることは知っていたけど、レーザー砲の取り付け位置が前後の翼では異なるのです。こういう構造的な差異に気づかされるのは、プラモデルならでは。銀色のパーツが魚雷発射口や露出した内部メカに使われていて精密感をアップさせますが、レーザー砲先端の細いパーツは取り付けに注意。向きを間違えるとポッキリ折れてしまうのです。

1/72 ファースト・オーダー　タイ・ファイター

2015年12月発売　税込2592円

●ひょっとして、旧三部作版のタイ・ファイターの色替えでは……程度に思って手に取ると、心地いい衝撃が走ります。コクピットをモジュールとして完成させた後、外殻で覆う構造こそ同じなれど、操縦桿の位置関係が難しい。よく説明図を見ているつもりなのに、前後を間違えてしまう。ソーラーパネルも同様で、グレー成型のパネルを黒い枠でサンドイッチするだけなのに、なぜかパカパカ浮いちゃう。外して見ると、片側にだけ四角いダボ穴が打ってあったりして、「えっ、こんな単純なパーツに上下があるんだ？」と枠のディテールをあらためて見ると、確かに微妙に違うんです。ベースとの接続方式はタイ・インターセプターと同様、後部のひし形の穴を使うスマートな方式を採用。これ、スピード感が出て、いいディスプレイ方式なんです。フォルムもぎゅっとコンパクトになってるし、タイ・ファイターのいいとこ取り、ベスト盤みたいなキット。

1/12 ファースト・オーダー　ストームトルーパー

2015年11月発売　税込2592円

●歴代トルーパーのなかでも、ハンサム顔な割に胴体は太くて足の短い、あの独特の体形が可愛く再現されている。ここまできたら、フィンの顔面も付属させてほしかった。トルーパー系って厄介で、「いつものあれね」と油断していると、思わぬイレギュラーなパーツが混じってくる。このキットで言うと、太ももと上腕に組み込む黒いプラパーツ。ちょっとダボ穴の位置が偏りすぎてないか、気になってしまう。上腕とひじ関節の向きも少し迷う。説明書の写真も参考に。しかし、ほかのトルーパーにないシールドとトンファーは透明パーツ使用、可動箇所ありで楽しいよ。シールドは握った手首を差しておけば、パーツを外さなくてもそのまま腕に着脱可能。ただ、トンファーは専用の持ち手は付いてなくて、銃を持つ手で保持する。いつも思うことだけど、武器の数だけ手首を付けてもらって、手首ごと交換できれば楽なのにね。

1/72 ファースト・オーダー　スペシャル・フォース　タイ・ファイター

2016年1月発売　税込2592円

●ノーマル版のファースト・オーダー タイ・ファイターと続けて作ると、あれこれと謎が解けます。なるほど、スペシャル・フォース版は副座機で、パーツを共有するために操縦桿を嵌める穴が前後にあったのね。残念ながら、ポー・ダメロンとフィンのフィギュアは付いてません。でも、前部と後部で操縦桿の形が違っていたり後部座席には横長のキャノピーが付いたりして、ぜんぜん飽きない。レッドショルダーのように、片側だけ赤いパーツが入っていたり、お楽しみ要素は満載。前部キャノピーの向こう側に、うっすらと後部キャノピーが見える副座型タイ・ファイター、なかなか新鮮でよろしい！　あと、台座との取り付け方法がユニークで、Uの字型にカーブした取り付け部を後部スラスターの二つの穴にピタ～ッと接続する、もはや変態的とも言うべき構造になっていますので、最後の最後まで楽しめます。

1/12 BB-8&R2-D2

2015年12月発売　税込2592円

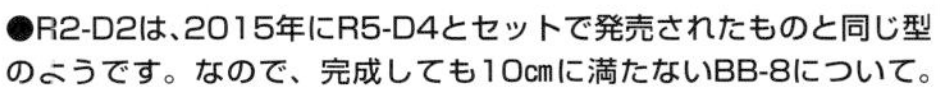

●R2-D2は、2015年にR5-D4とセットで発売されたものと同じ型のようです。なので、完成しても10㎝に満たないBB-8について。R2-D2が大雑把に感じられるぐらい、サイズの小ささに対して色分けされる面積が細かい。それでも最小パーツで色分けされているため、頭部にアンダーゲートが多い。なので、ヤスリは必須です。頭部アンテナは折ったり無くしたりしても大丈夫なように二本ずつ付属。胴体はブロック状の内部パーツに6個の半球状のパーツをパズルのように貼りあわせて完成させるんだけど、むしろ半球状パーツを埋める真っ白なパーツの構成に唸らされます。似たようなパーツを垂直に嵌めたり水平に嵌めたり、無重力的な発想にビックリ。頭部と胴体を接触させないように工夫されたクリアー成型のディスプレイ台は苦しいアイデアのようだけど、完成後も胴体をコロコロと回転させて遊べるメリットが嬉しい。

1/12 カイロ・レン

2016年4月発売　税込3240円

●「カイロ・レン？　あんなやつ、プラモデルで作って楽しいの？」と疑っているアナタ。信じられないかもしれないけど、楽しい。まず、上半身の布の織物感がすごい。「本当にプラ成型なのか？」と指で触ってしまうぐらい、質感バリバリ。指の手袋感、表情がいい。ブラスターの弾を止める中二病全開の「ぐわっ」と開いた手首も着くので、気分はカイロ。ライトセーバーを握る手首も、心持ち斜め前に突き出して握るように造形されていたり、腕自体も内側にやや曲げていたり、造形の人間感がすごいです。足も短くて「ああ、まったく頼りない若造だよなあ」としみじみ。マスク部は“銀色”であってメッキ処理ではないのが残念だけど、ギラギラ光るシールがモールドにフィットするので、貼ってみて。関節構造こそいつものトルーパー系ではあるけど、アダム・ドライバーの顔面が付属してないのが本気で残念な“カイロ・レンそのもの”のような好キット。

1/12 キャプテン・ファズマ

2016年2月発売　税込4320円

●同スケールのファースト・オーダー ストームトルーパーとの完全共通パーツは、じつは内部フレームと関節部のみ。装甲はすべて銀メッキなのでアンダーゲートに変わっているし、そもそも各部の形が違うのだ。ヘルメットは左右から後部にかけての膨らみがなく甲冑らしくストンと切れた造形になっており、頭頂部のスリットを再現するためにパーツ分割からしてストームトルーパーとは変更されている。すねはスラリと長くなり、足首も女性らしくほっそりと変更され、手首は大きい。完成後は、もっさりした愛嬌あるストームトルーパーとは対照的な、すっきり引き締まったスタイルに魅了されてしまう。女性キャラのプラキット化はスター・ウォーズでは初、それを自分の手で組み上げられるだけで大興奮です。マントは3パーツ構成のプラ製か布製かの選択式。マントに貼るクロークシールは布っぽい落ち着いた質感で、銀メッキのボディと好対照。

1/12 クローン・トルーパー
2016年6月発売　税込2592円

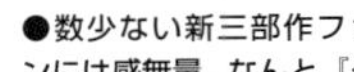

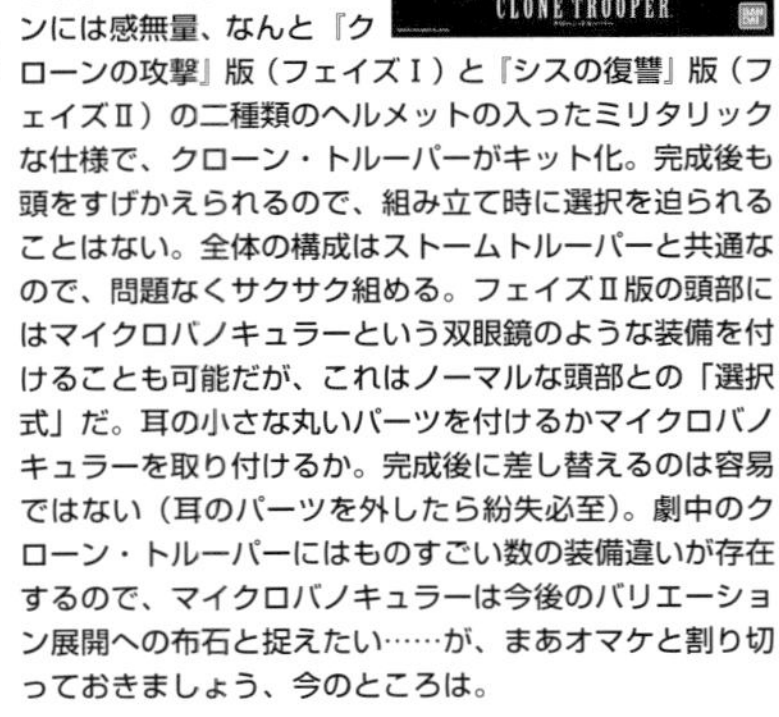

●数少ない新三部作ファンには感無量、なんと『クローンの攻撃』版（フェイズⅠ）と『シスの復讐』版（フェイズⅡ）の二種類のヘルメットの入ったミリタリックな仕様で、クローン・トルーパーがキット化。完成後も頭をすげかえられるので、組み立て時に選択を迫られることはない。全体の構成はストームトルーパーと共通なので、問題なくサクサク組める。フェイズⅡ版の頭部にはマイクロバノキュラーという双眼鏡のような装備を付けることも可能だが、これはノーマルな頭部との「選択式」だ。耳の小さな丸いパーツを付けるかマイクロバノキュラーを取り付けるか。完成後に差し替えるのは容易ではない（耳のパーツを外したら紛失必至）。劇中のクローン・トルーパーにはものすごい数の装備違いが存在するので、マイクロバノキュラーは今後のバリエーション展開への布石と捉えたい……が、まあオマケと割り切っておきましょう、今のところは。

ビークルモデル003　Xウィング・ファイター ポー専用機
2016年6月発売　税込648円

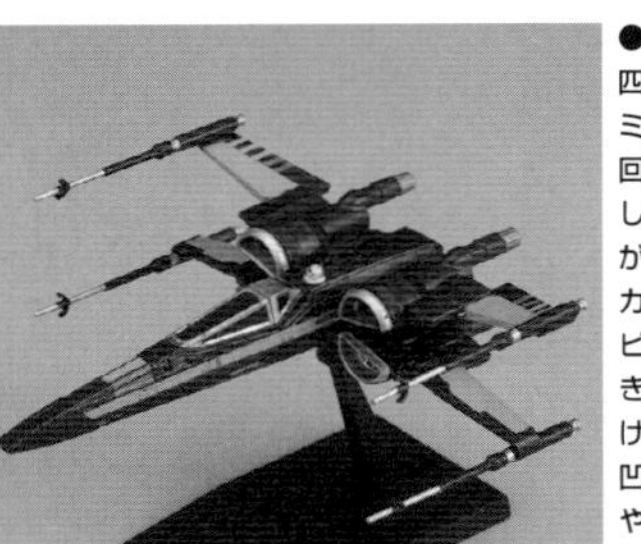

●Xウィングといえば、四枚の翼と四つのエンジン。四枚羽を展開するギミックは旧Xウィングと変わらないのですが、今回はインテークが半円形なので、パーツ構成は少しだけシンプルになりました。「似たようなパーツが四つずつだから、間違えるわけないよね」とタカをくくって適当に組んでいると、なんと主翼がピタッと閉じない。じつは主翼の裏側に嵌める大きな板状パーツに、翼を固定するためのダボが設けられていて、これが干渉している。ダボが凸か凹であるかの差なんだけど、翼を合わせる工程でやっと組み間違いに気づいたりする。間違ったままでもパーツが嵌ってしまううえ、取り外すのが非常に厄介なので本当に気をつけて……って、ちゃんとパーツ番号を確認しながら進めれば大丈夫です。「説明図が小さくて見づらいぜ」という方、バンダイ公式サイトにPDFで説明図がありますよ。

1/12 バトル・ドロイド&スタップ
2016年8月発売　税込4536円

●スタップというバトル・ドロイド本体より巨大なオマケが話題になりがちですが、武器のほかに双眼鏡も付くし格納ポーズに変形するし、過剰なまでのプレイバリューを盛り込んだ珍品キットとなっています。システムインジェクションの導入で、可動する手足があらかじめ組み立て済みなのも明らかにオーバースペック。別売りのC-3POと頭部を取り替えて遊べるばかりか、「C-3POに銃を持たせるためのジョイント」まで付属！　誰がそこまでやれと命じたのか。あと、バックパックを背負ってないバリエーション型にも組めるのですが、そんなバリエーションあったのかよ。知らないよ！　スタップにしても、二重になったシャフトが連動しながら銃座が上下に可動したり、意外にもアンダーゲートを多用してあったり、「ちょっと落ち着けよ！」と声をかけたくなるほど、重箱の隅までギッシリと工夫と遊びの詰まったキット。

ビークルモデル004 ファースト・オーダー　タイ・ファイターセット
2016年8月発売　税込648円

●「どうせ旧三部作のタイ・ファイターにアンテナとか付けた程度でしょ？」と思っていると、じつはディテールもフォルムも違う。このキットにはノーマル機とスペシャルフォース機が入っていて、スペシャルフォース機には装甲版みたいな薄いパーツが付くし、後部スラスターユニットは片方だけ別パーツ。赤く塗るべき部分を塗装しやすくするために別パーツ化しているわけだけど、全身が黒成形だから、「なんで一体成形にしないの？　変なキット！」とおもしろがったりできます。あと、ソーラーパネルは四本のバーで支えるんだけど、ダボ穴が四つ設けられています。四つのうちひとつのダボ穴だけ、なぜか向きが違う！　こんな単純な形のパーツでも上下の違いがあるらしい。当然、向きが違うと嵌りません。「適当にパーツを差し替えたバリエーション機でしょ？」とナメてかかると、意外とこまかな発見のある闇鍋のようなキット。

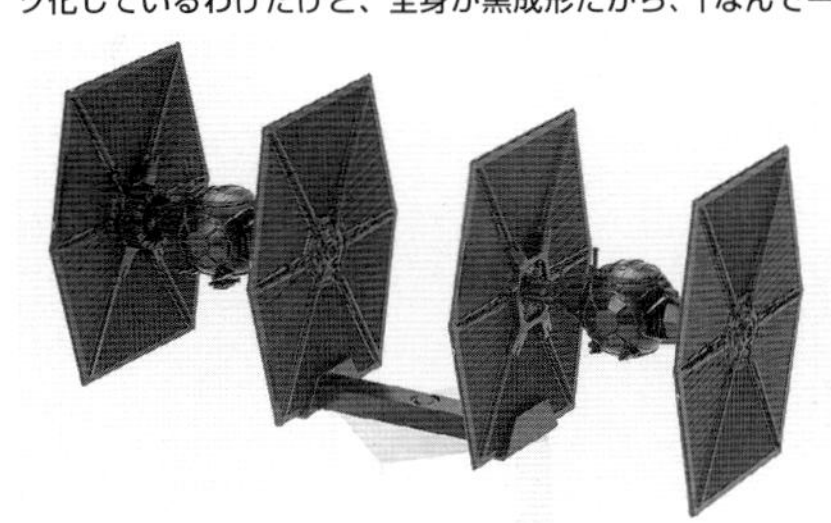

ビークルモデル005　Yウィング・スターファイター
2016年10月発売　税込648円

●1/72のYウィングでも思ったことだけど、どうしてバンダイはYウィングだと暴走するんだろうか。もちろん、嬉しいんだけど。隙のない発狂ディテール表現に気が遠くなります。ボディはぎっちりとモールドの施された板を「後ろはコレ！　左右はコレ！」と、ガンガン組み立ててくシンプルかつ強気な構成。左右エンジンは似たようなものだろうと思いきや、左右共通ではなく、微妙にパーツ形状が違ううえ、間違って取り付けてしまわないよう、本体と接続するダボ位置が変えてあります。あと、マーキングシールは黄色いストライプなど15枚。無塗装派の人も、これぐらいなら貼れるでしょう。というか、貼ってください。あの、あなたが1978年に映画館でちびってしまったYウィングが手のひらに爆誕！　サイズも大きめだし、文句なし。最高すぎ。

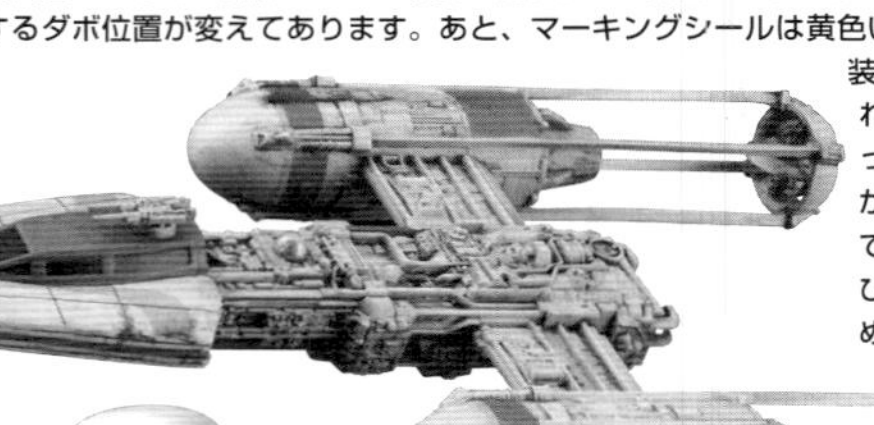

1/72 Xウィング・ファイター　ポー専用機
2016年9月発売　税込2592円

●『スター・ウォーズ』シリーズのカラーバリエーション・キットは「単純な色替えではない」ことを痛感させられる。まず、コクピット後方に乗せるドロイドが、追加ランナーで新たに一体増えている。では、BB-8は一般のXウィングと同様かというと、なぜかクリアー成形へと変更されている。透明のBB-8、かなりのレア。オレンジのストライプ部分も一般機のブルーより面積が広いので、ランナー内のスイッチ切り替えでパーツの色分けを変更してある。そこまではまあ、色プラの常識内といえる。ビックリしたのは、翼の後面に嵌めるディテールのモールドされたパネル類。一般機では胴体と同じAランナーに配置されていた（つまり機体と同じ白色）のに、ポー専用機では銀色のCパーツに移設されているのだ！

確かに黒い機体に銀色のディテールはビシッと映えるのだが、わざわざランナーをまたいでパーツを移設するなんてセンス良すぎ！

1/6 ストームトルーパー
2016年12月発売　税込7020円

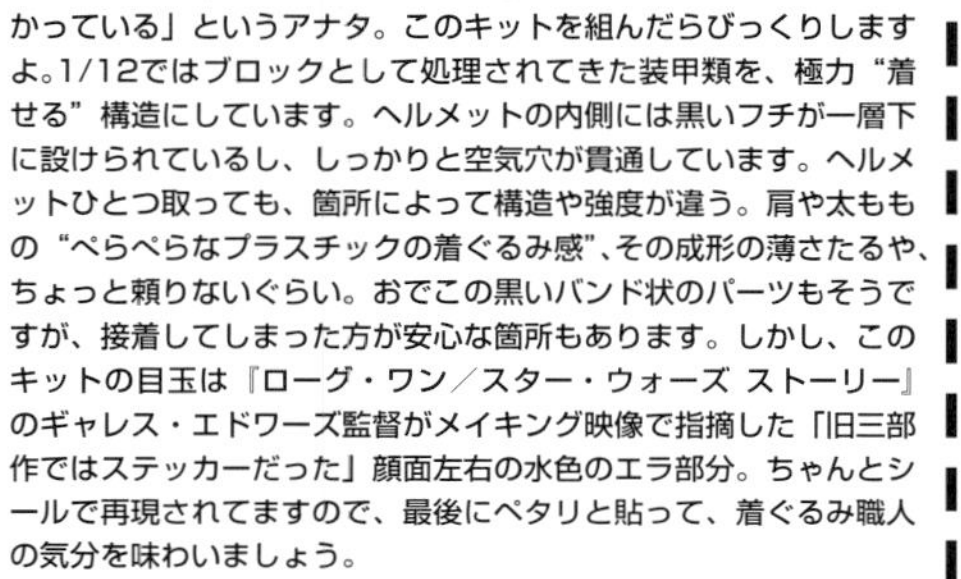

●「もうストームトルーパーのキットはいっぱい組んだし、だいたい分かっている」というアナタ。このキットを組んだらびっくりしますよ。1/12ではブロックとして処理されてきた装甲類を、極力“着せる”構造にしています。ヘルメットの内側には黒いフチが一層下に設けられているし、しっかりと空気穴が貫通しています。ヘルメットひとつ取っても、箇所によって構造や強度が違う。肩や太ももの“ぺらぺらなプラスチックの着ぐるみ感”、その成形の薄さたるや、ちょっと頼りないぐらい。おでこの黒いバンド状のパーツもそうですが、接着してしまった方が安心な箇所もあります。しかし、このキットの目玉は『ローグ・ワン／スター・ウォーズ ストーリー』のギャレス・エドワーズ監督がメイキング映像で指摘した「旧三部作ではステッカーだった」顔面左右の水色のエラ部分。ちゃんとシールで再現されてますので、最後にペタリと貼って、着ぐるみ職人の気分を味わいましょう。

1/12　デス・トルーパー
2016年11月発売　税込2916円

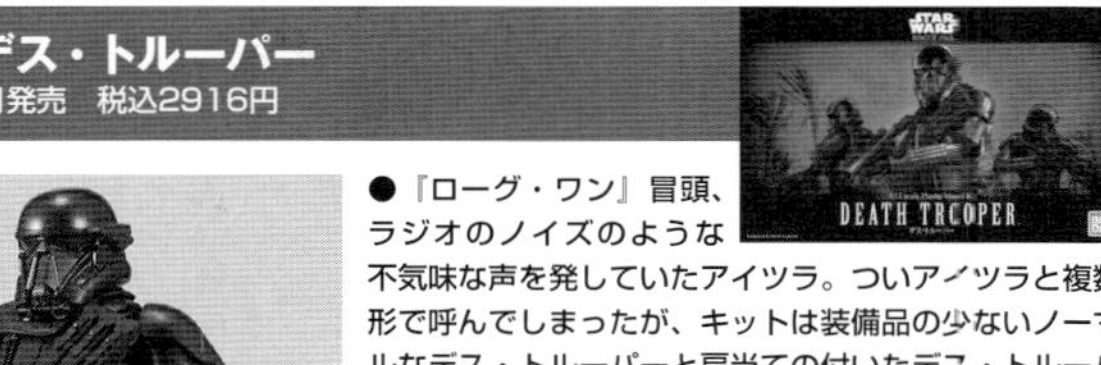

●『ローグ・ワン』冒頭、ラジオのノイズのような不気味な声を発していたアイツラ。ついアイツラと複数形で呼んでしまったが、キットは装備品の少ないノーマルなデス・トルーパーと肩当ての付いたデス・トルーパー・スペシャリストの選択式。装備品だけでなく腹部・胸部のパーツが異なるため、どちらかを選んで組み立てます。スペシャリストの胸部装甲にはベルトが一体成型でモールドされているが、装甲の光沢とベルトの質感の対比が見事。マグポーチなど皮製と思われる装備品は半光沢で質感ありあり。特筆すべきは、長砲身のライフルを持つために専用の手首が付いていること。銃口を斜め下に向けたプロっぽい銃の持ち方ができるうえ、他の武器を持たせるとき、わざわざ手首パーツを分解しなくていいので、大変よいです。武器保持用の手首は、左手なくていいので、右手を武器の数だけ付けてほしいといつも思ってしまう……どうでしょう？

ビークルモデル006　ミレニアム・ファルコン
2016年12月発売　税込648円

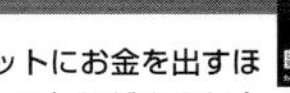

●1/144と1/72の間にはさまれた、「大きなキットにお金を出すほどではないけど、それでもファルコンだけはほしい」わがままな人向けのちっちゃいファルコン。で、お手軽なのに組むだけで面白い一大娯楽キットだった1/144ファルコンを組んだ後なら、「この大きさなら、こういうパーツ分割に落ち着くでしょうなあ」と納得のいく仕上がり。機体側面の細長いディテール部分、くちばしの裏側、機体後部上面の四角い穴からのぞいたメカ部分、それぞれ別パーツになってます。抜き方向の都合で省略されてしまった面などひとつもなし。しかし、実機どおりに平べったいので、組み終えた後に物足りなさは残るかも。ではマーキングシールを貼れば満足できるかというと、計56枚もの極小シールを貼る気力はない。スミ入れすると未塗装時には見えなかった段差がくっきりと浮かび上がるので、オススメです。

1/12 K-2SO
2016年12月発売　税込2592円

●成形はよい感じのつや消しブラックで、肩に帝国マーク、胴に黄色いストライプのシールを貼るだけで劇中の雰囲気バッチリです。ただ、組み立てていて「ん？」と違和感があるのは、関節にクリア成形の軸を挟みこむところ。じつはK-2SOの関節は円形にくりぬかれていて、向こう側が見えるデザインになっている。クリア軸は強度を保つための苦肉の策だと思いますが、軸を使わずに接着すれば劇中そのままに再現できたりします。目もクリア成形なんだけど、奥に銀色のシールを貼る仕様になってます。もうちょっと目立たせたい人は目の奥を白で塗るといいかも。親指やつま先など、けっこうこまかいところが可動するし、専用のベースを使わなくても自立できます。欲をいえば、ジンからもらったブラスターを付けてほしかった。だって、そっぽを向いたままストームトルーパーを一発で倒すK-2SOの射撃ポーズは最高にクールだったもんね。

1/72　タイ・ストライカー
2017年1月発売　税込2916円

●劇中では思ったほど活躍しなかったTIEストライカー、全銀河のTIEマニアのために1/72で登場です。TIEシリーズではおなじみ、機体後部にちょこっと取り付ける戦車の足回りのパーツがあるでしょ？　このTIEストライカーにも、ちゃんと同じパーツが使われているあたりが律儀というかアホというか、ちょっぴり泣かせるところです。洋書“STAR WARS ROGUE ONE THE ULTIMATE VISUAL GUIDE”の内部図解では、後部には爆撃手席があるのですが、キットでは再現されてません。だけどハッチ部分はちゃんと透明パーツだったりして、やっぱり変なところで律儀なキットです。ところで、こいつのバリエーション機“TIEリーパー”が小惑星カフリーンの上空を飛んでます。脇役のさらに脇役として派生機があるっていう“どうでもよさ”が『スター・ウォーズ』らしいですね。

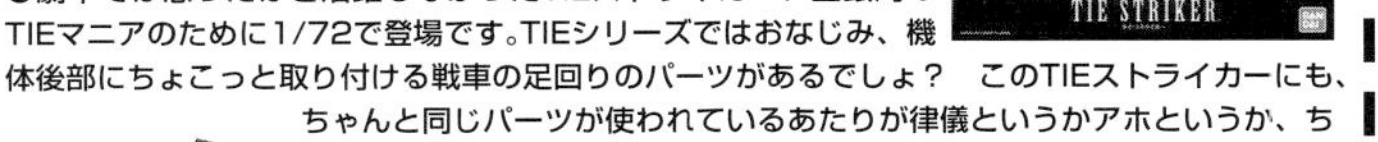

1/12　ショアトルーパー
2016年12月発売　税込2916円

●歴代トルーパーの中でも、腰まわりが布で覆われたミリタリック感がたまらんショア・トルーパー。キットはレギュラー、キャプテン、スクワッド・リーダーの3種が選べ、スクワッドの場合は布製のスカートを履かせるようになっています。ショア・トルーパーといえば肩や胸の水色のマーキングが印象的だけど、パーツ単位の色分けではなくてシール（またはデカール）で対応しています。なぜなら、レギュラータイプには水色のマーキングがないから。右上腕の赤い部分は3者共通なので赤色で成形されている。肩に貼るシールはしわが寄りやすいので、デカールのほうがいいかも。ところで、惑星ジェダのコンバット・アサルト・タンクに乗車していたタンクコマンダーって、ショア・トルーパーのヘルメットを替えただけなんです。なので、ヘルメットのみ新金型で成形色を変えればタンクコマンダーも出せるのですが、いかがなもんでしょうか。

ビークルモデル007　タイ・アドバンストx1&ファイターセット
2017年2月発売　税込648円

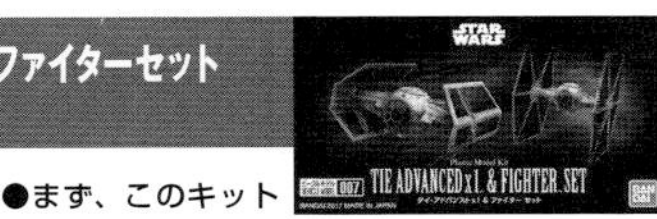

●まず、このキットのポイントは飾り台。「ファースト・オーダー・タイファイターセット」のように2機を平行に並べて展示できる特別飾り台が付属……と思いきや、タイ・アドバンストx1用に可動ジョイントが追加されている。このジョイントによってタイ・ファイターとタイ・アドバンストが無理なく飾れる……と安心したところで、ファイターがもう一機ないと不自然であることに気づかされる。ファイター用のスリットがひとつ空いてるわけ。「しょうがない、もう一箱買うか」と誰しも誘導されてしまう、ワンモアおねだり飾り台、恐るべし。「いや、俺は騙されない。ひとつで充分、ひとつで充分ですよ」という貴方のために、アドバンストx1単独でも展示可能です。キットは最低限のパーツ分割で安定した出来だけど、ソーラーパネルの黒い部分はシールがないので塗装しましょう。

1/144 Uウィング・ファイター&タイ・ストライカー
2017年1月発売　税込2376円

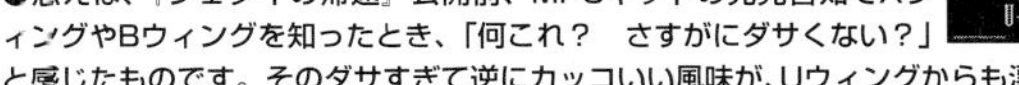

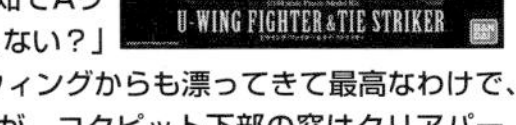

●思えば、『ジェダイの帰還』公開前、MPCキットの発売告知でAウィングやBウィングを知ったとき、「何これ？　さすがにダサくない？」と感じたものです。そのダサすぎて逆にカッコいい風味が、Uウィングからも漂ってきて最高なわけで、1/144での登場です。キャノピーは枠なしのものが選べますが、コクピット下部の窓はクリアパーツと窓枠で構成されており、どちらかに統一してほしかったかも。青いストライプはすべてシールかデカールです。TIEインターセプターはコクピットこそ再現されていませんが（窓は黒いパーツのみ）、翼が可動。そして、あまりに『スター・ウォーズ』らしくない形が逆に『スター・ウォーズ』らしいコンバット・アサルト・タンクにはタンクコマンダーの上半身も付属、劇中どおりに左右の銃塔が可動。それぞれ小粒でありながらも、何かしらワンポイント添えてある心憎いセットとなっています。

1/144 AT-AT
2017年3月発売　税込4536円

●2015年発売の1/48 AT-STは「関節は動くことは動くけど、なるべく固定ポーズで飾ってほしいな……」と言わんばかりに固定用パーツが同梱されていたものだが、今回はどうしたことだろう。首も足も、細部まで徹底的に動く。たとえば足の付け根は前後だけでなく横方向にも動く。劇中、スノースピーダーを撃墜する際、ちゃんと後ろ足を外側に踏ん張っているのです。思えば『帝国の逆襲』で僕らを魅了したのは歩くたびに関節部のリムが回転する、足首のシリンダーが追従しているなど、ディテールの説得力だった。今回は、それら関節周辺のディテールの連動がすべて再現されている。ただ外れやすい場合もあるので、注意しながら接着剤を点づけしてやると良い。そっと動かしてこっそり楽しもう。ついでに言うと、アゴ下部の砲身もブローバックする。一体成型の頭部は簡単に外せるので、完成後もコクピット内を見ることができたりする。

1/6　ヨーダ
2017年3月発売　税込3240円

●「プラモデルには何が可能か？」「何をプラモデルにしたら面白いのか？」――根源的な問いかけを業界とユーザーに投げかけるプラモデルの形をした哲学書。1/6スケールのほうはバンダイのフィギュアライズ・シリーズに近い可動モデル。特筆すべきは頭部で、頭髪の有無と視線の違う目玉パーツを選ばせる仕様となっている。アクションさせて遊びたいのか、賢者のように飾りたいのか、頭髪を自作したいのか（そこまでの腕前とこだわりがあるのか）、問われるわけである。いつもの黒いベースには、ちゃんとヨーダの足型がモールドしてあり、真剣なのか笑うところなのか判断を迫られる。オマケ扱いされがちな1/12は完全固定ポーズのディスプレイ・フィギュアで、旧三部作の精神を金型に彫り込んだかのようなストイックで堅実な仕上がり。「プラモデルに何を求めているか」、本気でユーザーに問いかけてくるので、覚悟してフタを開けよう。

1/2 BB-8
2017年4月発売　税込1万5120円

●『スター・ウォーズ』プラモデル史において、今後オーパーツとして語り継がれるであろう巨大球体成形品。内部フレームを組んだ上からオレンジの半球状パーツを前後左右から組み合わせていく構造は1/12を踏襲しているが、その隙間を埋める胴体パーツはポッチのあるものとないものと二種類ずつが同梱されている。頭部をどの位置で固定し、ベースにどの位置で固定するか選べるようになっているわけです。かなりガッチリと組み合わせるので、後からパーツを差し替えるのは難しそう。じっくり考えてから位置を決めよう。ただ、ポッチの大きさは頭部側・ベース側とも共通なので、完成後に上下を逆にして飾ることは可能。しかも、ベースにはポッチと同じ幅の溝が切ってあるので、少しボディを傾けて可愛く飾ることもできる。完全ディスプレイ仕様にせず、プレイバリューを残した展示方式は、ちょっとした発明ですね。

ビークルモデル008　AT-ST&スノースピーダー
2017年4月発売　税込648円

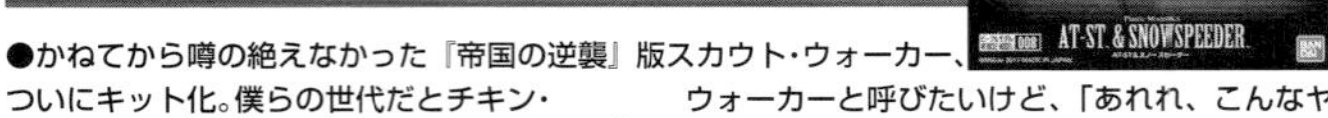

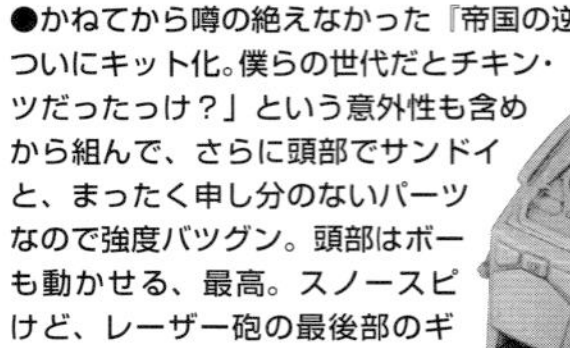

●かねてから噂の絶えなかった『帝国の逆襲』版スカウト・ウォーカー、ついにキット化。僕らの世代だとチキン・ウォーカーと呼びたいけど、「あれれ、こんなヤツだったっけ？」という意外性も含めて楽しいキット。アゴ部分の機銃を左右から組んで、さらに頭部でサンドイッチして、前後上からフタをして……と、まったく申し分のないパーツ構成。それでいて左右の足は一体成形なので強度バツグン。頭部はボールジョイントで接続するので、完成後も動かせる、最高。スノースピーダーも手堅いパーツ分割なんだけど、レーザー砲の最後部のギチッとディテールの詰まった円筒が別パーツになっていたりして、軽い狂気を感じます。機体の上下を合わせたとき、機体後部から見たパーツの重なり具合が立体的で、じつに美しい。1/48を組んだ人でも感動できる。ルーク機なので、赤いストライプのマーキングシールは付いていません、要注意。

ビークルモデル009 ジェダイ・スターファイター
2017年6月発売　税込648円

●新三部作好きの変わり者には、何より心の慰めになります。同時期発売のジャンゴ・フェットのスレーヴIに合わせると、なるほどやっぱり小さいんだねえ、この機体。なので、巨大なハイパードライブ用リングが付属し、完成後も着脱可能。キャノピーとR4ユニットは別パーツになっているので塗装派にも優しい。「塗装しないよ、だってマーキングシールが付いてるんでしょ？」という方は、あまりにシールの面積が広くてシールまみれになってしまうため、ちょっと勇気が必要かも。ハイパードライブ用リングの左右にはエンジンユニットがあるけど、「さすがに左右共通でいいんじゃない？」というパーツは左右共通です。正直、「じつは左右でダボ穴が違う」などの小細工を入れてほしかったけど、それは贅沢。EP2版のスレーブIを片手に持って「サイズミック・チャージが来るぞ！　ブゥーン！」と口で効果音を奏でてブンドドるのが正解。

1/144 スレーヴI ジャンゴ・フェット機
2017年6月発売　税込4104円

●単なる色替えキットと誤解されて、損していそうなキットのひとつ。じつは、ボバ機と共通ランナー3枚のうち、8個も未使用パーツがある。それ以外は共通か新規金型ということになるが、Fランナーは完全新規。ブルーとモスグリーン、そして黄色いストライプで構成された機体外周部（ボバ機で赤一色だった部分）、コクピット左右の半円状の大きな膨らみ等、ようするに一番目立つ部分すべてが、まったく新しい色分けでパーツ構成し直されている（スジボリなども一部異なっている）。機体後部の長く伸びたアイロンの取っ手部のような部分、ここも片側パーツだけが新規造形されている。うっかりボバ機のパーツを付けてしまうと、新規のパーツと合わなくなるので要注意。ジャンゴとボバ親子の座るコクピットは3人座席となり、今回は無可動。惑星カミーノでボバ少年は寝た状態でコクピットに座っていたからね。無可動で正解なのですよ。

PERFECT GRADE 1/72 ミレニアム・ファルコン
2017年8月発売　税込4万3200円

●とにかく死ぬまでにひとつだけプラモデルを作らなくてはならないとしたら、絶対にこのキットをオススメする。箱は大きくても、ランナー枠は小さめで取り回しがいい。一度に使うランナーは3枚程度なので、必要なランナーだけ取り出しておけば、小さなスペースで作業できる。膨大なディテール・パーツは大半が粘りのあるアサフレックス製で、PS樹脂の本体にギュッと組み付けると、ダボ穴の中で少し膨らむ感じ。そもそも、小さなパーツでもダボ部分が大きいので確実に嵌まる。ランナーに配置された無数の小パーツが、少しずつ機体の上でディテールとして集積されていく過程が面白く、「早く次のブロックを組みたい！」と気持ちがはやる。組み間違いを防ぐダボ穴形状の工夫も楽しい。むしろ注意すべきは大きなパーツで、電飾用のリード線をダボで挟んでしまうと、マジで断線します。でも、絶対に誰にでも飽きずに完成させられるよ。信じて！

1/12 グリーヴァス将軍
2017年7月発売　税込4860円

●CG満載で豪華絢爛だった新三部作のキャラクターをキット化する場合、どうしてもトゥーマッチになってしまうらしい。「眼球は二色をワンパーツに流したレイヤードインジェクション式で再現」「両腕＋展開した腕（計6本）は関節部組み立て済みのシステムインジェクション」「マントはプラ成形と布のハイブリッド式」「形状の異なるライトセーバーが4本付属」……全部マシマシ、麺硬めのメガ盛りです。前かがみの体形ゆえ専用保持ベースが付属しますが、鳥足関節なので接地もバランスも良好、滅多にコケません。首や大腿部の関節はアール・ヌーヴォー調の有機的造形で、組みごたえもバッチリ。何より、『シスの復讐』冒頭で「ゲッホゲホッ」と咳き込んでいたときのルックスと対オビ=ワン戦での4本腕バトルモード、両形態を再現できる（完成後も簡単に組み替えられる）ところが最高、エンタメ要素満載のデラックス・プラモデルでございます。

1/72 ブーステッド・Xウィング・ファイター ポー専用機
2017年9月発売　税込2916円

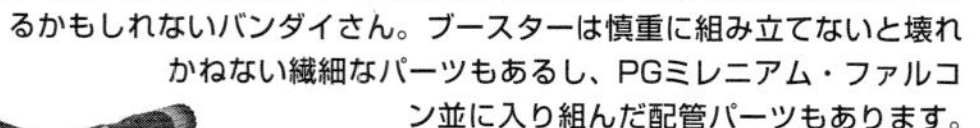

●『最後のジェダイ』版も、クリアー成型のBB-8や銀色ランナーに移設されたディテール・パーツなど、ポー専用機ならではの商品スペックを存分に楽しめます。ついでに言うと、前作版の機体後部パーツも付属します。展示ベースはクリアブルーの海と、黒成型の二種類が付くし、ポー機が好きな人にはウハウハです。そして、完全な新金型で追加されたブースターは、なんと計13個ものパーツで構成されている。ちょっと意地になっているかもしれないバンダイさん。ブースターは慎重に組み立てないと壊れかねない繊細なパーツもあるし、PGミレニアム・ファルコン並に入り組んだ配管パーツもあります。ノーマル版の機体後部パーツと完成後に差し替えできるかと思ったんですけど、外した途端にバラバラになりそう。あと、せっかくならブースターパーツを銀色の樹脂で抜いてくれれば設定どおりだし、素組みでも雰囲気が出たんですけどね。

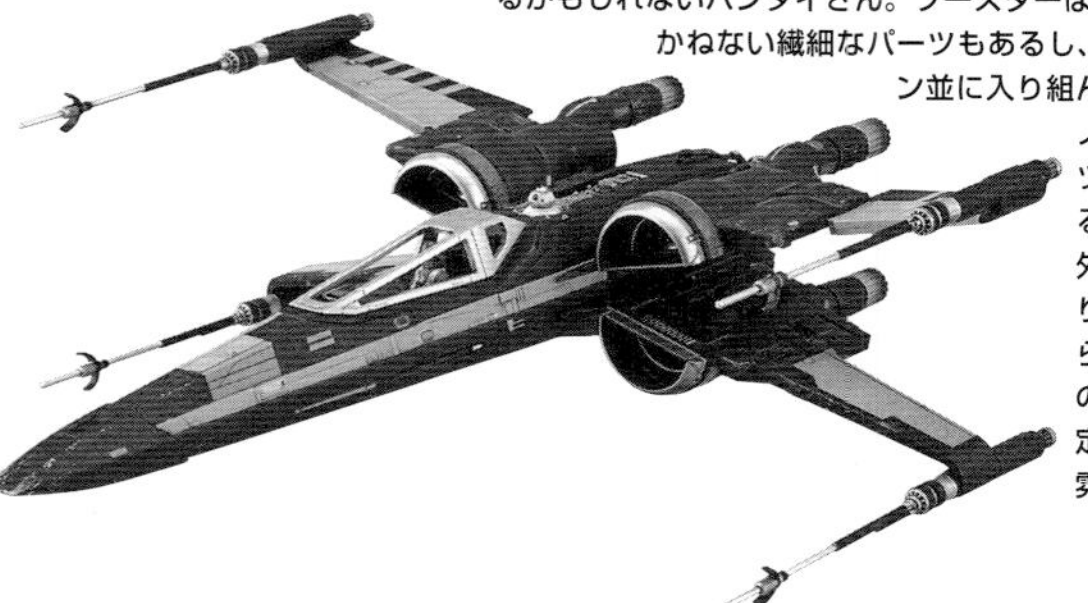

ビークルモデル010　Aウィング・スターファイター
2017年8月発売　税込648円

●そりゃあ、ジェダイ・スターファイターを出した後には旧三部作の機体を出さないとねえ。しかも2機セットで。まあ、その気持ちは分かりますよ。2機セットだから小さいと思うでしょ？　かなり、でかいのです。後部エンジンユニットは、バンダイお得意の「似たようなパーツなのにダボ穴の位置が違う＝間違えると嵌められない」仕様を堪能できます。一機作ったら、あえて説明図を見ないで組み立ててみよう。ちゃんと間違えずに組めます。地味なところでは、エンジンにはさまれた楕円をふたつ重ねたようなパーツ。こいつを後ろからはめると、コクピット後部の小さなディテール部分が自然と再現されるんです。ほんのちょっとした工夫なんだけど、感心させられます。なので、1/72Aウイングを組んだ人も作ろうぜ。あと、飾り台が可動する新方式で、2機を前後にも左右にも並べられます。マーキングシールは面積こそ大きいけど、枚数は少ないので安心です。

ビークルモデル 011 Xウイング・ファイター レジスタンス ブルー中隊仕様
2017年10月発売　税込648円

●先に発売されていたポー専用Xウィングの成形色を変えただけに見えて、実はパーツが増えている。コクピット後方のアストロメク・ドロイドがBB-8タイプになっているため、別パーツ化されてます。このアストロメクを1/144ファルコンに付属するBB-8と比べてみるとピタリと大きさが合う。なるほどねー。そしてポー機のときも間違えたけど、二枚目の翼を組み立てるとき、A2ランナーの8番と9番の板状パーツを同時に切り出してしまうと、混同しやすいです。6番はダボ穴が凹、8番は凸です。説明書が小さくて見づらい人は、バンダイホビーサイトのPDFで拡大できる説明書とマーキングロケーションを参考に。シールといえば、旧Xウィングの棒状のレーザー砲に長いシールを巻きつけるような無茶はなくなりました。ただ、コクピットのような立体に綺麗にシールを貼るのは、あいかわらず難しいんだよね。

1/12 ファースト・オーダー ストームトルーパー・エクセキューショナー
2017年9月発売　税込2916円

●新しい武器と武器を保持する手首、黒いラインの入った頭部（ラインはパーツで色分けされている）、黒い肩アーマーと黒い腕の付け根パーツが新金型のCランナーに配置されています。このキットがなかなか曲者でして、通常の真っ白なストームトルーパーとのコンパチとなっています。ということは新規パーツを選ばずに、既存パーツを組めば前作『フォースの覚醒』と同じストームトルーパーになるのか？　これが違うのです。鼻とアゴのパーツが新規造形となっており、説明図どおりに組むと『フォースの覚醒』版とは顔つきの違うトルーパーになる。『最後のジェダイ』ではエクセキューショナーばかりか普通のストームトルーパーも微妙に前作とデザインが違うらしく、鼻のパーツは下端の角度が急で、アゴのパーツはツンと上に尖っているのです。『フォースの覚醒』版トルーパーは、このキットの発売に合わせてランナー配置が微妙に変更されているのでおもしろい。なので、ストームトルーパーの微妙すぎるバリエーションを楽しみたい方は、両方ともぜひ組んでみて。

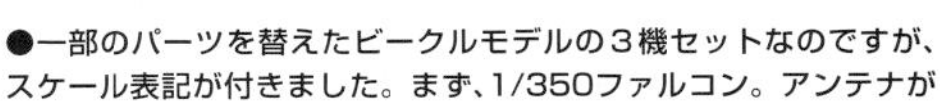

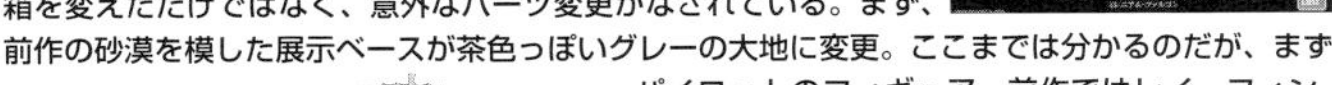

1/144 ミレニアム・ファルコン（『最後のジェダイ』版）
2017年11月発売　税込5400円

●『フォースの覚醒』版ファルコンは名作キットだったが、今回は箱を変えただけではなく、意外なパーツ変更がなされている。まず、前作の砂漠を模した展示ベースが茶色っぽいグレーの大地に変更。ここまでは分かるのだが、まずパイロットのフィギュア。前作ではレイ、フィン、ハン・ソロ、チューバッカの座像と立像、BB-8が付属した。今回は立像がすべて消えてフィンらしきシルエットの立像のみが付属。座像はレイとチューバッカのみを使用するよう指示され、他は未使用パーツ扱い。何となく意味深でしょ？　そして、機体のクチバシ部分。側面に配管パーツをふたつ組み付けるようになっていたはずだが、それらのパーツが直線的な配管と小さな板に形状変更。それに伴い、周辺ディテールも少しだけ変わっている。Aランナーと D1ランナーに手が加えられているのだ。「黙っていれば分からない」レベルだが、どうせ組むなら比べてみよう。

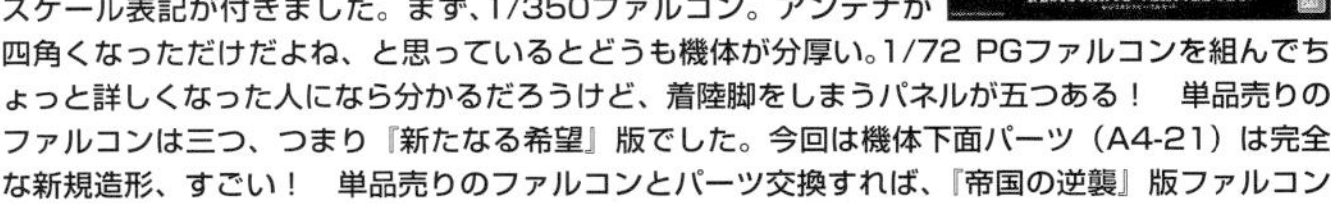

1/144 & 1/350 レジスタンスビークルセット
2017年11月発売　税込1944円

●一部のパーツを替えたビークルモデルの３機セットなのですが、スケール表記が付きました。まず、1/350ファルコン。アンテナが四角くなっただけだよね、と思っているとどうも機体が分厚い。1/72 PGファルコンを組んでちょっと詳しくなった人になら分かるだろうけど、着陸脚をしまうパネルが五つある！　単品売りのファルコンは三つ、つまり『新たなる希望』版でした。今回は機体下面パーツ（A4-21）は完全な新規造形、すごい！　単品売りのファルコンとパーツ交換すれば、『帝国の逆襲』版ファルコンができてしまう。1/144 ポー専用Xウィングですが、機体後部にブースターパーツが付いただけではなく、ドロイド（BB-8）が別パーツ化。しかも、ドロイドのみ一般機のランナーに追加でモールドされているので、機体は黒だけどドロイドのみ白い。ビークルモデルなのに色分けされているのは、なかなか新鮮。

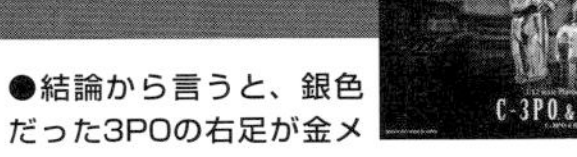

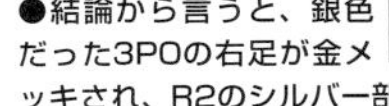

1/12　C-3PO & R2-D2
2017年12月発売　税込5940円

●結論から言うと、銀色だった3POの右足が金メッキされ、R2のシルバー部分がエクストラフィニッシュ加工されたのみで、型は以前のものと同一です。ただ、3POのお腹部分。旧三部作でも一作ごとに配線が違っていたのですが、このキットでは配線のモールドこそ旧キットと同じなれどデカール（シール）の色が違う！　緑・赤・黄土色と、色数が増えてます。あと、旧キットでは配線パーツの上から金色（メッキ部品ではない金色）のシリンダーを前後に嵌めるように指示されていましたが、このシリンダーは未使用。『フォースの覚醒』時の3POを見ると、確かに腹部のシリンダーがないのです。あと、ダメージ頭部とダメージ眼球も未使用。飽くまで、全身金色の3POが欲しい人向けかな。R2のエクストラフィニッシュは大正解で、メッキではない金属の質感が楽しめます。3POもR2も、ひさびさに組むと細かくて大変。でも、形状はとても秀逸だよ。

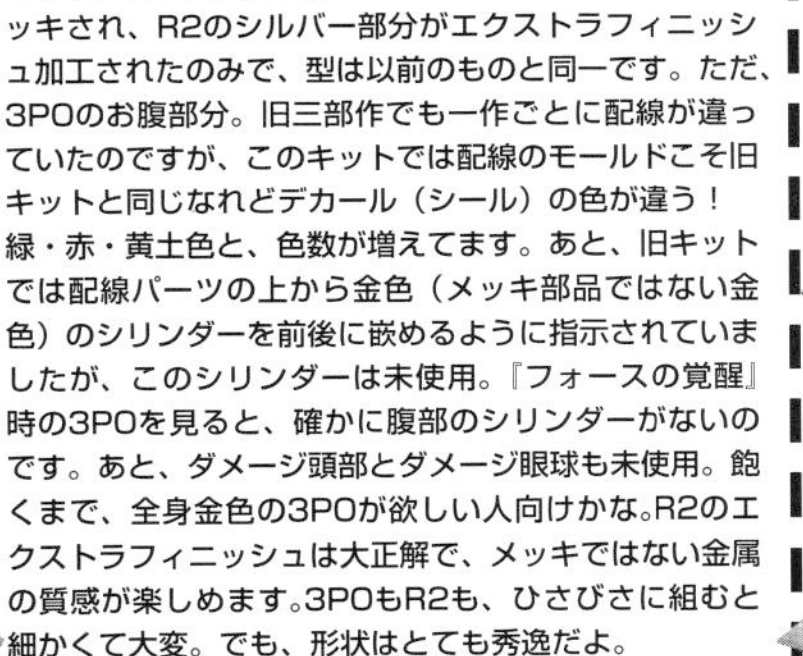

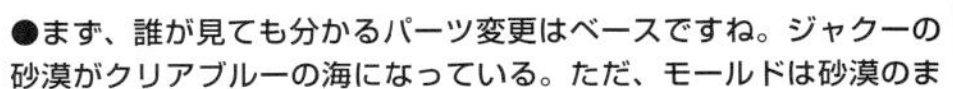

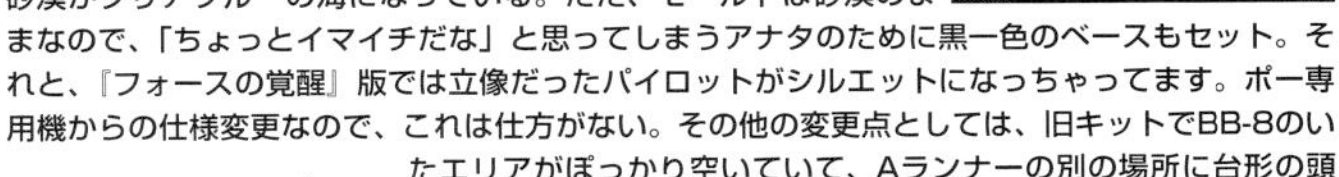

1/72 Xウィング・ファイター レジスタンス　ブルー中隊仕様
2017年11月発売　税込2808円

●まず、誰が見ても分かるパーツ変更はベースですね。ジャクーの砂漠がクリアブルーの海になっている。ただ、モールドは砂漠のままなので、「ちょっとイマイチだな」と思ってしまうアナタのために黒一色のベースもセット。それと、『フォースの覚醒』版では立像だったパイロットがシルエットになっちゃってます。ポー専用機からの仕様変更なので、これは仕方がない。その他の変更点としては、旧キットでBB-8のいたエリアがぽっかり空いていて、Aランナーの別の場所に台形の頭のドロイドが新規にモールドされました。では、BB-8はオミットされてしまったのか？　ご心配なく。Bランナーの端っこに出島のような小ランナーが突き出ていて、BB-8体形で頭の形状の違うドロイドがモールドされてます。というわけで、新たにドロイドが二体も追加されているのでした。

ビークルモデル012　AT-M6
2018年1月発売　税込648円

●そろそろAT-ATがビークルモデルにラインナップされるのでは？　そう期待していた人も多いと思うけど、ゴリラのような体形が話題の最新型ウォーカーが先にキット化。脚部は固定（足の付け根が丸ダボなので、接着しなければ動く）、頭部はボールジョイント接続で、少しだけ上下に可動。頭部左右の機銃はカマボコ型のダボ穴なので固定です。装甲がなくむき出しになった背部にもパーツが割られていて、米俵のような四つのタンクも別パーツ化。首の上につくラッパ状のビーム砲（？）や頭部の一部パーツはスライド金型を使っており、意外性に富んだディテールをくまなく楽しめます。肩の装甲板が左側には無かったり、あちこちに発見がある。スタイリングこそゴリラだけど、ディテールは繊細。関節部も1/144 AT-ATを組んだ後だと、いかにも動きそうに見えます。次はAT-TEあたり、お願いしたい。

1/12　キャプテン・ファズマ（『最後のジェダイ』版）
2017年12月発売　税込4536円

●さすがに『フォースの覚醒』版との違いは武器が付いているだけでしょ？　まあ、普通はそう考えるよね。確かに長・短の槍（バトン）が付属していて、右手のみバトンを保持する手首が追加されています（左手のブラスター保持用手首がなくなり、そこに右手のバトン用パーツがモールドされている。よってB1ランナーはパーツの配置こそ同じだけど手首パーツが差し替えられている）。では、頭部や足パーツの配置されたB2ランナーは前回と同じなのか？　実は、すねのデザインが前作と違う！　前作ではブーツのように高い位置に付いていた飾りというか段差が、今作では足首の位置にとどまっている。こういう細かな変更って、現場で仕方なくそうなってしまうのか、何らかの狙いがあってプロデューサーか監督が指示してるのか……。商品化されると、バージョン違い探しの楽しみが増えていいんですけどね。

旧三部作も新三部作も全肯定!

『最後のジェダイ』を観てモヤモヤしている皆さん、『スター・ウォーズ』の映画はほかに8本もあるんですよ？　元気を出して旧作を観よう！　メイキングや音声解説もくまなく味わえ！　やっぱり『スター・ウォーズ』は最高なんだよ！

『ローグ・ワン／スター・ウォーズ・ストーリー』は、みんなを幸せにする映画!?

Text:廣田恵介

◆ルーカスの苦しいフォローを受け継いだギャレス監督の聡明さ

「デス・スター建造に20年もかかった計算になるが、物資の調達などに苦労したんだろう。帝国の力をもってしても楽ではなかったということだ」――。これは、『スター・ウォーズ／シスの復讐』のDVDの音声解説に収録されているジョージ・ルーカスの言葉。『シスの復讐』ラストではフレームまで完成されたデス・スターを皇帝とダース・ヴェイダーが見ているシーンが挿入されているが、ルーカスなりに「デス・スターを出すには早すぎる」と無理を感じて、音声解説でフォローを入れたのだろう。

そして、『ローグ・ワン／スター・ウォーズ・ストーリー』。「20年もかかった計算になるが」というルーカスの苦しい言葉を引き継ぐかのように、「作業が行き詰ってな」（クレニック長官）、「皇帝はこれ以上の遅れはお許しにならん」「何年も前からお約束してきた兵器」（ターキン総督）など、デス・スター建造のスケジュール遅延を示唆するセリフが大量に散りばめられている。悪名高い新三部作、そのラストに蛇足のように付け加えられた建設途上のデス・スターの存在など無視してしまっても、誰も怒らなかっただろう。だが、『ローグ・ワン』のギャレス・エドワーズ監督はそうはしなかった。新三部作の残した遺産を、丁重に、敬意を持って取り扱っている。「デス・スターの完成が何年も遅れている」バックボーンがあるからこそ、クレニック長官が科学者のゲイレン・アーソを拉致同然で連れてくるプロットが説得力を増すのだ。何が何でもデス・スターを新三部作のラストに出しておきたかったルーカスの悪あがきを、決して無駄には終わらせていない。（ついでまでに記しておくと、『スター・ウォーズ／クローンの攻撃』でデス・スターはジオノーシス人が設計したことになっているが、彼らが粛清されてデス・スターの建造が新体制で進められていることはアニメ『反乱者たち』で触れられている。）

お気づきの方も多いと思うが、『ローグ・ワン』は新三部作（エピソード1～3）に登場したキャラクターやメカを当たり前のように登場させている。

まず、惑星ウォバニでジン・アーソを労働収容所に護送するのは『シスの復讐』でクローン・トルーパーたちが使っていたターボ・タンクだ。『シスの復讐』ではウーキーたちの故郷である惑星キャッシークでクローン軍の後方で何台か走っているが、惑星コルサントではヨーダを出迎えたクローン部隊の周囲に、十台以上も置かれていた。おそらく兵員輸送用車輌なのだろう。新三部作のメカの中では直線構成でシンプルな形状、旧三部作と同時代を描いた『ローグ・ワン』に出てきても不自然ではないし、退役したクローン戦争時代の古い車輌が辺境の惑星で囚人護送に使われている……時代の推移、政治体制の変遷を考えると。じつに合理的な設定ではないか。ターボ・タンクがクローン戦争の遺産であることなど知ってても知らなくてもどっちでもいいが、「主人公であるはずのジン・アーソがロクな目に遭っていない」状況を描くのに、ターボ・タンクの無骨なルックスはこの上なくマッチしている。つまり、演出上の要請から選択されたメカであることは明白だ。演出する裏で新三部作のメカを毛嫌いせずに有効活用するギャレス監督の態度、クレバーというしかない。しかもターボ・タンクの知られざる内装をセットで初めて明らかにしたのだから、偉大である。

また、ターボ・タンクに乗っているストームトルーパーの装甲服が黒々と汚れてくたびれているのが、場末感があってベリーナイスなのだ。帝国の重要施設である惑星スカリフでは輸送用ウォーカーのAT-ACTが使われているのに対して、辺境の惑星ウォバニでは旧式のターボ・タンク。この対比も見事。何度考えても「賢い判断」というしかない。

◆モン・モスマを演じた2人の女優、その年齢差を知っているか？

さて、惑星ウォバニから衛星ヤヴィン4に連れてこられたジンを出迎えるのが、『スター・ウォーズ／ジェダイの帰還』で初登場したモン・モスマである。『ローグ・ワン』に直結する『スター・ウォーズ／新たなる希望』ではまったく登場しなかったので、無理にヤヴィン4の反乱軍基地にモン・モスマを出す必要は薄いような気もするが、新キャラクターの続出で不安になっている旧三部作ファンを安心させるためには、やはりモン・モスマ。賢明な選択である。

そして、ここでもギャレス監督の「旧三部作

▶『シスの復讐』エンディングに登場した建造中のデス・スター。ウェイン・パイグラムが特殊メイクでターキン総督を演じている。

◀HCVw A9ターボ・タンク。このスチールは『ローグ・ワン』のもので、『シスの復讐』ではここまでアップになることはなかった。

▲ダース・ベイダーの城（ローグ・ワン）

▼ベイル・オーガナ（ローグ・ワン）

▲「ジェダイの帰還」に登場したモン・モスマ（左）と、「ローグ・ワン」に登場したモン・モスマ

に繋げるのは僕の最重要任務だけど、新三部作も大切にしよう」志向が息づいている。

『ジェダイの帰還』でモスマを演じたのは、キャロライン・ブラキストンという女優だった。『ローグ・ワン』では、ジェネヴィーヴ・オライリーが演じている。キャロラインさんは1933年生まれ。ジェネヴィーヴさんは1977年生まれ。44歳もの歳の差がある。ご存知の方も多いと思うが、ジェネヴィーヴさんは『シスの復讐』の未公開シーンで若いころのモスマを演じていた。『シスの復讐』（2005年）公開時のジェネヴィーヴさんは28歳。『ジェダイの帰還』（1983年）公開時のキャロラインさんは50歳。『シスの復讐』と『ジェダイの帰還』、ふたつの物語の間には20数年の年月の隔たりがあるので、44歳の年齢差がある2人の女優が演じるのは理にかなっている。

そして、『ローグ・ワン』の公開時（2016年）、ジェネヴィーヴさんは39歳。この数年後に『ジェダイの帰還』の出来事が起きるとしても、不自然ではない年齢になっている。そうは言っても、『シスの復讐』でのモン・モスマ登場シーンはカットされているので公式なものとは言いがたい。旧モスマを演じたキャロラインさんにもっと似た女優を新たに探してもいいし、何だったらCGで再現するという『ローグ・ワン』ならではの必殺技もあったはず……。なぜ、ジェネヴィーヴさんがモスマを演じることにこだわるのか？ その理由は、モスマとジンの会話シーンの終わりで明らかとなる。レイア姫の養父であるベイル・オーガナが、モスマの背後から姿をあらわすのだ。旧三部作では名前すら聞かれなかったレイアの父、耳になじんだ『スター・ウォーズ』のテーマを背負って堂々たる登場だ。演じるのはジミー・スミッツ。新三部作のうち『クローンの攻撃』と『シスの復讐』でベイルを演じているジミー氏、物語のこの時点では「いちばん数多く『スター・ウォーズ』映画に出演している、安心と信頼の俳優」なのである。ジミー氏とジェネヴィーヴさんが並ぶこと、さらに『スター・ウォーズ』のテーマが流れることで「ちゃんと過去シリーズ（新三部作）とリンクしてますよ」と、さらりと宣言するシーンになっているのだ。この「さらり」の部分が重要で、モフ・ターキンをCGで再現する唐突な実験性に違和感をおぼえる観客を説得するには「（たとえ未公開シーンであろうとも）新三部作に出演していた生身の俳優をふたり並べる」のがベスト。今を生きる俳優たちの自然な加齢、これを武器にしない手はない。

◆テロップで名前が明示されない惑星は、何のために出てくる？

ジンは惑星ジェダへと向かい、その機中で父・ゲイレンが帝国軍の一員として暮らしていたころを夢に見る。帝国の軍服を着た父、幼いジン。窓からは摩天楼が見える。明言はされていないが、新三部作で主な舞台となった惑星コルサントではないだろうか。クレニック長官は、ターキン総督ともダース・ヴェイダーとも直接謁見できるほどの実力者だ。そのクレニックに招聘されたゲイレンの家族なら、銀河帝国の首都であるコルサントに暮らしていても不思議はない。ただ、明言を避けているところがギャレス監督、さすがと唸るしかない。「ひょっとしてコルサントじゃないのか？」と想像させることで、新三部作ファンを物語にグイグイと引っ張りこむ。新三部作ファンでなくとも、別に何の不都合もない。この「コルサントと思いたい人は思ってくれても構わない」控えめなスタンス。新三部作で銀河の中心まで描かれて、むしろつまらなくなったという人も多いだろうが、『ローグ・ワン』は「もしかするとそうかも知れない、そうじゃないかも知れない」ぼかし方がうまい。ギャレス監督の謙虚さがにじみ出ている。ここまで読んでくれた人はギャレス監督を好きになってきたと思うが、私もかなり好感をおぼえている。

惑星でいうと、もうひとつ。クレニック長官のシャトルが向かったのはマグマの滝が流れる火山の星だった。『シスの復讐』のクライマックス、オビ=ワン・ケノービとアナキン・スカイウォーカーが死闘を演じた惑星ムスタファーにしか見えないのだが、またしても画面にテロップは出ない。ほんの数分しか出番のない惑星ウォバニですら、テロップが出るのに……。ムスタファーかも知れないし、そうじゃないかも知れない。しかし、『シスの復讐』を覚えている人ならムスタファーだと確信してしまう。

ダース・ヴェイダーが、自分の生まれ故郷とも言うべきムスタファーを居城にしているのは彼らしい屈折ぶりだし、もしそうでないにしても、ヴェイダーが『スター・ウォーズ／帝国の逆襲』に出てきた瞑想室のようなプライベートな空間を確保しているのは納得がいく。新三部作と旧三部作、両方のヴェイダー像を理解している。このあたりのくすぐり具合、手練れというしかない。ムスタファーだと断言しないのは、飽くまで新三部作と『ローグ・ワン』を切り離しておきたい人たちに気を使っているとも言える。いずれにしても、「ギャレス・エドワーズ監督は気の利いた人」という好印象が残るわけだ。

◆素朴な理想家がまったく出てこない『ローグ・ワン』の曖昧さ

A作品に出てきたヒントの答えが過去を描いたB作品に隠されているとか、B作品で欠けていたピースがじつはC作品で大きく描かれる……といったシリーズの展開のさせ方に、最近は窮屈さを感じる。だが、そうした隙間を埋めるような映画づくりを開始したのはほかでもないジョージ・ルーカスであった。『ローグ・ワン』も間違いなく年表の余白を塗りつぶすために出てきたような企画ではあるが、ギャレス・エドワーズ監督は企画の趣旨を忠実に守りつつも、むしろ余白を広げてくれたように思う。幼いジンが父親と暮らしていたのは、惑星コルサントかも知れない。ダース・ヴェイダーが暮らしていたのは、惑星ムスタファーかも知れない。だけど、違うかも知れない。どっちでも構わない。正解なんてない。分からないままでOK。

反乱同盟は正義の戦士の集まりではない。裏切りも対立もあるし、人の命を軽視することもある。ジンと共に行動する反乱軍のキャシアンは、情報をくれたスパイをあっさり撃ち殺してしまう。ジンの父親は、Xウィング・ファイターの攻撃によって命を落としてしまった。ジンの育ての親であるソウ・ゲレラはダース・ヴェイダーのように人工呼吸器を手放せず、味方を信用できないでいる。

ルーク・スカイウォーカーのように、素朴に「父のような騎士になりたい」理想家は出てこない。白とも黒とも決めかねている、悩めるキャラクターばかりだ。最後の最後に出てきたレイア姫に違和感があったのは、CGキャラだからというだけではない。あそこまで晴れやかに「希望」を口にする者など、『ローグ・ワン』には皆無だったからだ。あのラストは勧善懲悪のパッキリした『新たなる希望』の世界へ直結するのだから、むしろ違和感がなければ失敗だろう。

『ローグ・ワン』のファースト・カットを思い出してほしい。「ザン！」と音楽が鳴ると、巨大な三角形の物体が頭上からフレームインしてくる。またしてもスター・デストロイヤーの登場かと思いきや、その三角形の物体は、惑星の環であった。おなじみのテーマ曲とおなじみのテロップで映画を始める記号的な演出を避け、それでも『新たなる希望』の韻を踏んで、三角形の物体をフレームインさせる。「シルエットが似ているだけでじつは違うもの」を画面に配置することで、『スター・ウォーズ』のようでありながら、まったく別の方向を向く。世界観を曖昧に、多様に、雑多にしていくのだ。本家『スター・ウォーズ』新シリーズがまたしても光と闇の二項対立に嵌っていくのとは、まるで次元が違う。『ローグ・ワン』は、続編はもちろん前日譚もつくれない。年表の隙間に割り込んだ、「語られなかった者たちの物語」なのだから当然だ。何十年にもわたるシリーズの中で、たった一度だけの何の保証もない試み——。だけど、旧三部作ばかりか新三部作をも許容する懐の深さ、恵まれない異端者たちをほんの一瞬だけヒーローにしてあげる優しさだけは無限大なのだ。■

◀「ローグワン」では、女優のイングヴィルド・デイラ演じるレイアにCGIにて顔部分を貼り込んで撮影された。

『ミレニアム・ファルコン』誕生までの紆余曲折

Text:／鷲見博

「スター・ウォーズ」を代表する人気ビークル、ミレニアム・ファルコンはその誕生からも奇跡的とも言える逸話を持っている。ここではそのパーツ解析のみならず、製作時の紆余曲折についても、プロップモデル研究家、鷲見博氏に若干の妄想も含めて語ってもらおう。

◆ミレニアム・ファルコンの誕生

ミレニアム・ファルコン。40年前に誕生した船だが、今なおスクリーンを疾走する姿に心が舞い上がる。そして、歴史に残るキャラクターがそうであるようにミレニアム・ファルコンにも魅力ある誕生秘話がある。有名な話だが、スター・ウォーズ第1作、冒頭シーンで登場するブロッケード・ランナーはもともと、海賊船（ミレニアム・ファルコン）の役割を担うはずだった。しかし、土壇場で海賊船の役割から外され、急ごしらえで現在のミレニアム・ファルコンが誕生する。

旧海賊船（ブロッケード・ランナー）のデザインは長い時間、推敲が重ねられて創作された。が、我々が知るミレニアム・ファルコンはわずか1週間足らずで基本デザインが完成したというのだ。デザインを担当したジョー・ジョンストンは「いちばんデザインに時間がかからなかっただろう」と語る。この1週間でいったい何がなされたのか？　大いに興味の惹かれるところだ。

主役機として製作された旧海賊船がボツになる切っ掛けは、当時テレビ放映されていた『スペース1999』（'75年放映開始）に登場するイーグル号に似ていたためで、ILM所属のモデルメーカー、スティーブ・ゴーリーは「（両者の）共通点はコクピットとエンジンの位置だけだが、変更することになった」と述べている。また、ジョージ・ルーカスは「平凡すぎる外見でもあった。映画の中心になる宇宙船なので、かなり突飛なデザインにしたかった」とも。

旧海賊船とイーグル号は問題になるほど似ていると思えない。ただ、旧海賊船をデザインする際にベースとなったコンセプトモデルは似ていた。しかも、この2機が似ていたのは偶然ではなかったと思われる。

コンセプトモデルの形状を簡単な言葉で説明すると、先端にコクピットがあり続いて形状の異なる長いボディ、そして後端には別形状のエンジンがある。この言葉で表した船体構造はイーグル号を説明しても同じになる。突然だが、映画『2001年宇宙の旅』（'68年公開）に登場したディスカバリー号を説明しても同じだ。

1970年代を振り返ると、『スター・ウォーズ／エピソード4　新たなる希望』は'77年の公開で、登場するビークルは'74年の暮れからデザインが始まっている。'74年というと『2001年宇宙の旅』が依然として強い影響力を持っていた時代。とくに映画関係者やSF物のデザインを志すデザイナーには真似るにしろ避けるにしろ、無視できない存在だった。そして、ディスカバリー号は惑星間飛行する宇宙船を実現するには、という極めて物理的な見地から設計しており、原子力を利用するエンジンとそこから遠く離されたコクピット、華奢なボディとなるモジュールユニットから構成されていた。

飛行機をデザインしようとすれば、空気から揚力を得る翼が必要で、胴体は空気抵抗の少ない前後にのびる構造が受け入れやすい。映像作家やセットデザイナーではなく、高度な宇宙船コンセプトの専門家であるハリー・ラング、フレデリック・オルドウェイらによって設計されたディスカバリー号は、形を似せる似せない以前の影響力があったことは想像に難くない。海賊船のコンセプトモデルとイーグル号は、『2001年宇宙の旅』が時間と場所を超えて生んだ双子の子供のような存在ではなかったろうか。親とは違う姿であっても子同士が似たのだ。

さて、ボツにされた海賊船だが、デザインの改訂にあたりジョージ・ルーカスはハンバーガーをモチーフにするというアイデアを思いつく。この改定案が浮上したころ、デザイン作成は新たに採用されたジョー・ジョンストンにバトンタッチされていた。このアイデアに対しふたりが議論していくつかの改訂方針が決まった。「ジョージはエンジンを大きくしてほかのものを削った。改造船のように見せたかったので、エンジンを大きくしてほかのものを削った。コーヒーカップの受け皿を逆さにして二枚重ねにする案をジョージも気に入った」（ジョー・ジョンストン）。

彼は多くのアイデアスケッチを残しているが、旧海賊船から新海賊船への移行のエ

2

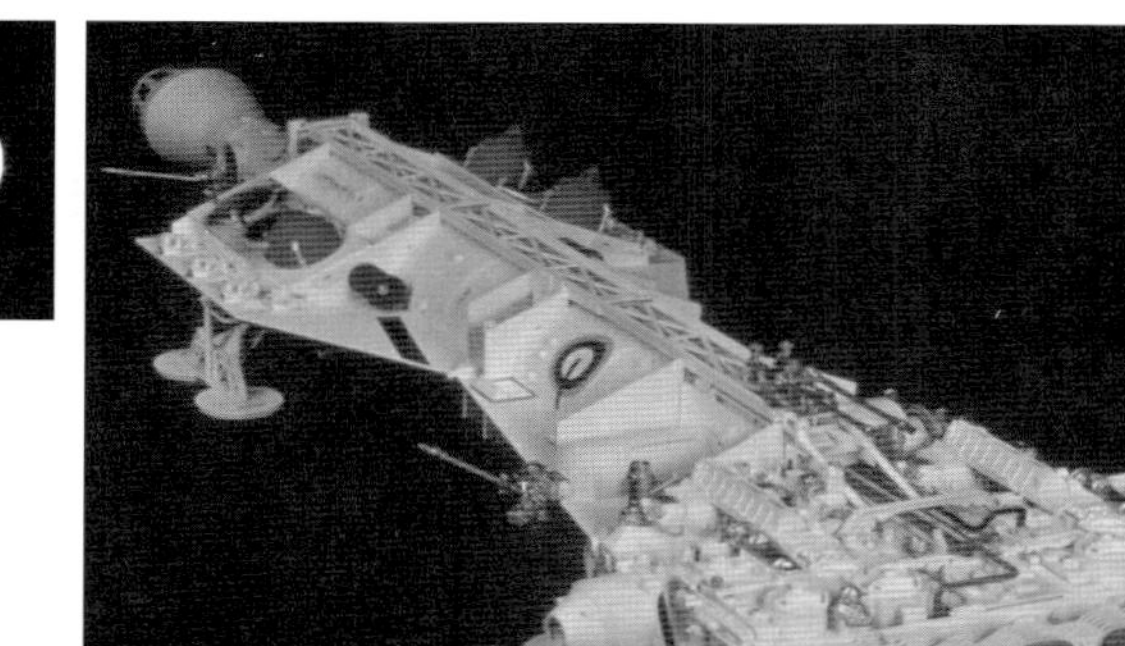

1

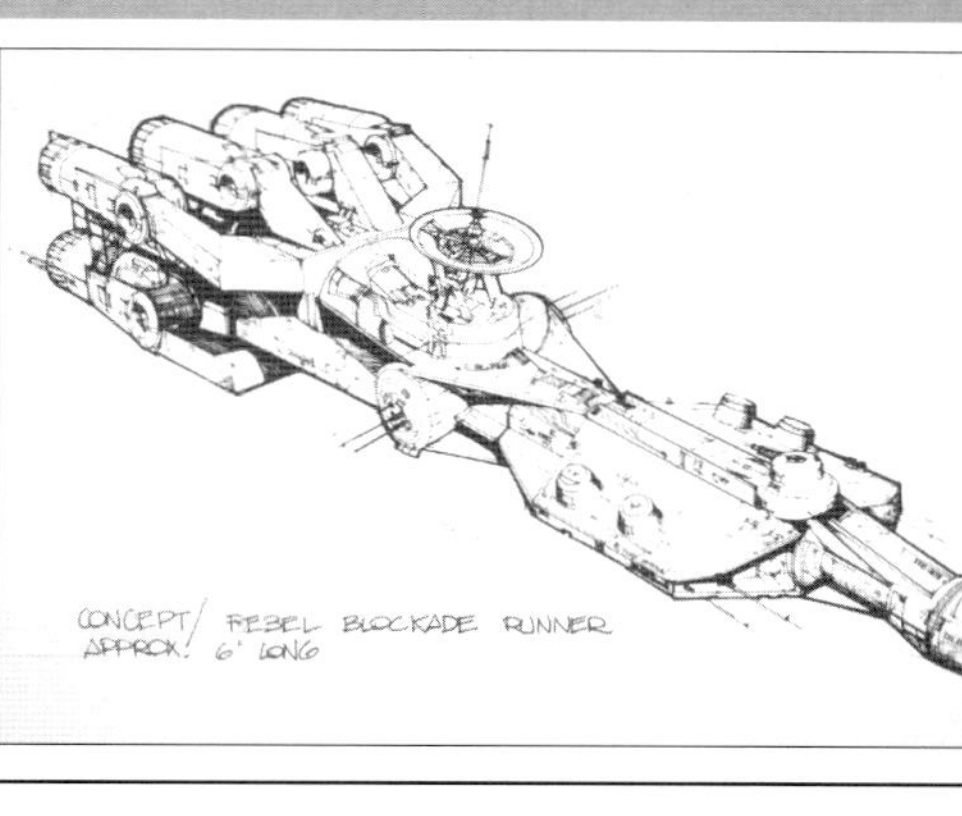

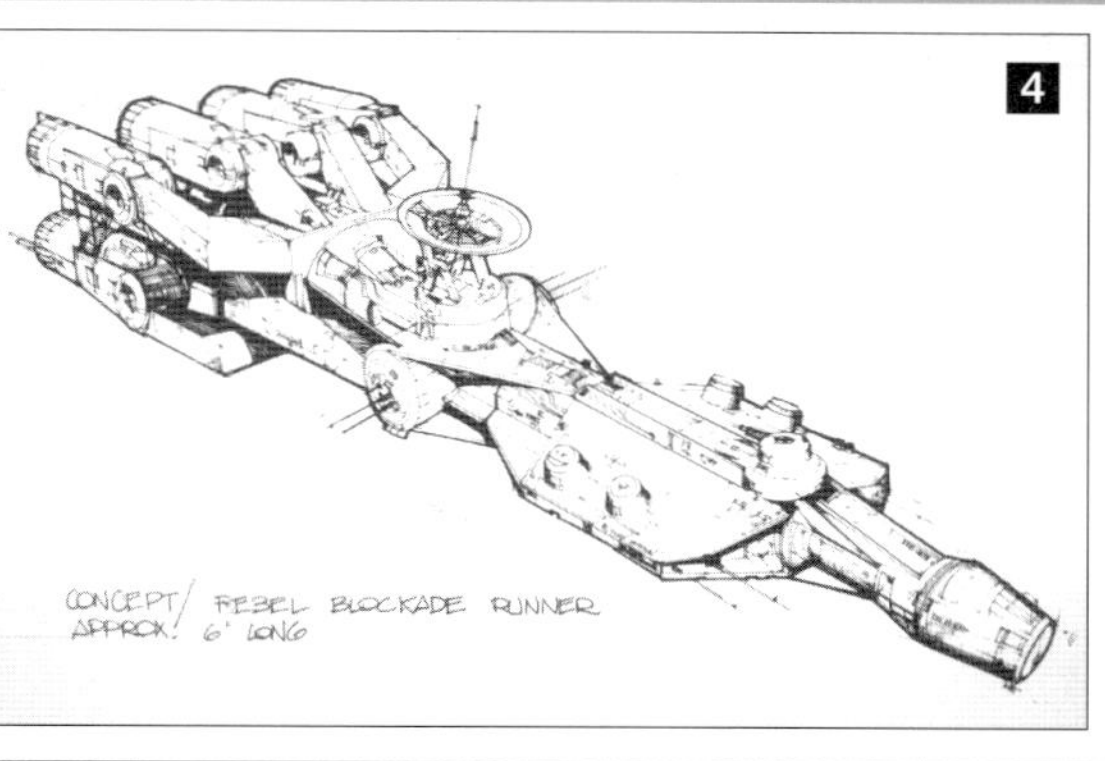

程が非常に興味深い。最終デザインは旧海賊船とまったく異なるフォルムで、一見ゼロから創造されたようだが、スケッチ案をみるとジョージ・ルーカスと討議された改訂方針に基づいて旧海賊船が変化していくのがわかる。

改訂された初期スケッチを見ると、旧海賊船（ブロッケード・ランナー）のボディ中央にコーヒーカップの受け皿を二枚重ねにしたものを大きく配置。そのうえ、エンジンを横方向に増強（4列から5列に）して拡大させたのがわかる。また注目されるのが前に突き出したコクピットを両脇で支える三角形の板。スケッチを見る限り、薄い板であるのがわかるが、のちにミレニアム・ファルコンの最大特徴のひとつであるクチバシに変化する。この初期段階のイラストから最終形状に至るには、エンジン形状変更するのに加え、コクピット位置をボディ側に引き寄せる。さらに、ジョージ・ルーカスの指示でコクピットがボディ左端に移動したところで全体像が完成した。改定の方向性が決まってからデザイン完成まで1週間も掛からなかった

まったく形状の異なる初期コンセプトモデルや、旧海賊船、ハンバーガー、マンボウなどのアイディアを経て左右非対称の異色デザインが生まれた。どのステップがなくても現在のミレニアム・ファルコンはなく、奇跡を思わずにはいられない。

基本デザインが決定すれば撮影用モデルの製作に入るのだが、その第一段階は球面アクリルをボディサイズにカットしたのに加え、積層した合板を加工し、ボディのコア構造にすることだった。続いては金属素材で撮影用の支持構造を作るとともにアクリルでクチバシを形成、さらにはボディ後半を扇型に切り取り、エンジン上の排熱口を設置した。しかも、この排気口はデザインだけでなく、実際にボディ内部の熱を逃がすものとして製作された。ミレニアム・ファルコンが飛行する際、エンジン部が強い光を放つ。実際の撮影ではハロゲンランプを光らせたのだが、発光中は送風機で排熱する必要があったのだ。撮影上の都合で設置されたものとすると、完成したデザインとディテールの秀逸さに驚かされる。

◆尋常ならざる作り込み

ところで70年代は、ビデオは普及しておらず、ミレニアム・ファルコンの全体像やディテールをわかりやすくとらえた写真も少なかった。そんななか、'79年に発売されたMPCキットは箱絵に撮影用モデルを大写しで印刷しており、全体像からクチバシ横面のメカニカルなディテール、コクピット上の三角形のエンブレム、ボディ上のダメージ痕などが詳細に見ることができた（ファルコンマニアのなかには、このパッケージがのめり込みの原点になった方も多いだろう）。決して映画を見ているだけではわからないような箇所が、なぜこれでもかと作り込まれているのか？　それはスタッフの才能と熱量によるところだろう。ディテールがついつい過剰になっていく溢れるエネルギーは、当時のスタッフの若さと興奮、そしてファルコン愛が源となっていると考えられる。

いくつかの当時の『スター・ウォーズ』のメイキングブックやILMのヒストリー本を見ると、いまでは考えられないことだが、初期ILMは、当時の20世紀フォックス幹部から素行の悪い「ならずもの集団」として認識されており、一時は業務停止命令が出た、といった文面が見られる。数々の遊びエピソードがいろいろなところで語られており、例えば、旅客機用の脱出用シュートを買ってきて社屋で水遊び（シュートに水を張り、走り込んで滑った）をしているところに同社の重役が来て眉をひそめた、はもっとも有名なところだろう（『ルーカス帝国の興亡』ゲリー・ジェンキンス／著より）。

一方でスタッフは夢中で働き「18時間から20時間を作業にあてて、残りの4時間は簡易ベッドで仮眠をとるなんてことも決して珍しくなかった」ともある。通勤に長距離運転していたスティーブ・ゴーリーは「往復約198kmのドライブだったが、こんなにおもしろい仕事ができるかと思うとワクワクした。ときにはこの長距離が障害にな

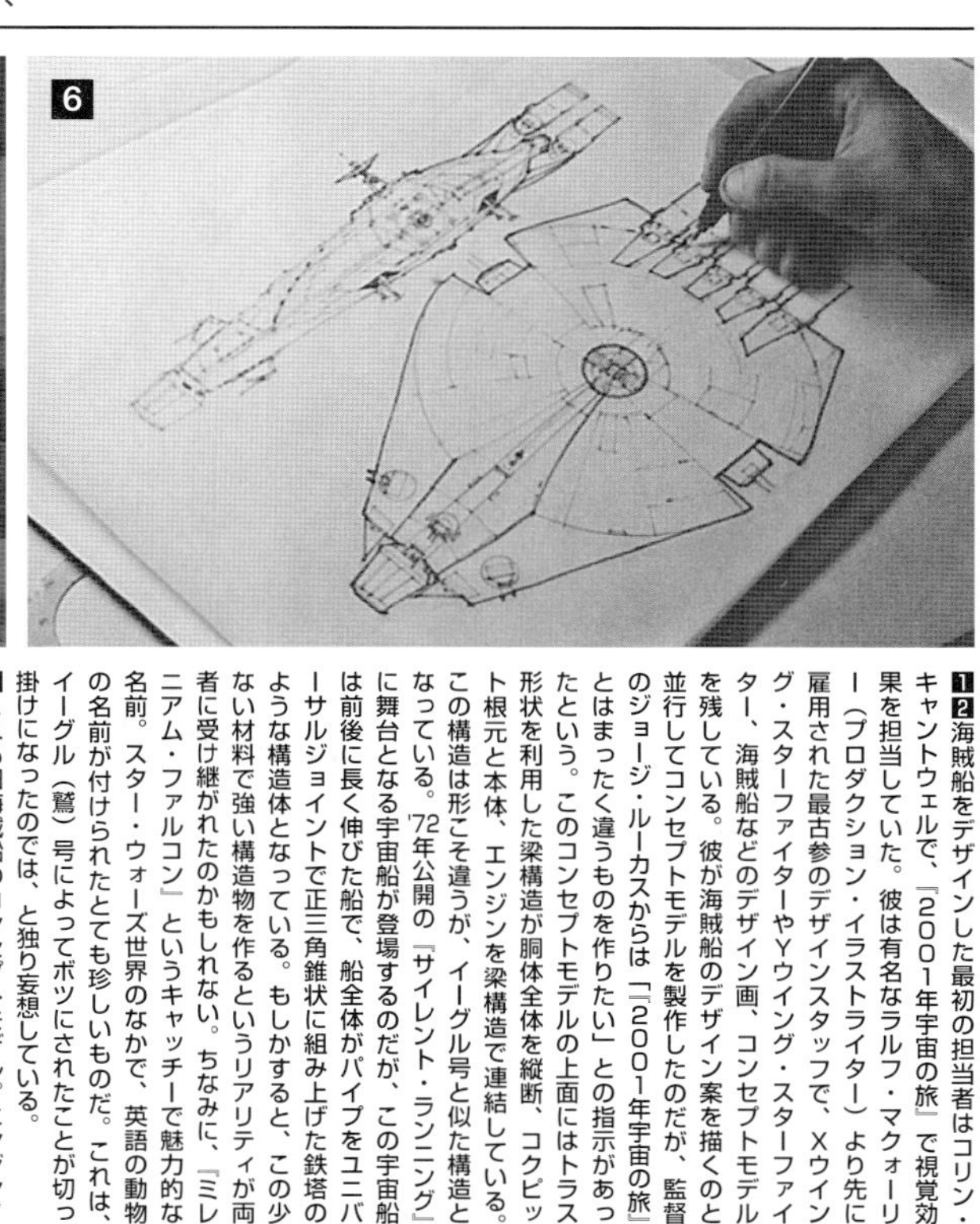

■1■2海賊船をデザインした最初の担当者はコリン・キャントウェルで、『2001年宇宙の旅』で視覚効果を担当していた。彼は有名なラルフ・マクォーリー（プロダクション・イラストライター）より先に雇用された最古参のデザインスタッフで、Xウイング・スターファイターやYウイング・スターファイター、海賊船などのデザイン画、コンセプトモデルを残している。彼が海賊船のデザイン案を描くのと並行してコンセプトモデルを製作したのだが、監督のジョージ・ルーカスからは「『2001年宇宙の旅』とはまったく違うものを作りたい」との指示があったという。このコンセプトモデルの上面にはトラス形状を利用した梁構造が胴体全体を縦断、コクピット根元と本体、エンジンを梁構造で連結している。この構造は形こそ違うが、イーグル号と似た構造となっている。'72年公開の『サイレント・ランニング』に舞台となる宇宙船が登場するのだが、この宇宙船は前後に長く伸びた船で、船全体がパイプをユニバーサルジョイントで正三角錐状に組み上げた鉄塔のような構造体となっている。もしかすると、この少ない材料で強い構造物を作るというリアリティが両者に受け継がれたのかもしれない。ちなみに、『ミレニアム・ファルコン』というキャッチーで魅力的な名前。スター・ウォーズ世界のなかで、英語の動物の名前が付けられたとても珍しいものだ。これは、イーグル（鷲）号によってボツにされたことが切っ掛けになったのでは、と独り妄想している。

■3これも旧海賊船のコンセプトモデル。エンジンノズルが多く配置されており、ブロッケード・ランナーに引き継がれた。

■4■5旧海賊船の先端にあったコクピットは取り外され、新たなミレニアム・ファルコンに移植された。結果、旧海賊船のコクピットがなくなった。「ジョージとジョーがすばやくハンマーヘッド・シャークの案を思いついた。単純に発砲スチロールをいっぱい詰めたボール紙で作ったふたつのバケツだ。紙を剥がして中身を掘り出し、スチレンとモデルの部品で覆えば、それで問題解決だ」（グラント・マッキューン）。

■6旧海賊船からミレニアム・ファルコンへの経過がわかるスケッチ。三角形の支持板に描かれた円形の砲塔がクチバシの穴メカにイメージ転換されたのに加え、ボディ下側にあるランディングギアの格納穴（扇型）が、ボディ上面後ろ側にある穴メカのイメージに繋がったのではないだろうか。さらに、図面を注意深くみると胴体からコクピットに伸びる構造物は垂直方向の断面が台形になっていて、現ミレニアム・ファルコンでは、左右に伸びる構造体と同じ形をしている。ジョー・ジョンストンはアイデアスケッチを描く経過について「受け皿型、戦闘機、宇宙船と関連づけて考えていき、その中のひとつは最終的に決まった宇宙船に似ていた。私の案でコクピットは脇ではなく、上の中央に設けた」と述べている。

■7ミレニアム・ファルコンの基本デザインが完成した際、ラルフ・マクォーリーが描いたイメージ画。ジョー・ジョンストンは、クチバシがボディ前方にせり出している理由について貨物を積み込む場所と設定して「何かが出てきて貨物をつかみ、船内に運び込む」と述べている。この貨物を引き込む装置は最終的に外されたが、このイラストやセット建造用の図面などに痕跡が見られる。

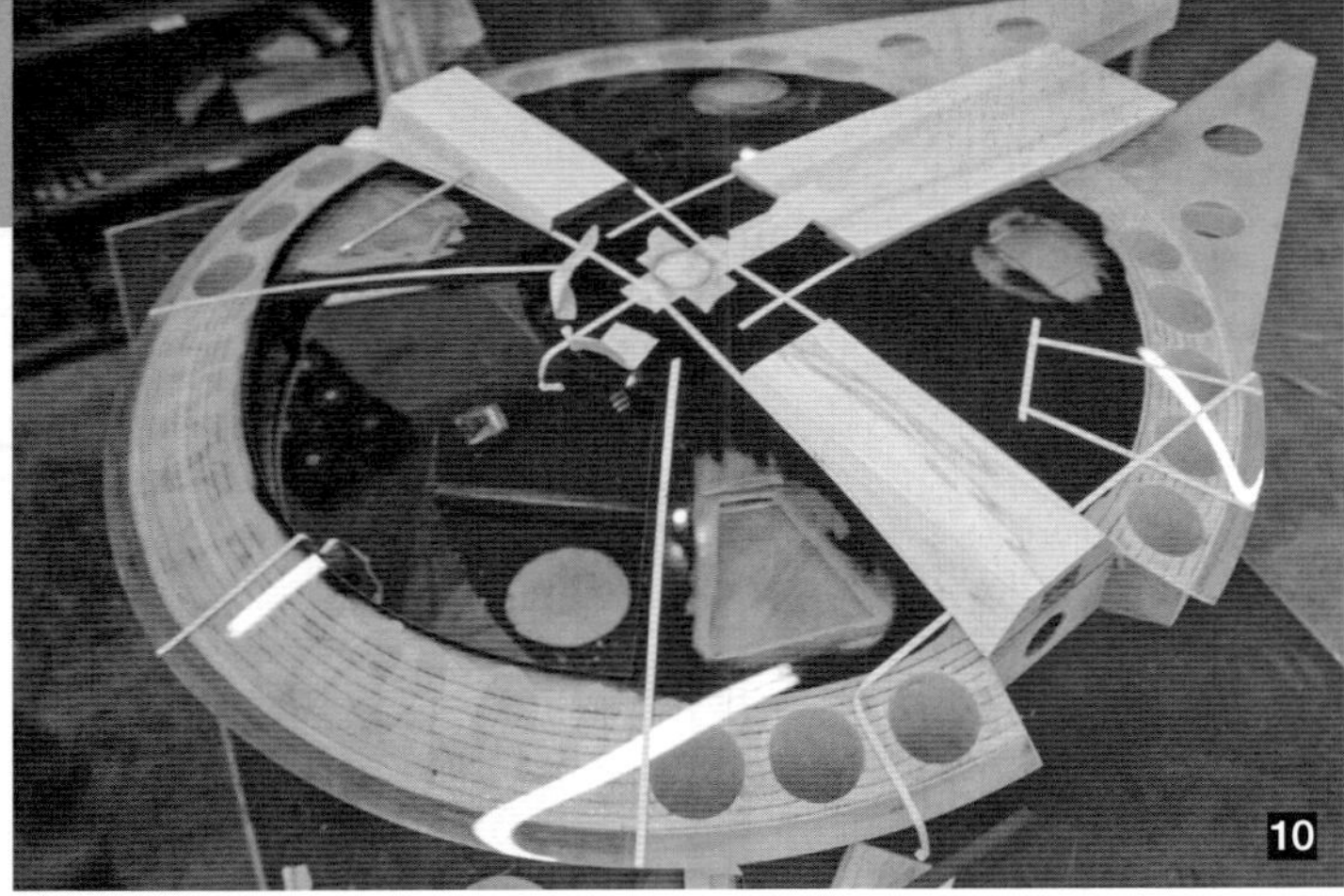

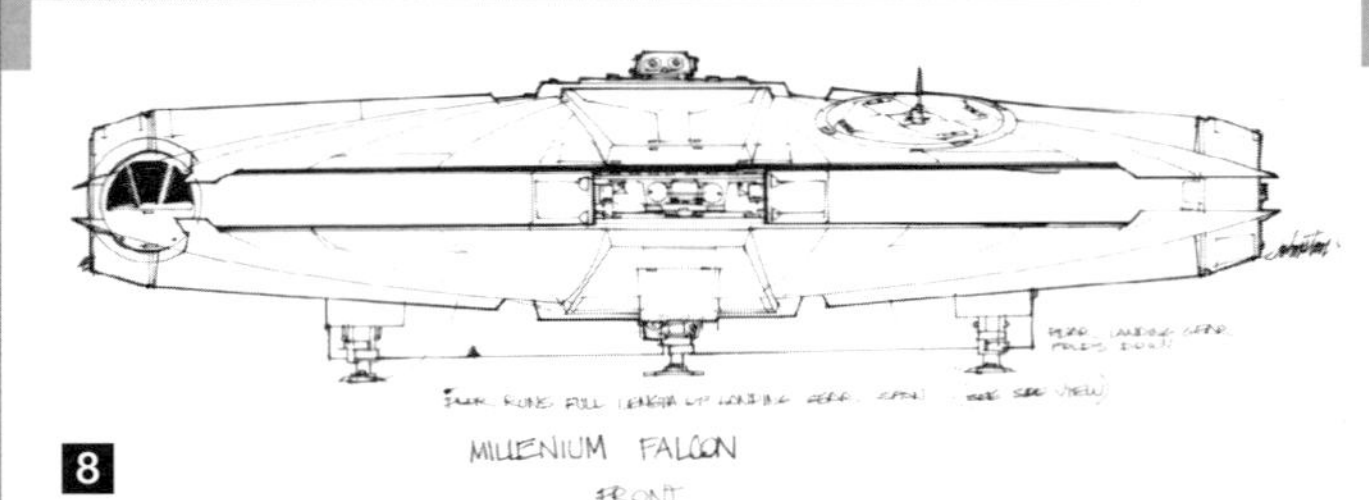

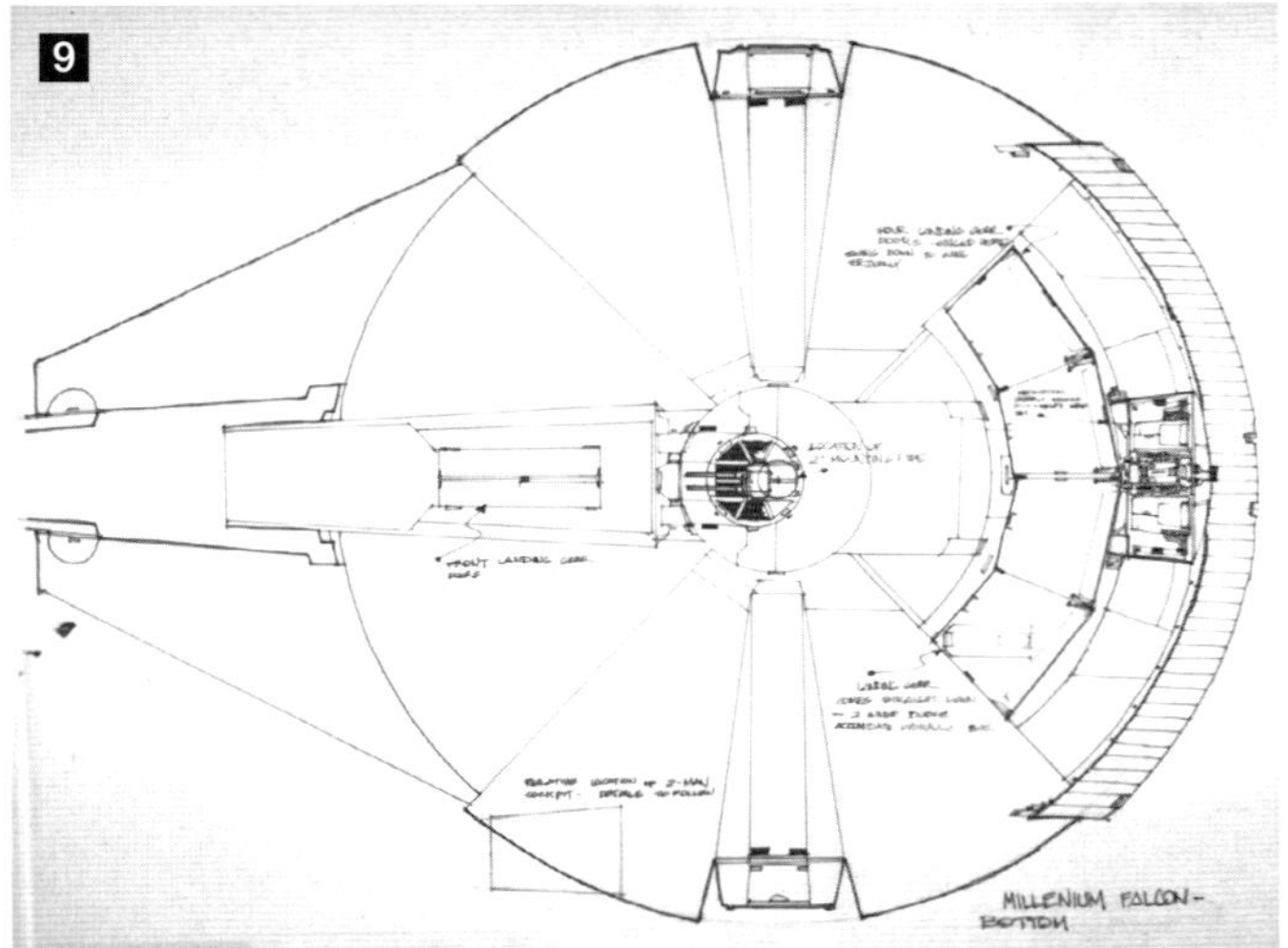

った。仕事で遅くなるとわざわざ家まで車で帰らず試写室の床で眠ったりした」と証言している。当時、ほとんどのスタッフは無名の若者で、楽しくって夢中で遊びガムシャラに働いたのだ。この空気が、時代を超越するキャラクターを生むエネルギーになり、また激しい作り込みをする土台になったのだろう。さらにミレニアム・ファルコンについては、あの魅力ある船が目の前で完成していくのもスタッフのテンションを高めたと思うのだ。製作については多くのスタッフが積極的に関り、モデルメーカーでないスタッフが「どこでもいいからファルコンに何か作らせて」と流用パーツの貼り付けを懇願したりもしたそうだ。この愛すべきエピソードは『月刊モデルグラフィックス』('08年11月号) でモデルメーカーのローン・ピーターソンが披露している。

具体的なモデル製作に話を戻すと、通常の追加パーツによるディテールはボディ表層に構成されている。ボディ面に流用パーツを張り付けるため、ボディ表面から大きく張り出すことはまれで、基本的にボディのアウトラインには影響しない。一方、ミレニアム・ファルコンの特徴である、パネルを取り外したかのような、機体の開口部の内部は、その空間を埋める形でディテールパーツが配置されている。そのため立体的かつ複雑で使用パーツ数も多くなり、より過剰なディテールとなっている。

当然なのだが、ゴチャゴチャしているから良い訳ではない。下面の開口部内部にある構造梁も、H鋼状の梁の後ろでチラっと見えるのが、とても魅力的だ。モデルメーカーのポール・ヒューストンが語っている。「ある程度の妥協は仕方ないということを学んだ。プロデューサーたちはミニチュアに必要最小限のディテールしか望んでいないのに対して、アーティスト気質の私たちの方は、美術館に収蔵されても遜色なしといえるレベルまで作り込みたがる」。

ならずものと言われた当時のILMのスタッフたちは、タガが外れていたのかもしれない。しかし、素晴らしい方向に栓が抜けたため、決して見飽きることのない無限の世界を生んだのだろう。■

89ジョー・ジョンストンのイラスト。ミレニアム・ファルコンは最初から左右非対称でデザインされた訳ではなかった。デザインの完成当初は、飛び上がったミレニアム・ファルコンは垂直に立ち上がりマンボウのように飛ぶ設定だった（コクピットは立ち上がりと同時に回転して垂直になる設定。そのため、撮影用モデルのコクピットはモーターで回転するようにできている）。完成したイラストを縦にするとわかるが、アンテナはボディ面にピッタリと沿って配置されてあり、ディテールこそ左右非対称だが、構造自体はシンメトリーで、銃座もボディ左右に配置されていた。さまざまな出来事が左右非対称の魅力的な船を作るきっかけになった。

10ミレニアム・ファルコンには、ボディ各所に穴メカが配置されていた。写真中央・上のエリアの丸穴はレーダーを配置するためのもの。最終的な撮影用モデルでは、レーダー脇にダメージによる小さな穴がいくつか開いている。その穴のなかにはゴチャメカが配置されているのだが、この写真から、外周部のある加工穴の内、中央から4つ目の穴部が利用されたと予想できる。

11排気口はクールシェード（タイ・ファイターのソーラーパネルと同じ素材）というスリット状の素材でカバーされたが、その奥に送風ファンがデザインディテールとしても垣間見られて異彩を放っている。

12エンジン部上の扇型のパネル（ローン・ピーターソンはマンダラと呼んでいた）は取り外しが可能で、六角穴ネジで留めてあった。ミレニアム・ファルコンを真正面から撮影する際にはこのパネルや発光ユニットを取り外して、横方向から撮影する際には、ボディ左右に配置されている円錐台形状の中央に支持棒を差し込んだ。また、ボディ後ろ側から支持棒を差し込んだ。その際、円錐台にはめてあった六角形のパーツを取り外したのだが、この写真は外された状態で穴が見えている。なお、外された六角形のパーツははめ直す際に上下逆になったりと、撮影された時期によって向きが異なる。

1314ミレニアム・ファルコンの下面開口部の内側側面が映っている写真。この写真から同内側側面には3つの部品が流用されていることがわかるが、いちばん奥の橋の欄干部品（エアフィックス、ポンツーンブリッジ）は、この写真にしか写っていない。ほかにも内側側面が映っている写真はあるのだが、手前のH鋼形部品（アーテル、1／25ダンプトラックのシャーシ）の後ろ側でかつ、光が届かないため見えないのだ。当然ながら劇中映像ではまったく見えない。

バンダイから見事なプラモデルキットとして発売されているヨーダ。その造形にも特徴のある複数個体があることをご存知だろうか？　ここではミレニアム・ファルコンのみならずヨーダにも心を奪われ研究を続ける鷲見氏にその解説をしていただく

●このスチール写真はルーク・スカイウォーカーがダゴバを去るシーンを撮影する際に写された写真で、本文中で触れている、唇が割れているマペット。下の写真1のヒーロータイプのヨーダとはかなり表情が異なることがわかる

Text:／鷲見博

ジェダイマスター・ヨーダ その造形の種類と特徴

ヨーダは『スター・ウォーズ／エピソード5　帝国の逆襲』中盤の山場を、その存在感でしっかりと支えている。ルーク・スカイウォーカーを優しく諭すヨーダには気品があり名ゼリフも多い。また、凛とした顔や背筋、冷たく突き放したり失望したりと、それは間違いなく大人のジェダイ・マスターだった。迷惑な異星人と思ったら偉大な戦士だった、というありがちとも言える設定だが、演出やマーク・ハミルの演技がすばらしく、映画史に残るシーンになっている。公開当時、あのジェダイマスターは小柄な俳優が特殊メイクをして演じていると信じていた人がいたのではないだろうか（私のことなのだが）。実際は精密に作られた造形物だったわけだが、ここではその「エピソード5／帝国の逆襲」におけるヨーダの造形についてすこし語りたいと思う。

劇中に登場するヨーダは、その後映画『ダークククリスタル』を共同監督することにもなる声優／俳優のフランク・オズ（ヨーダの声も担当）が操作したマペット（人形）と着ぐるみ、ラジコンで操演できるものがあり、さらにルーク・スカイウォーカーと共演したマペットは、劇中映像で3タイプが確認できる。

弱音を吐くルーク・スカイウォーカーに対してフォースについて語るヨーダがメインで撮影に使われたいわゆるヒーロータイプで、宣伝用写真など多くのスチール写真が撮影された。ヨーダは、劇中で6シーンに登場するが、その内4シーンはヒーロータイプのヨーダで撮影された（屋外の修行シーンとファーストシーンの一部）。

それぞれの形状の違いがはっきりと確認できるのは、小屋のなかで正体を明かす前のシーンのヨーダで、このヨーダは3タイプのなかで唯一、鼻筋が高いという特徴を持つ。もう1タイプはヒーロータイプと同様に鼻筋が低いのだが、鼻の下の筋が深くクッキリしていて上唇の真ん中がやや割れている。ヒーロータイプは鼻の下がふっくらしていて筋が見えにくく、左口角に少しひげがある。これらは僅かな違いながら劇中映像でも判別可能だ。なお、小屋のシー

1もっとも有名な宣伝用スチール写真で、ここに写っているのがヒーロータイプのヨーダ。左口角にひげが少し生えているのが特徴だ。バンダイの製品（1/12スケール）はこのヒーロータイプを立体化している。2鼻筋の高いヨーダのマペット。この鼻筋の高いヨーダは小屋のなかのシーンでのみ登場し、おもに同シーンの前半を演じている。ヨーダがその正体を明かす場面以降は鼻筋の低いマペットが替わって演じた（上記のルーク・スカイウォーカーと並んで写っているのがそのマペット。上唇に注目してもらうと、上唇の中心部がわずかに割れているのがわかるだろう）。ヒーロータイプは上唇の真ん中が膨らんでいて、中央部だけが一段低くなっている。なお、同小屋のシーンのラストで、「You will be.You will be.」とつぶやくヨーダは再び鼻筋の高いヨーダが演じた。3これもヒーロータイプのヨーダ。横からみると鼻筋が低いのがハッキリと確認できる。この画像は、劇中、フォースでXウイング・ファイターを移動させている名シーンだ。ヨーダはこれまでにさまざまな商品が発売されてきたが、原型を造形する際、その対象とする形状がひとつのようで、実際には数多くの種類があるため似せるのが難しかったと推測できる。しかし、バンダイ製キットは、劇中の気品ある表情を見事に再現している

●これは展示会に出品されている形状の異なる2体のヨーダ。皮膚は同じ原型から複製されたが、両目と鼻との位置関係が微妙に違うため、表情が異なって見える。ただ、上唇は両者ともに中央が割れているのが注目される。ヒーロータイプと異なる訳だが、上唇の形状は、スチュアート・フリーボーンの原型が元々この形状であったためで、ヒーロータイプだけが骨組みやその取り付け方で上唇の形状が特異な形状となった。4 2005年から'14年春まで開催された展示会「Star Wars: Where Science Meets Imagination」に展示された。同展示会は撮影が可能で、私はシドニーとメルボルンで見学した。5 2012年にスタートした展示会「Star Wars Identities: The Exhibition」に展示されている。同展示会はカナダでスタートしたが、現時点（2018年春）ではヨーロッパ各所を回っている。私はエドモントンで見学。同展示会には帝国の逆襲版のスター・デストロイヤーやミレニアム・ファルコンなどが展示されている

ンは鼻筋の高いヨーダと上唇の割れたヨーダが利用された。

なぜこれまでに同じヨーダでも違う造形部があるのか？　ヨーダの頭部は、皮膚の役割を担う非常に柔らかいフォームラテックスと骨組み（頭蓋骨）からなる。フォームラテックスは、まず土台になる原型を作り、そこから形状を反転させた型を作成して複製する。ヨーダの皮膚は同じ原型から複製した同一形状のものだったが、頭蓋骨は個々に製作されたため、骨格の違いやフォームラテックスの取り付け方の違いなどが顔つきの個体差につながった。当然ながら、鼻筋が高いヨーダは、頭蓋骨の鼻筋が高かったのだ。

ちなみに、着ぐるみのヨーダは文字通り着ぐるみで、小柄な役者がヨーダのマスクをかぶって演技した。ルークと出会ったヨーダがペンライトをクルクル回しながら自宅に招き入れるシーンの撮影に使われたのがこれだ。なんと、このマスクはマペットと同じ原型から複製する際に特殊な添加剤を加えて、拡張させて被ったという。

ラジコンで動くヨーダは遠景で立っているシーンや、リュックでルーク・スカイウォーカーに背負われているシーンなどで使用された。ラジコンで操演されている動きがハッキリ見てとれるのは、修行を終えたルークがリュックを地面におろすシーンで、ヨーダがリュックのなかで顔をキョロキョロ動かしているのがわかる。

ヨーダは初期スケッチをジョー・ジョンストンが描き、メイクアップ　アーティストであるスチュアート・フリーボーンが立体像に仕上げた。ヨーダの顔を造形する際にフリーボーン自身の顔やアインシュタインの顔を参考にしたのは有名な話で、当時のスタッフによると彼の工房にはアインシュタインの写真が貼ってあったそうだ。

瑣末ながら、ヨーダが首から掛けている小物がある。筒状を並べた形状をしているのだが、これはパンフルートに似た楽器。バンダイ製キットでも再現されているのだが、なんとも趣深い設定で、ヨーダ師匠が奏でる音色をぜひ聞いてみたかった。■

6 ヨーダに関してはジョー・ジョンストンが多くのアイデアスケッチを描いている。最初期のものは小人の妖精のようなデザインだったが、枚数を重ねるにつれ我々が知る最終デザインに近づいていった。

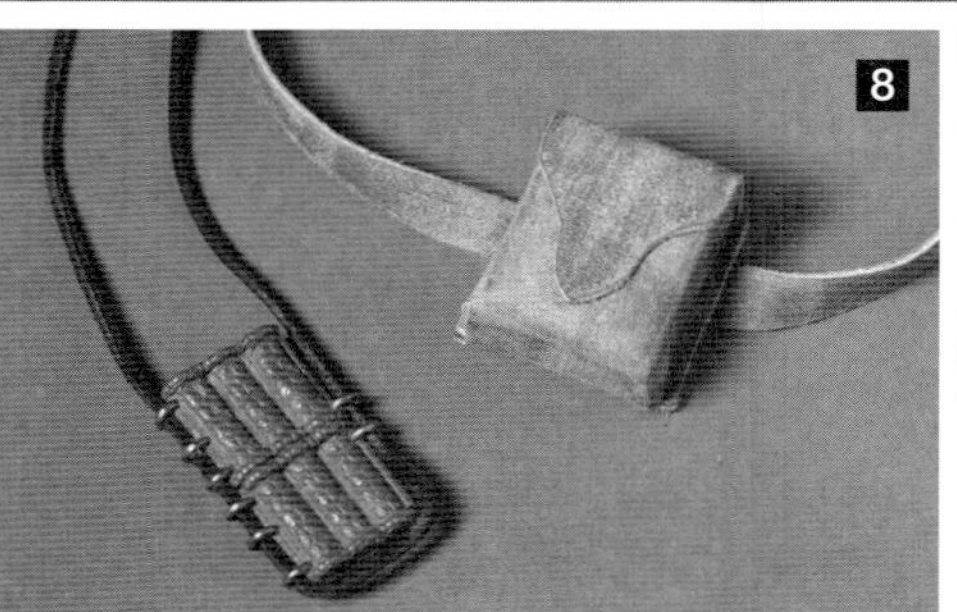

7 スチュアート・フリーボーン（メイクアップおよび特殊クリーチャーデザイナー）が粘土で検討モデルを製作している様子。ジョー・ジョンストンが描いたスケッチをガバンに張り付けて参照したのがわかる。スチュアート・フリーボーンはヨーダの皮膚（フォームラテックス）が完成した際、工房のスタッフたちと記念撮影しているのだが、その写真のなかに、ヨーダの顔の複製が9体分確認できる。8 ヨーダの小物。首から下げている楽器と、ベルトに取り付けられたポケット

Escape from Jedha™

『ローグ・ワン／スター・ウォーズ　ストーリー』中盤の見所である、惑星ジェダへのデス・スターの攻撃。これによって引き起こされる巨大な爆風のなかを逃避するUウイング・ファイターの様子をダイオラマならぬ電飾ディスプレイで再現。PICプログラムを駆使したこの作品は、点滅と発光を繰り返し爆破の様子を再現している

Uウイング・ファイター＆タイ・ストライカー
バンダイ　1/144
インジェクションプラスチックキット
税込2376円
出典／『ローグ・ワン／スター・ウォーズ・ストーリー』
製作・文／**toshi**

●プログラム通りに閃光が動く演出のほかに、中央左右の岩に常設灯を隠すように設置し、通常はUウイング・ファイターを照らしながらディスプレイできるという、展示状態も考慮した作りだ。またセンサーも接続が可能で、周辺が暗くなると電飾演出が始まる機構をもつ

Uウイング・ファイター

U-WING FIGHTER™

ジェダの爆発推移をLED点滅で表現

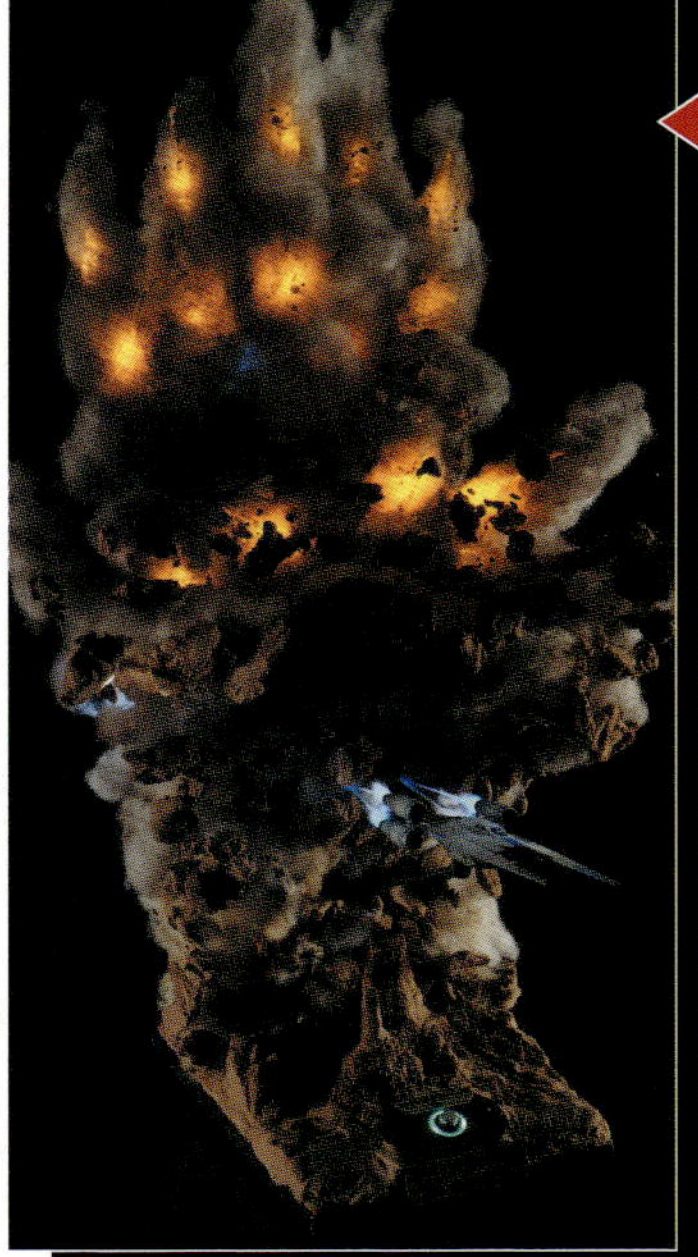

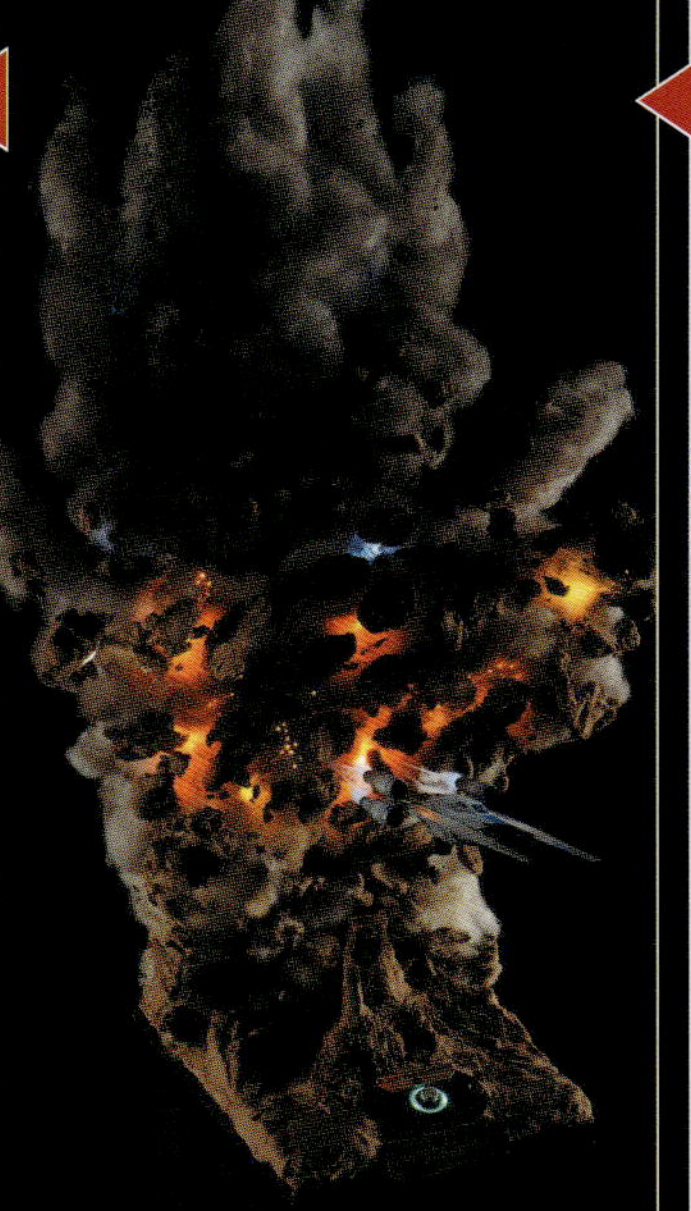

●地表付近から爆煙がゆっくりと光りだし、時間を追うにつれ爆煙が上昇していく。最終的には頭上の爆煙が輝きだすが、その間もUウイング・ファイターのエンジン光は高速点滅によって瞬き続ける。ただの閃光ではなく、見事にレイアウトされた岩が時には照らされ、時には逆光の影となり臨場感を醸し出す。ベース中央で点灯しているのはスイッチ

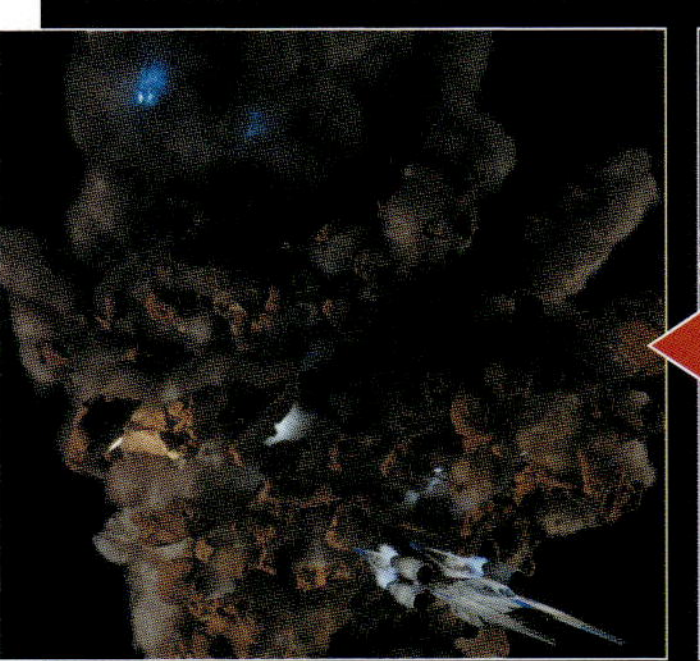

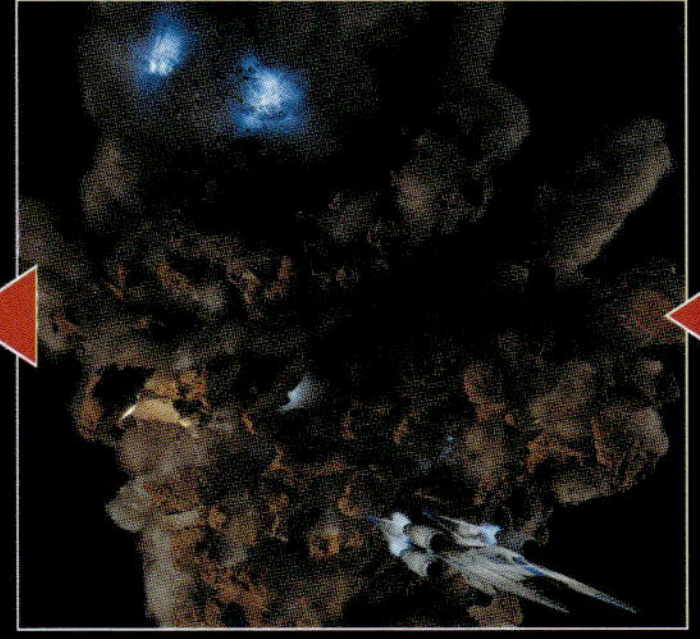
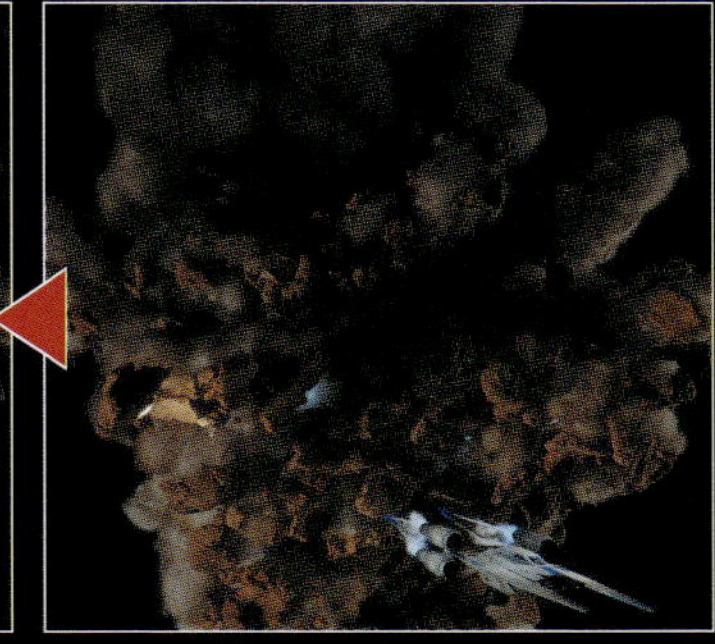

煙のなかの稲光も交互点滅で再現

●綿で作られた爆煙内部のいたるところに白LEDが仕込まれており、これが常にランダムに点滅しているため、イナズマ／プラズマのようにチカチカと瞬く。この光が粘土製の岩に影を作らせるので、より立体的になる

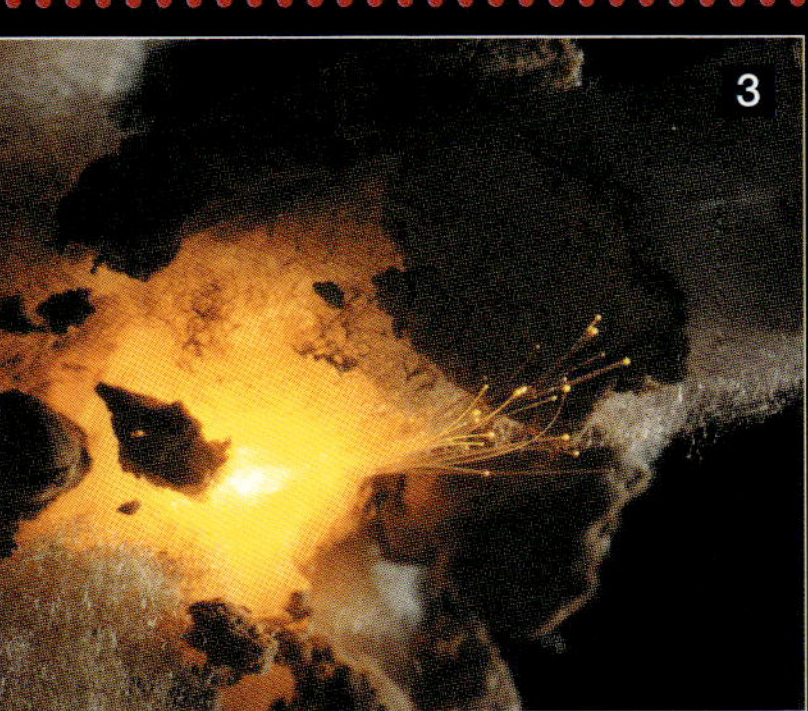

13真綿で作った爆煙と軽量粘土で作った岩の合間には光ファイバーも設置されており、点滅する。アップで撮影すればただの光ファイバーだが、これがPICでコントロールされた複数のLEDがホタル点灯するなか、陰側でチリッ、チリッと瞬くため、まるで火花が散っているかのような効果を生み出す。工作と演出の組み合わせの妙といえる。25Uウイング・ファイター自体は非常によい出来のため、ほぼ改造なしで使用。大胆にも底面下部から支柱と配電を兼ねたステーで本体とつなぎ、電飾した機体を点灯させている。機内はチップLEDで点灯させ、エンジンノズルにはブルーLEDを内蔵。これをPICによって高速点滅させることでエンジン光がうねっている演出を行なっている。それを光源として表面に傷をつけて曇らせた1㎜径の光ファイバーを刺して閃光としている。4LEDと岩の配置具合によって、粘土製の岩に光が当たったり、影が落ちたりすることで動きが生まれ、臨場感が高まる仕組み。火花に見えるのは13の光ファイバーの光

複数LEDの点滅をコントロールし、吹き上げる爆煙と閃光の動きを表現する

◀全体は、上段と下段で組み立てる仕組み。中心から膨らむように岩がレイアウトされ、末端にいくにつれ岩が小さくなり爆煙となる立体的絵画のような構造だ

▲作品の裏パネルを開けるとベース下の基盤にアクセスできる。AC電源のほかメインスイッチ、BGMのON/OFF切り替えスイッチも設置

▼作品の爆煙をかき分けるともうひとつの基盤が収納されている。上部火焔が上昇していく様子を再現するプログラムが納められたPICを設置

『スター・ウォーズ／新たなる希望』を1978年公開当時にリアルタイムに観て感動した世代としては、約40年後にその前日譚の『ローグ・ワン／スター・ウォーズ・ストーリー』が観られるなんて、まるで夢のようでした。登場するビークルの中でも異彩を放っていたUウイング・ファイター。デス・スターの攻撃で惑星ジェダの地表で大爆発が起こる。地上から宇宙空間まで吹き上がった爆発火焔を飛び出してゆくUウイング・ファイター。そして遥か上空には爆発を見下ろすように浮遊するデス・スター……。あのシーンをダイオラマにしたいなーと考えて製作したらこんなことになってしまいました。

◆**Uウイング・ファイターの電飾**

1／144 Uウイング・ファイターはまったく手間要らずの素晴らしい出来なので、基本的にストレート組みです。そのぶん、塗装と電飾に力を注ぎ製作しました。まず4基のエンジンノズルとコクピット部を電飾します。エンジンポッドは内側を削ってスペースを確保し、3㎜ブルーLEDを仕込みました。コクピットはチップLEDでパイロットと下側のカーゴ部分を照らすようにします。エンジンは点滅させられるようにコクピット側と系統を分けて配線しています。

◆**塗装**

コックピットとカーゴ内部はGSIクレオスの317（FS36231）で塗装後にスミ入れ。機体は黒立ち上げの後にGSIクレオスの338（FS36495）を0・2㎜のエアブラシで薄く重ね吹きしました。ストライプはキット付属のシールを型紙代わりにしてマスキングテープを切り出し、ブルーを吹いています。基本的なスミ入れと汚しは、Mr．ウェザリングカラーのマルチブラックや、タミヤエナメルのブラウン、スミ入れ塗料を使いました。

◆**ベースの製作**

ベースはジェダの地表、そしてそこから

1エンジンへの配線にはポリウレタン銅線を使用。ポッドの付け根はかなり狭いので、削りつつ配線通路を確保。2 1608チップＬＥＤ（白色）を座席正面に仕込み、操縦席のパイロットと下側のカーゴ部分を照らした。前面下窓からＬＥＤが丸見えになるのでジャンクパーツでディテールを追加。3配線が終わったら各部ごとに遮光のために黒で一度塗ってから基本塗装をする。4 5ベースの下段部分は、プラ板を箱組したものに粘土で盛り付け。基盤を納める部分、スイッチを納める部分をまずは箱組みにてスペースを確保している。底から割れるように岩盤が盛り上がり中空に舞い上がる爆発をイメージし、そこから機体が飛び出してくるようにレイアウト。6ベース下に収納される基盤には吹き上がる爆煙とイナズマをコントロールするほか、ベース裏に収納される基盤に設置したスピーカーで鳴らすBGMを納めたSDカードも収納する。7途中から増築された垂直に伸びる爆煙の基盤はプラ板で基礎を作り、取り外しが可能に作られている。8そのプラ板の基盤に10本程度の3㎜プラ棒を刺し、そこにLEDをそれぞれ２～３個設置していく。これらが下から順番に点灯していくようなプログラムを組み、タイミングをコントロールしながら点滅させる。ベース下段には爆発の黄、オレンジLEDを24個。ランダムに光る稲妻に白色LEDを14個。上段の吹き上がった火焔には黄LEDを11個。ランダムに光る稲妻に白色LEDを４個。合計53個のLEDを使用した。白色の稲妻LEDは常にランダムに点滅するようにコントロールしている。9ボンドやジェルメディウムを染み込ませ、爆煙のように形を整えた綿をシェード部分に茶色を中心に色を吹いていく。裏から光が透過することを考えて、奥まった部分意外にはさほど色が乗り過ぎないように注意する。10爆煙の煙をプラ棒にレイアウトしたら、その上から、軽量紙粘土で作った岩や破片を貼り付ける。中心から広がるようなレイアウトと岩の大きさを配慮して設置する

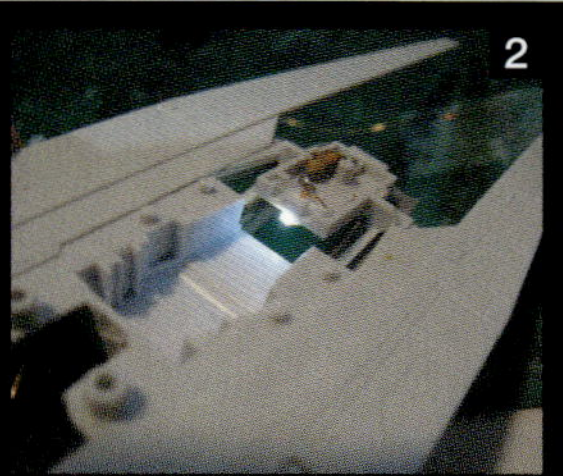

電飾ならではの躍動感を盛り込んだ演出がキモ

飛び散る岩や砂を立体的にレイアウトし、その合間にＬＥＤを配置しました。ベース下段には爆発の黄やオレンジのＬＥＤ。ランダムに光る稲妻には白色ＬＥＤ。上段の吹き上がった火焔には黄ＬＥＤ。ランダムに光る稲妻にさらに白色ＬＥＤを使用しています。ダイオラマ正面のボタンを押すと、音楽再生がスタートし、これらＬＥＤが点滅を始めて、下から順に爆発発光が上昇。さらにＵウイング・ファイターのエンジンノズルがフル発光（高速点滅）し、最後に爆発火焔が天頂のデス・スターを照らす、という寸法です。これらを表現するため、ＰＩＣマイコンは合計3個使用しています。

1個目はベース下部に収納。地上から吹き上がる爆発と稲妻発光をコントロールします。2個目は上部火焔が上昇していく用と稲妻発光コントロール用。そして3個目はベース裏のメイン基板で音楽プレーヤーのスタート・ストップ、Ｕウイング・ファイターのノズルの高速点滅、爆発発光用の前述の2個のＰＩＣに発光スタートの指令を出す役割を受け持たせています。ベース下や裏に基盤を納めるスペースがあるのはいいのですが、２個目の基盤はあとから作りつけたため、収納する場所がありません。そこで基盤のひとつは、爆煙を表現した綿のなかに納めています。ボンドやジェルメディウムを染み込ませた綿を絡ませ、そこに千切った粘土をボンドで無理矢理接着し、吹き上げられる岩盤を表現しています。

また、数ヶ所の黄色やオレンジのＬＥＤにプラパイプを被せ、その先端に０・25㎜と０・５㎜の光ファイバー20本ほどを束ねて放射状にしてグルーガンで固定しました。これらの先端が綿や岩盤から飛び出して発光し、スパークや火の粉のように見えます。

Ｕウイング・ファイターエンジンノズル発光部分に１㎜の光ファイバーの表面をヤスリで削ったものを取り付け、グルーガンでボンドを盛って綿を絡め、発光時に噴射航跡のように光る効果を狙いました。

さて、誌面で伝わりづらい動きのある点滅が主役の作品でしたが、その雰囲気の一部でも伝われば幸いです。■

RED SQUADRON X-WING STARFIGHTER

●エンジンノズルの内部にLEDを仕込むスペースを確保するだけでなく、ノズル内部の後端も模様を残して開口する。光に透かして確認しつつ、モーターツールで裏側からていねいに薄く削っていく。最後にデザインナイフで開口する

Xウイング・スターファイター レッド中隊仕様

『ローグ・ワン／スター・ウォーズ・ストーリー』にはXウイング・スターファイターが多数登場するが、バンダイからはこれらに対応した1/72と1/144のセットが発売されている。ここではこの2機セットを劇中の雰囲気を残しつつ、電飾して仕上げてみた

Xウイング・スターファイター
レッド中隊仕様 スペシャルセット
バンダイ　1/72、1/144
インジェクションプラスチックキット
出典／『ローグ・ワン
／スター・ウォーズ・ストーリー』
税込3240円
製作・文／**どろぼうひげ**

●レッド中隊仕様のXウイング・スターファイターはこまかい各部の塗り分けと数多くのマーキングが特徴。作例では赤、黄色、グレーなどの塗り分けはマスキングして塗装し、マーキングはデカールを使用した。コクピット内のコンソールの電飾は光るだけでなく、赤、緑が交互に点滅する

レッド中隊のXウイング・スターファイターは塗装パターン&デカールが違う!

▲パイロットは『スター・ウォーズ/新たなる希望』に登場したジョン・D・ブラノンとして塗装した

▲グレーはガイアカラーのニュートラルグレーI、赤はGSIクレオス Mr.カラーのNo.327 FS11136を使用した

▲イエローはGSIクレオス Mr.カラーのNo.21 ミドルストーン、ブルーグレーはNo.307 FS36320を使用した

▲アストロメク・ドロイドはミドルストーン+黒と銀色で塗り分け、カメラ部分に光ファイバーを仕込んでLEDで発光させている

「スター・ウォーズ」史上いちばんの名作と名高い『ローグ・ワン/スター・ウォーズ・ストーリー』ですが、登場するビークルもおなじみの機体が多く、Xウイング・スターファイターだけでもレッド中隊のほか、ブルー中隊が登場し、往年のファンを喜ばせたことと思います。そんなこの製品は、『Xウイング・スターファイター レッド中隊仕様 スペシャルセット』という、劇中に登場している反乱同盟軍のXウイング・スターファイターの1/72と1/144サイズの2機がセットになったもの。これまでのXウイング・スターファイターに比べ、色分けの多さとマーキングの多様さには驚かされます(プロトン魚雷やレーザーエフェクトパーツが付属しないなど違いはあるものの、基本的に既発売のXウイング・スターファイターとランナーやパーツの構成は同じです。異なるのはAランナー内の機首側面の赤帯部分のパーツがすべて赤色で成型されるようになったこと。付属する1/144サイズのものはビークルモデルのものと同じようです)。新たに付属したマーキングには文字らしきデカールがたくさんあって、より現実的(?)になっていると感じました。今回はRED1を忠実に再現し、そこへリアルな電飾を組み込むことで、劇場での興奮を再び感じていただければと思います。

製作はまず電飾を仕込むための工作を進めておいて、塗装してからLED等を組み込んでいきます。電飾工作を盛り込んだ模型製作では、遮光のための合わせ目処理や塗装が必要になったりするので、先に段取りをしっかり検討しておかないと、無駄な作業が多くなります。たとえばエンジンは噴射口のスリットを開口し、コトブキヤのバーニアノズルを使ってLEDを仕込む空間を作っておきます。配線を通してから接着して、合わせ目を消し、あとはLEDを接続するだけという状態にしておいて塗装を進める、という手順が必要になります。またコクピットはコンソール部分を薄く整形しておいて塗装を進め、あとから光ファイバーを加えています。アストロメク・ドロイドもカメラ部分に光ファイバーを固定

●こちらは1/144サイズのXウイング・スターファイター。キットの出来もよいうえに見事な仕上げ、電飾のおかげで小ささを感じさせない

コクピットをスクラッチビルドしちゃお！

■1組み立て後に見えなくなる部分に溝を彫り、配線を通す空間を確保。配線を逃がす穴も開けておく。■2エンジンまわりを組み立てながら配線をまわし、機体中央の下側に集めておく。配線には細く取り回しがよいポリウレタン銅線を使用した。■3ドロイドは取付ダボを切り取り、カメラ部分に0.25㎜光ファイバーを差し込んで接着。■4翼の赤帯は塗装で再現する。細い部分は2㎜、太い帯の幅は8.6㎜とした。■5ウェザリングにはパステルを多用し厚紙を当てて擦りつけ、パネルを表現した。■6すべて塗装が終わってから、電飾を仕込む。今回はPICマイコンを使って、エンジンの高速明滅と、コンソールに緑と赤の交互点滅を組み込む。■7ドロイドは自動的に色が変化するLEDを使用した。PICマイコンは、翼の可動軸の下側に収納した。■8コンソールは赤と緑で交互に光が点滅するが、その光源に使うためのチップLEDとチップ抵抗をハンダ付け。かなり省スペースできる。■9そのチップLEDから光ファイバーに採光するために、コクピット下にプラ板で空間を作る。■10コンソールに0.3㎜の穴を開けて固定した光ファイバーをLEDに繋ぎ採光する

1/144サイズXウイング・スターファイターも電飾化！

●1/144サイズのコクピットはわずか8㎜！　キャノピーも塞がれているものを開口し、内部をスクラッチビルド。フィギュアも他製品から流用してパイロットに仕立て搭載、さらにコンソールをLEDを使って点滅するようにしている

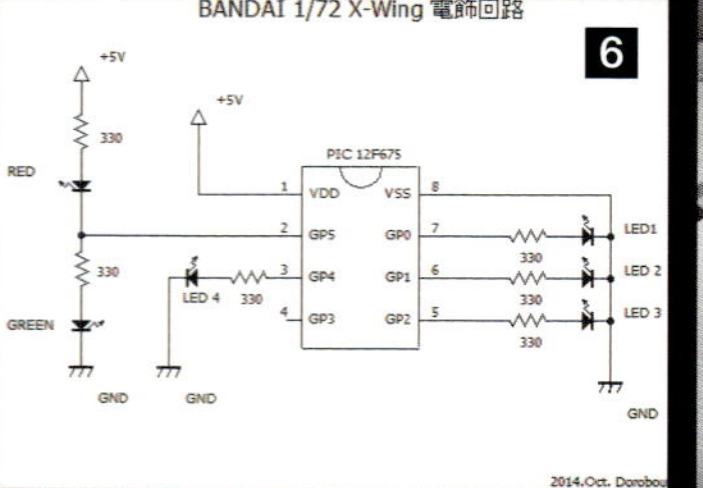

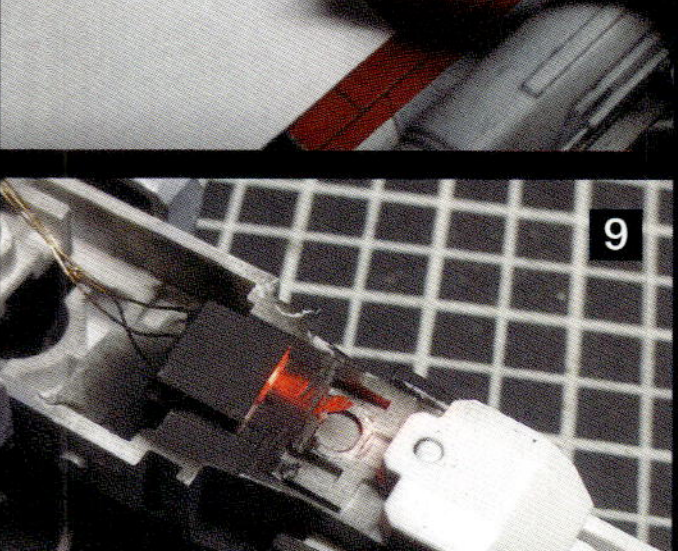

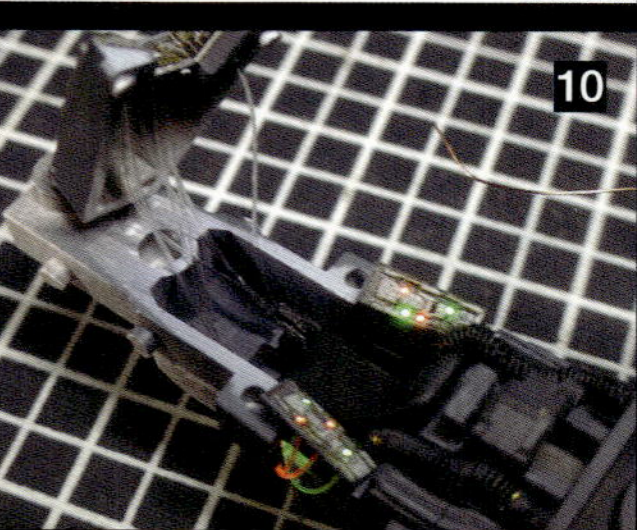

してから塗装を進め、あとからLEDへ繋いで先端をカットします。1／144スケールのRED1も塗装はまったく同じですので、同時進行で進めると非常に効率的です。

この機体は赤や黄色、グレーなどの色分け部分が非常に多いのですが色プラでの再現はされておらず、付属のデカールで再現する仕様になっています。今回はデカールは極力使用せず、ほとんどを塗装で仕上げました（しかし、かなり複雑でこまかい塗り分けになるので、手間をかけたくない人は機体色の白を塗装したあとに、色分けはデカールを使って仕上げてもいいでしょう。）文字のようなものや、幾何学的な図形がマーキングに多用されているのも、この機体の特徴です。また塗装のはがれ表現は意外に少なく、パネルのエッジにこまかい欠けがある感じです。ウェザリングにも特徴があり、スジ状の汚れや、装甲の合わせ目を思わせる段状の汚れが点在しています。しかし汚れすぎているというイメージではないため、白い機体色を維持した汚しのサジ加減が、全体のイメージを決定付けるといってよいでしょう。

今回はエンジンの噴射をPICマイコンを使って高速に明減させて表現しています。1／72では機体にマイコンを内蔵しましたが、1／144のほうはさすがに収まらないので、ベース内部に設置しました。さらに1／72はコンソールに赤と緑の光が交互に点滅する電飾を加えてみたり、ドロイドのカメラに自動的に色が変化するLEDを仕込み、見て楽しい、動きのある電飾にしています（1／144ではキャノピーをくり貫いてコクピットを作り込みコンソールにLEDを仕込んでいます。塗装してから虫ピンで小さな穴を開けていくことで、ファイバーよりも小さな光点を作ります）。

バンダイの「スター・ウォーズ」プラモデルシリーズのキットは、とても組み立てやすくて、だれでも手軽に本格的な「スター・ウォーズ」模型を手にすることができます。劇場で観たばかりのXウイング・スターファイターの活躍を、みなさんの机上で再現してみましょう。■

K-2SO™

『ローグ・ワン／スター・ウォーズ ストーリー』にて活躍したドロイドK-2SOも細微なディテールも含め見事にキット化。黒一色になりがちなこのドロイドを、ツヤや質感を変えながら劇中のイメージを再現した。

●背中に電池ボックスを仕込むのは比較的簡単。ボタン電池を3つ重ねたサイズから割り出してプラ板でボックスを作る。ネオジム磁石を使うことで外装も簡単に取りつけ／外しが可能になる。またポリウレタン銅線を使ってスペースのないところでも配線を可能にしている

K-2SO
バンダイ 1/12 インジェクションプラスチックキット
出典／『ローグ・ワン／スター・ウォーズ・ストーリー』
税込2592円
製作・文／**高橋卓也**

『ローグ・ワン／スター・ウォーズ・ストーリー』からK-2SOです。関節部の真ん中が抜けている印象的なデザインですが、キットでは強度を考えて透明パーツで再現されています。今回はこのパーツを使わずに接着し固定ポーズで仕上げました。まずは目を光らせようとボタン電池を内蔵できるように改修します。背中のパーツを電池交換の際に外せるように胸から下を固定するポリキャップ接続部を胸前パーツに移設。これで背中だけ単体で外せるようになりました。外装の固定には真ん中のダボにネオジム磁石を埋め込んでいます。ボタン電池のLR44を3個使い3Vの電源を作りたいので内部をリューターで削り空間を確保、プラ板で電池ボックスを作ります。白く光る目は透明パーツを内部から照らせる首関節付近に白チップLEDを固定し、配線は首パーツのなかをポリウレタン銅線を通しました。背中のバックパックも赤色チップLEDをプラ板に貼り付け仕込んでいます。赤チップLEDは2・2VだったのでチップタイプCRDを組み込み電池へは目の電飾の回路とは別に並列で繋げました。

塗装です。シルバーを吹いてから下地に黒色サーフェイサーを吹きます。劇中ではCGですが、ツヤあり、ツヤ消し、セミグロスの黒とグレーで塗り分けされているように見えます。ツヤ消し部は下地のサーフェイサーのまま、ツヤあり部はグロスのブラックを塗装。下地の黒にクリアを重ねてセミグロスに。最後にカッターなどで塗膜を削り下地のシルバーを露出させたり、ウェザリングでオイル汚れなどを追加し完成。

BB・8に続きまた魅力的なドロイドが登場しましたね！　K-2SOは絵になる登場シーンがいくつもあるのでまた再チャレンジしたいですね。■

▲今回はイメージビジュアルなどで見かけるK-2SOの印象的なポーズを再現すべく固定ポーズで仕上げた。胴体の曲面はツヤ消しで擦れ汚れを加えているが、いちばん正面の平らな面はツヤありで仕上げている。各部の塗り分けは資料を参考にしたい

タイ・ストライカー
バンダイ　1/72
インジェクションプラスチックキット
出典／『ローグ・ワン
／スター・ウォーズ・ストーリー』
税込2916円
製作・文／**ROKUGEN**

その特異なデザインで発表と同時にファンの度肝を抜いた、帝国軍の新たなヴィークル「タイ・ストライカー」もバンダイから1/72で製品化された。これもさっそくイオンエンジンを点灯させ、ついでにコクピット内の後ろ壁面もTIEシリーズの常として点灯させて製作した

タイ・ストライカー

TIE STRIKER™

●キット完成時の全長は238㎜、幅が167㎜と1/72バンダイ『スター・ウォーズ』アイテムのなかでもいちばんの大きさ。タイ・インターセプターにも似た主翼は迫力があり、ボリュームのあるシルエットだ

●タイ・ボマーにも似た筒型の胴体はタイ・ファイターとしては迫力の大きさ。底部のディテールはタイ・ボマーとほぼ同様の形状になっている

タイ・インターセプター？ タイ・ボマー？ 可変翼の新型機

▲チップLED（1608タイプ赤色）を2個使用しクリアー部分が全体的に光る位置に調整して固定する

▲コクピット内の後ろ壁面の一部をシリコーンゴムで型取りし、UVクリアー樹脂に置き換える

▲LEDの固定には両面テープを使用し、光が漏れないように市販のアルミ箔で覆って遮光する

▲エンジンはピンバイスで穴あけして0.5㎜の光ファイバーの先端を熱で丸くし、差し込んでおく

▲キャノピー部分のパーツは窓が抜けているパーツとすべてが透明で成型されたものと二種類同梱される

『ローグ・ワン／スター・ウォーズ・ストーリー』は登場するビークルも大変魅力的な作品です。劇中では帝国軍側では多数のファイターが登場しますが、ここではバンダイから発売されているタイ・ストライカーを製作します。見慣れたタイ・ファイターの構造と異なり、大型ソーラーパネルが支柱なしでダイレクトに本体へ取り付けられ、しかも可変翼です。

まずは電飾から。タイ・ファイターといえば、コクピット内壁面が幾何学模様に光っています。この機体もそれを再現してみます。発光させたい部分をピンバイスで穴をあけてからナイフで開口し、開口した部分をUVクリアー樹脂で復元します。発光にはチップLEDを使用します。コックピットは先に塗装して発光させたい部分をケガキでパネルパターンを描いて仕上げておきます。もうひとつの発光部分の後部イオンエンジンも同じくチップLED（1608タイプ赤色）を使用しています。電源はベースから6㎜銅パイプを立てて、先端にコネクタを取り付けて本体に差し込み式にして9V供給しています。

本体の上部ハッチは内部が見えるので、前部、後部ともジャンクパーツを使用してモールドを追加しています。こういったチラリと見えるような部分は遊びを詰め込みたいところ。そして各所のモールドやスジ彫りをシャープにします。

塗装はガイアノーツのエヴォブラックでパーツすべてを塗装します。ソーラーパネルの黒部分はGSIクレオスのMr.カラーNo.29艦底色、No.129カウリング色、No.33つや消し黒をランダムに吹き付けて仕上げ。本体はNo.72ミディアムブルーを基本にNo.28ライトグレー、No.33ツヤ消し黒などを調合し、陰になるところは暗めに、光の当たる広い面は明るめに重ねながら現実味のある塗装面を目指しています。

タイ・インターセプターやタイ・ボマーとの共通点のあるこの機体はEP4以降、登場しないメカなので、この大型ソーラーパネルでの飛行性能は？ どんな風に飛ぶのか？ 楽しみにしたいと思います。■

BATTLE OF SCARIF™

-Attacking the Shield Gate-

アタッキング・ザ・シールド・ゲート
ノンスケール　フルスクラッチビルド
出典／「ローグ・ワン／スター・ウォーズ・ストーリー」
製作・文／**HMM二宮茂樹**

『ローグ・ワン／スター・ウォーズ　ストーリー』のクライマックス、撃墜されるスター・デストロイヤーによってシールドゲートが破壊されるシーンを3Dプリンタを駆使した造形で再現してみる。

バトル・オブ・スカリフ

アタッキング・ザ・シールド・ゲート

2016年夏に日本公開され『スター・ウォーズ／EP4　新たなる希望』直前の物語を描いて話題となった『ローグ・ワン／スター・ウォーズ ストーリー』。クライマックスではXウイング・スターファイター、Yウイング・スターファイターやスター・デストロイヤーなどのお馴染みのビークルたちが組んず解れつの戦闘を繰り広げ、EP4で活躍のレッド、ゴールドの両中隊も登場して旧作ファンにとって嬉しいものでありました。そのほかにもブルー中隊のXウイング・スターファイターなども登場。そんなわけで今回、バンダイのビークルモデルで劇中に登場する各種メカを作ってみました。ビークルモデルはお手ごろなサイズと価格なのでこのようにお手軽にいろいろなことが試せますね。また3Dプリンタを使い背景のにぎやかしモデルとして惑星スカリフのシールド・ゲートを作りました。まずはスター・デストロイヤーから。

スター・デストロイヤーはパーツ数も少なくて組み立てやすいんですが艦橋上のシールド発生装置が極端に小さくてピンセットでつまんで接着しようとして何回飛ばしたことか。でもそれさえ気をつければとくに問題ありません。塗装は流行の水性塗料シタデルの「ULTHUAN GREY」を下塗りせずにいきなり筆塗り。下塗りをしなかったのは塗膜でモールドが甘くなってしまうのを嫌ったから。さらに上から薄めた「NULN OIL」でスミ入れしてます。ここであまりはっきりくっきりスミ入れしてしまうと巨大感が失われてしまうので塗料は薄めてコントラストはあまりつけないように塗りました。シタデルは水性なので水で薄めますが、薄めすぎるとモデルの表面ではじく場合があります。そんなときは消毒用アルコールをちょっとたらします。燃料用アルコールだと重ね塗りした時に下地を溶かすので注意しましょう。まずは普通に2隻作って、もう2隻はラストのぶつかりデストロイヤーズにしてみました。劇中ではハンマーヘッド・コルベットに押された一隻がもう一隻の上部構造物をナイフのように船体でこそぎとるように壊していってますので一隻

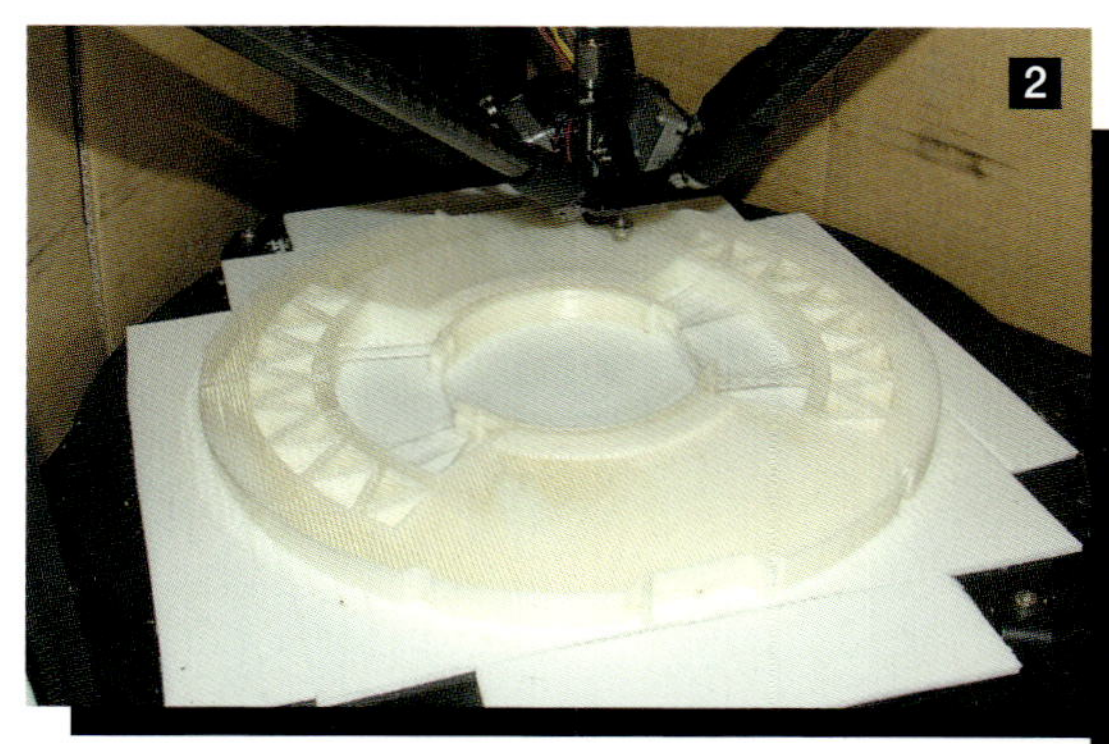

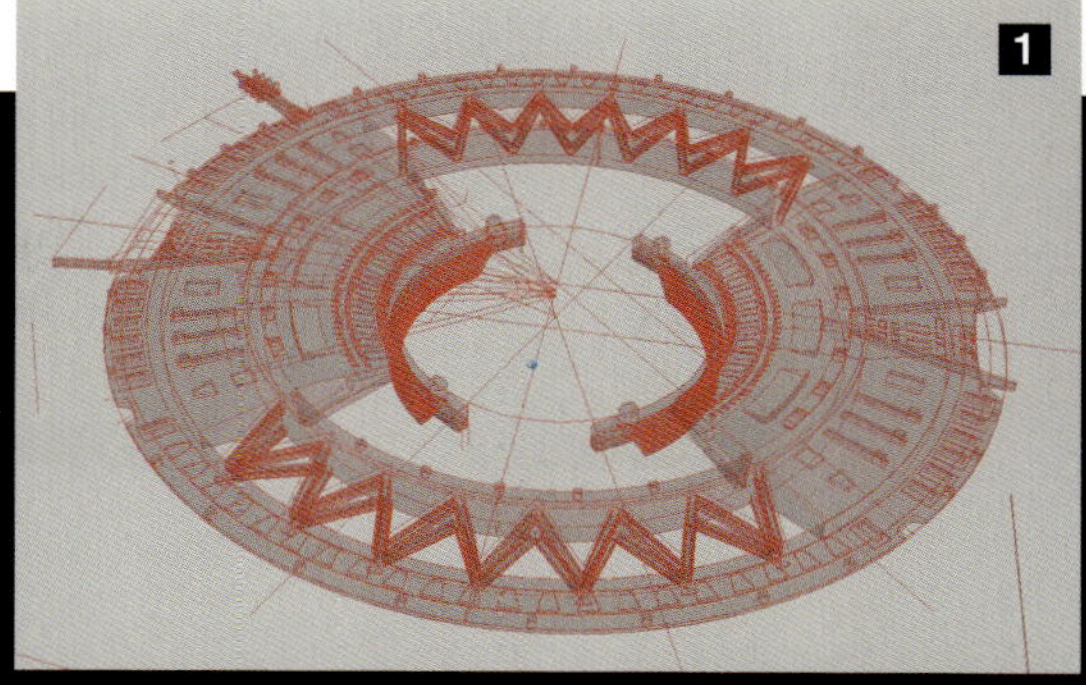

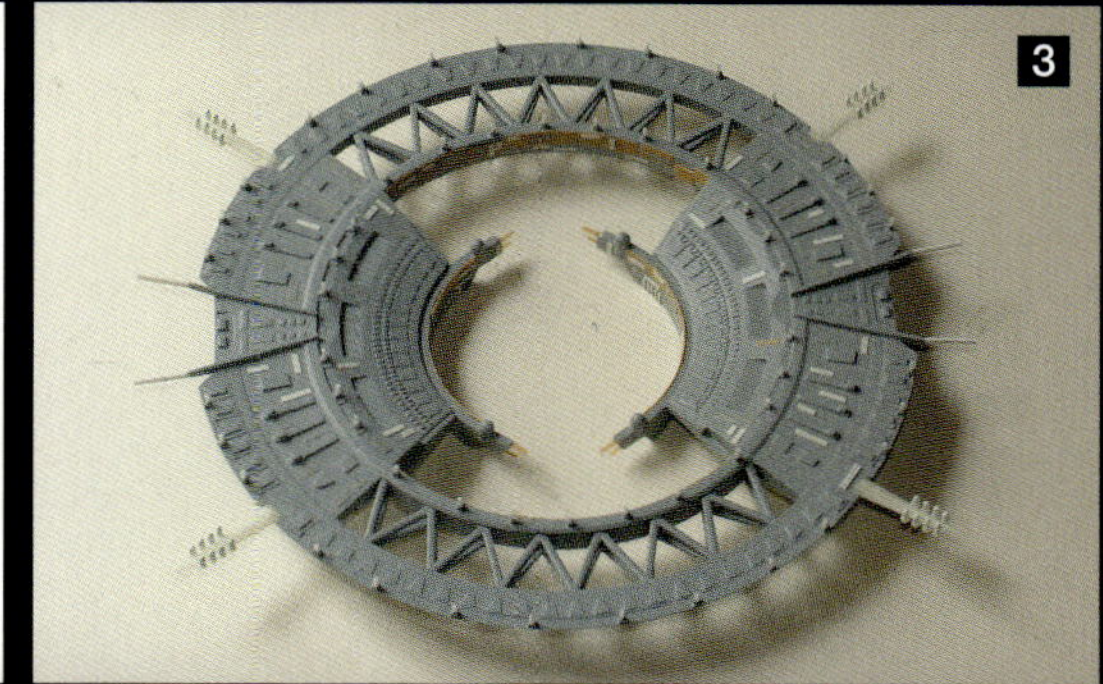

3Dプリンターを駆使して シールドゲートをスクラッチビルド!!

1パソコンは自作のWindowsマシンで3DソフトはCADソフト「Rhinoceros」。工業用なので映像用の3Dソフトよりは寸法管理がしやすいので愛用。2 3Dプリンタは台湾製の組み立て式のATOM2.0。高さ30㎝ぐらいまでは造形可能。もちろん時間はかかるけど。3 FDM式、いわゆるニュルニュルとプラスチックを溶かして積層していくタイプの3Dプリンタの弱点は細い部分が苦手。プラを押り出すノズルの穴の直径が0.4㎜や、細いものでも0.2㎜なので理論的にはそれより小さいものが造形できない。なので細く細かいディテールはプラチップを貼り付けて表現。4 5 3Dプリントペンで爆発を表現した。これはモーター内臓で溶けたプラをニュルニュルと押し出すもので、盛り上げることしかできないが可能性は無限。VICTORSTARのRP600Aという製品

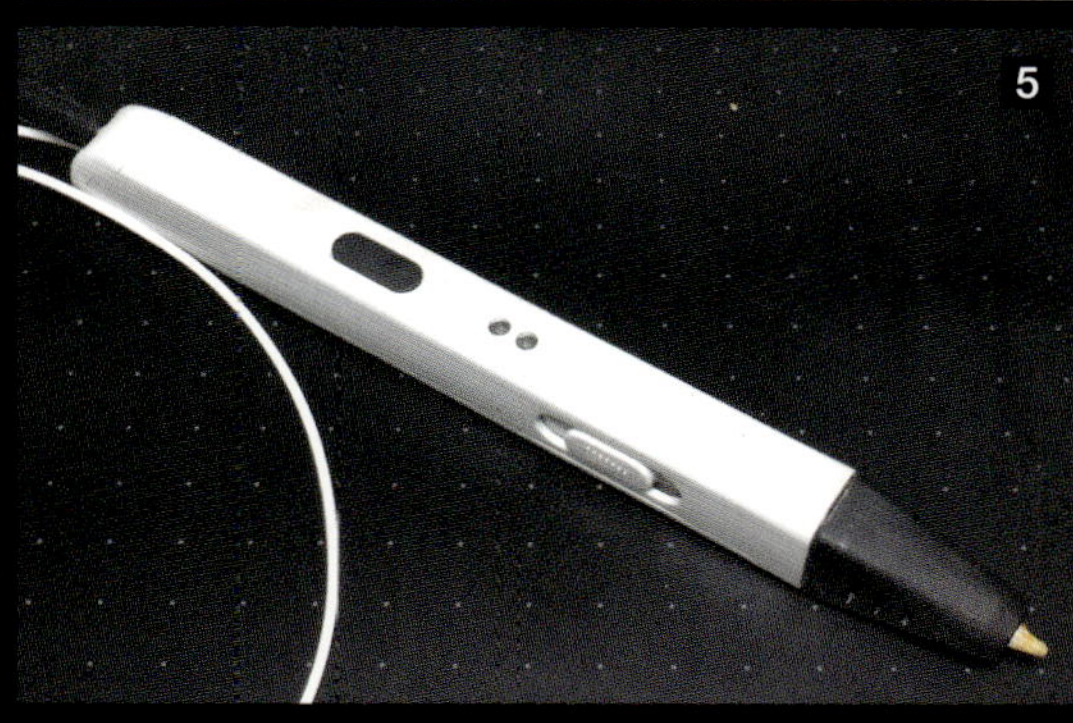

アタッキング・ザ・シールド・ゲート
ノンスケール　フルスクラッチビルド
出典／「ローグ・ワン／スター・ウォーズ・ストーリー」
製作・文／**HMM二宮茂樹**

の上面を超音波カッターで切り取りもう一隻を組み合わせて接着、爆発の煙や炎は3Dプリントペンなる文明の利器を使っています。これはFDM式3Dプリンタのヘッド部分だけを手持ちで使えるようにしたもので先端のノズルから溶かしたプラスチックをニュルニュルと吐出しますので煙や炎っぽくモリモリと造形していきます。ところどころ砕いた艦橋や上部構造物などを埋め込んでさらに盛ります。満足いく造形ができたら炎は蛍光イエローとオレンジ、煙はグレイやブラウン系を何色か使って塗装します。ハンマーヘッド・コルベットはプラ棒で造形しました。

Xウイング・スターファイターはかのレッド中隊も出てきますが、今回は最初にゲートに突入するブルー中隊のブルー・リーダーにしてみました。基本的にはレッド・リーダーの赤の部分が青になり主翼の上下面にブラウン系の塗り分けがあります。こちらもシタデルで塗装。スミ入れはデストロイヤーよりもちょっと濃く。

Yウイング・スターファイターはEP4で大活躍……しなかったゴールド中隊です。一応ゴールド・リーダー以下2、3、5準拠で作りました。塗装はシタデルです。

最後のシールドゲートは劇場で見てから少しずつ資料を集めて3Dモデリングを始め、数ヵ月後に一応の完成をみて手持ちのプリンターで出力してみました。出力時間は実に87時間！　出力が終わるまでどきどきの3日半でした。そんなわけで劇中登場の形状とはちょっと違いますがご容赦ください。今回使用したプリンタはFMD式といって溶かしたプラスチックをノズルから出して積層していく方式です。ウチのプリンタは最大直径250㎜の円形までは造形できるタイプなのでアンテナなどを除き、さらにギリギリ造形は怖いのでマージンをとって円形部分だけで直径200㎜で出力しました。出力したモノに別に作ったアンテナなどを取り付けて表面を磨き倒し、さらにプラ板・チップなどで表面をディテールアップ。塗装はこちらもシタデルです。意外と雰囲気よくできました。■

STAR WARS MODELING ARCHIVE II

スター・ウォーズ モデリング アーカイヴ II
モデルグラフィックス編集部／編

モデラー／Modeler
どろぼうひげ
加藤優介
ROKUGEN
福井政弘
高橋卓也
ぴあにしも
ちょうぎ
toshi
HMM二宮茂樹

テキスト／Text
高橋清二
鷲見博
廣田恵介

編集／Editer
モデルグラフィックス編集部
関口コフ

撮影／Photo
インタニヤ

装丁／Bookbinder,Cover Design
福井政弘

DTP／DTP
横川隆（九六式艦上デザイン）

協力／Special thanks
バンダイホビー事業部
スケールアヴィエーション編集部
吉田伊知郎（月刊アーマーモデリング編集部）

本書収録のすべてのバンダイ製品のお問い合わせ
バンダイ静岡相談センター：054(208)7520

スター・ウォーズ モデリング アーカイヴ II

発行日　2018年5 月11日 初版第1刷

発行／株式会社 うさぎ出版

発売／株式会社 大日本絵画
〒101-0054 東京都千代田区神田錦町1丁目7番地
URL：http://www.kaiga.co.jp

編集人／市村 弘
企画／編集 株式会社アートボックス
〒101-0054 東京都千代田区神田錦町1丁目7番地
錦町一丁目ビル4階
URL：http://www.modelkasten.com/

印刷／三松堂株式会社
製本／株式会社ブロケード

内容に関するお問い合わせ先: 03(6820)7000 (株)アートボックス
販売に関するお問い合わせ先: 03(3294)7861 (株)大日本絵画

Publisher/Usagi Shuppan Co., Ltd.
Vendor/Dainippon Kaiga Co., Ltd.
Kanda Nishiki-cho 1-7, Chiyoda-ku, Tokyo 101-0054 Japan
Phone 03-3294-7861
Dainippon Kaiga URL: http://www.kaiga.co.jp
Editor/Artbox Co., Ltd.
Nishiki-cho 1-chome bldg., 4th Floor, Kanda
Nishiki-cho 1-7, Chiyoda-ku, Tokyo 101-0054 Japan
Phone 03-6820-7000
Artbox URL：http://www.modelkasten.com/

ISBN978-4-499-23234-0